きみとぼくの壊れた世界

西尾維新

KODANSHA NOVELS

講談社ノベルス

CONTENTS

Book Design **Hiroto Kumagai**　Cover Design **Veia**　Illustration **TAGRO**

How
is
your
worl

きみのためにたとえ世界を失うことがあろうとも、
世界のためにきみを失いたくはない。

バイロン

もんだい編

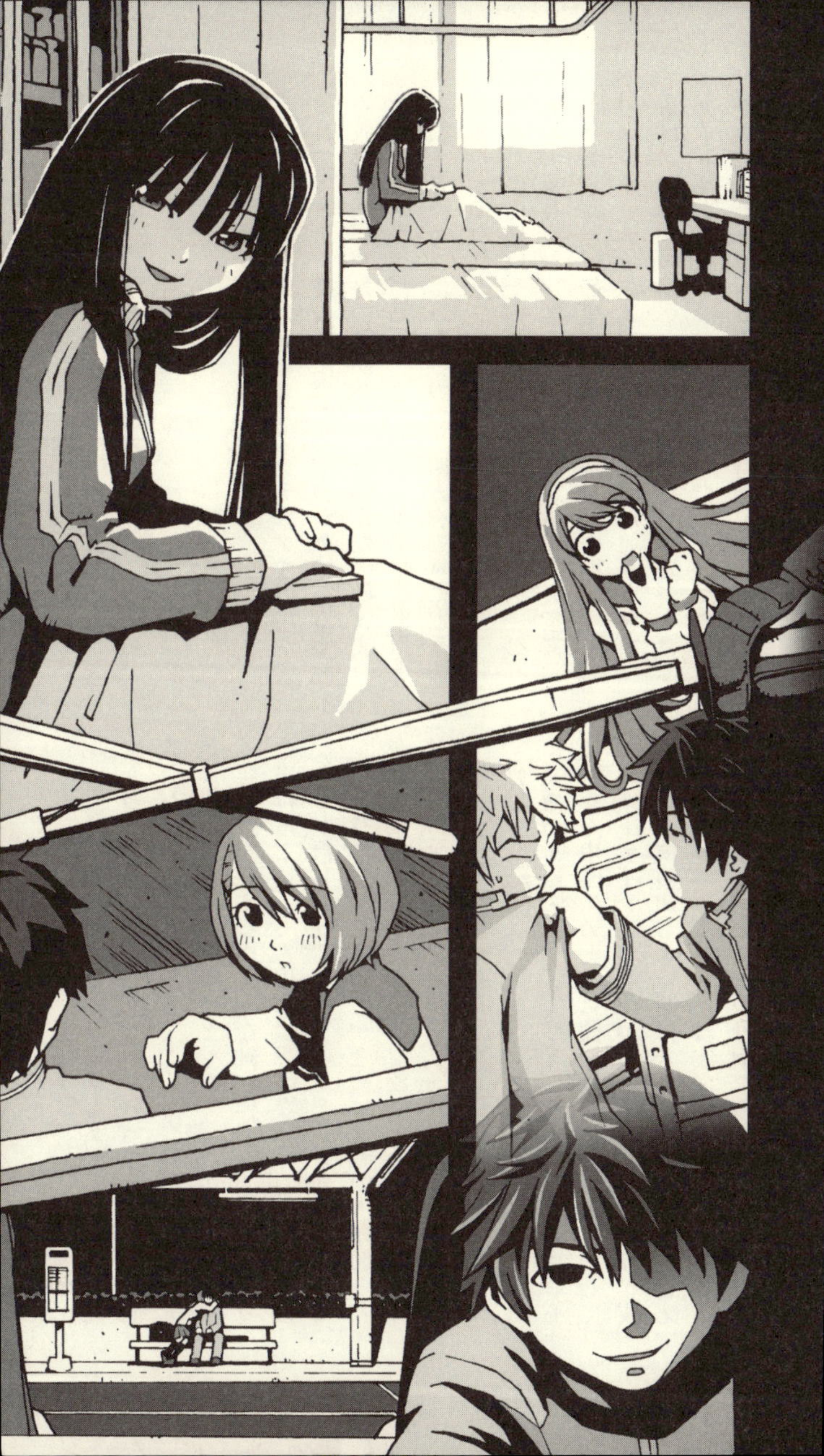

この小説には暴力シーンやグロテスクな表現が含まれています。帯にそんな惹句《じゃっく》が書かれている小説を求めて僕は夜月《よるつき》の部屋へと脚を運んだ。妹・夜月の部屋は八畳半、高校二年生が暮らすには標準以上の広さを誇ってはいるものの、四方を二重に取り囲む本棚、それにダブルサイズのベッドによって、ぱっと見の面積はその半分以下にしかならない。とりあえず暴力シーンは往々にして純文学より大衆文学寄りだろうと、部屋の左から二番目の本棚、主としてエンターテインメント小説の文庫が並べられているはずの本棚の前へと僕は移動した。本の背を見てタイトルを確認しつつ、気になったタイトルのものがあればそれを引き出す。僕の持論によればタイトルのセンスがダサい小説は文章もダサい。海外の翻《ほん》訳《やく》ものすらその例外ではない、いい作者にはいい翻訳者がつく、サリンジャーがいい例だ。悪い例も色々思い当たるが自粛。ともかく、一番人目につく外題に気を使えないような鈍い作者が心を打つ文章を書けるとはとても僕には思えない。どうしてそんなことが信じられるというのか？　もっとも外題に全力を費やしてしまったがために文章の方がおろそかになっている作品も結構な数に上る。結局全てはどっこいどっこい、必要なのはバランス感覚だろう。『少年少女』。『武器よさらば』。『即興詩人』。『三国志』八冊。『じゃじゃ馬ならし』。なんとなしに文庫の並びを追ってみる。しかし『武器よさらば』なら中学生のときに読んだが、あれは果たしてエンターテインメントだったか？　絶対に違う。夜月の奴、僕の知らない間にまたぞろ本棚の並べ替えをしたらしい。ここらに岩波文庫が集中しているところを見ると、また出版社別だろうか？　そう思ってざっと部屋を一周して、本棚を全て確認する。なるほど、このたびは本の背の色で揃えたらしい。少し距離を置いて見てみれば一目瞭然《りょうぜん》だった。ジャンル別に並べたり出版社別に並べたり作者別に並べたり体積（縦×横×頁数《ページ》）別に並べたり、夜月の本棚整理は最早趣味というより職人芸の段階に達している。その作業は果たして楽しいのだろうか？　多分楽しいのだろう。一冊一冊、この本はあちらこの本はそちらと分類しながら、読んだ際の思い出を想起し、感想を思い返すのだ。

している内に目を引く作者名を見つけた。文庫ではない、新書と呼ばれるサイズだった。その目を引くペンネームのセンスはイマイチで、そのダサさこそが目を引いたのだが（本名かもしれないが、まずありえなさそうな名前だった）、しかしタイトルセンスはずば抜けて秀逸だ。手にとって、帯を確認した。『塔の中に閉じ込められた死体！　これぞ究極の密室トリックの生き残り！』と、大きな白抜きのゴシック体。どうやら推理小説らしい。つい最近まで僕は推理小説なんてものは基本的にガキかおっさんの読み物だと思っていたのだが、夜月によればそれは違うらしい。それは随分と昔の話であって、むしろ昨今はティーンエイジの読み物として受けているそうだ。本当かどうかちょっと訝《いぶか》しんだが、しかしマニア相手に論争するほど僕も馬鹿じゃないので、そのときはふうんと納得した。でも、推理小説に限らず、誰だって一番読書に夢中になれるのは、中高生時代だろう。そう言えば夜月がこんな本の虫になったのも、高校生になってからだった。奥付を確認する。初版、今年の一月二十四日。ついこの間だ。帯の惹句が『暴力シーンやグロテスクな表現が含まれています』でないのがいささかながら残念ではあったが、しかし推理小説ならば問題なく、暴力的でグロテスクなことだろう。推理小説というのは突き詰めれば人がばんばん死ぬだけの物語だ。小学二年生のとき、初めて自覚的に接した作家である江戸川乱歩がそうだった。当時の担任教師に『子供が読むなら乱歩だよ』と薦《すす》められたのに従ったまでだが、その体験以来、僕の読書嗜好《しこう》は明らかにそういう系統に傾いてしまった。僕は夜月とは逆で高校生になってからは本を読むこと自体が少なくなってしまったが（高校入学直後、部屋にあった本を全て馴《な》染《じ》みの古本屋に売り払ってその金でサンドバッグと中古のバルカンを買い、空になった本棚六つを夜月にあげた）、それでもたまにこうして衝動的に発生する読書欲が求めているのは、その手の暴力的かつグロテスクな小説ばかりだ。さて、僕は衝動に任せて、その新書の頁を繰ることにする。夜月のダブルベッドの上、羽毛布団《ぶとん》の上に寝転がって、天井のライトを遮るように本を翳《かざ》した。出だしを読む。いきなりレイプシーンから始まっていて、期待を裏切らずに陰鬱《いんうつ》な気分にさせられた。

　二十ページほどで読むのがかったるくなってきた。文章にセンスを求めておきながらこれだから、われながら情けない体たらくだ。この部屋に入ってくるときはかなり気合いを入れていたのでここまで眼を皿のようにして読んできたのだが、そこから先は流し読みになった。その内殺人事件が起こる。なんと殺人現場は密室らしい。しかしそれは帯に書いてあったので既に知っている。これはネタバレではないのだろうか。もっともいきなり密室なんて意味不明なことをいわれても面食らうので、先に粗筋《あらすじ》を知っておくことは必要なのかもしれない。それにしてもどうして推理小説に登場するキャラクターはこうも容易《たやす》く人を殺してしまうのだろうか。まるで足し算か引き算でもしているように、この人は邪魔、こいつ嫌い、的に殺人を起こす。どころか、色んな策を弄《ろう》して奇を衒《てら》い、まるで殺人を楽しんでいるかのような有様だ。お前らは革命者か。この姿はそのまま、数学の問題を解いている受験生の姿に当てはまる。こんな奴らが本当にいるのか？　決まっている、いるわけがない。革命者や受験生は現実の存在だが、あくまで小説はフィクションだ。確かに数学の問題を解くのはいい運動になるし、慣れれば楽しい。けれど殺人はそうではないだろう？　いや待て。数学が嫌いな高校生もまだたくさんいる。ならば逆説的に殺人も同じで、得意で、しかも好きな人間がいてもおかしくないのかもしれない。五十分も過ぎた頃には、小説もいよいよクライマックスに入った。犯人はあろうことか第一の被害者の弟であって、驚くべき手法（と、書いてある）によって密室を構成していた。犯人は探偵の前で泣き崩れて動機を滔々《とうとう》と述べている。どうやらこの男、過去に相当つらい思いをしたらしい。可哀想に。僕はちょっと感じ入った。しかし次の行で裏切られた。なんと探偵が犯人に向けて人道を説き始めたのだ。ついさっきまで謎が解明できればそれでいいとかこの犯人は天才的だとか言っていた癖《くせ》に、いきなり道徳の時間が始まったかのように聖人みたいな言葉を吐き出した。はあ？　何を言ってるんだお前は。お前はレナルドが可哀想だとは思わないのか？　第七章であんな楽しそうに談笑していたじゃないか。何故《なぜ》死人に鞭《むち》打つような真似《まね》を。お前の血は何色だ。そんなこと言われなくても分かってんだよ。分かっててやったんだよ、そっとしといてやれよ！　大体今更何を言ったところでどうせそいつ、お前が犯罪を暴いた時点で死刑決定だぞ。それは殺人じゃないんですかい？

なーんて、まあそんな揚げ足取りは大人気ない。これはきっとこのペンネームのダサい作者の、あふれ出さんばかりの美しき良心の結果だろう。つまり人間社会において禁忌《きんき》である殺人をテーマにしてしまった以上、こういう形で辻褄《つじつま》を合わせるしかなかったのだ。本当は作者だってあんなマークなんて野郎は殺されてしまって当然だと思っているに違いない。作者の意図を汲み取ってやるのも読者の務めだ。僕っていい奴だな。多分。ともあれ、この小説は僕の暴力プラスグロテスクを求める衝動を満たしてはくれなかった。どうやら出だしのレイプシーンはただの衒いだったらしく、推理小説は推理小説でも、謎とか論理とかの枝葉末節を重んじる、確か、照れることも悪びれることもなく自らを『本格』と標榜する際限なく不遜《ふそん》極まる種類の、僕とはあまり縁のないそれだったようだ。ならば二十ページでかったるくなったのは僕だけの責任とは言えない。と、そこで、階段を昇ってくる音が聞こえた。まだ一時間しか経っていないのに、夜月の奴、もう風呂から上がったらしい。ほどなく閉じておいた扉が開く。

「あー。あ、あ、あー。ああああああー」

湯上りの髪にインド人みたくバスタオルを巻いたパジャマ姿の夜月が部屋の中に入ってきて、ベッドを我が物顔で占領している僕を指さした。

「もう、お兄ちゃん、夜月の部屋に勝手に入らないでって言ってるでしょー。それに、勝手に本まで読んで。その本、夜月まだ読んでないよー」

「犯人はメイドのゲートベルだった」

「ひ、酷いっ！　楽しみにしてたのにっ！　熟成させておいたのにっ！　お兄ちゃん、夜月、お兄ちゃんにそんな意地悪されるようなこと、何もしてないよ!?」

「嘘だよ。よっと」

僕は腹筋の要領で、ベッドから上半身を起こした。そう言えばいつだったか病院坂《びょういんざか》が言っていた、人間というのは、平坦な場所に寝転び、上半身だけを起こした姿勢が、もっとも思考に適した姿勢であると。眉唾《まゆつば》もので、引きこもりの言い訳としか思えないが。僕は新書を閉じて、夜月へと投げ渡した。

「わっ、わっ。もう。投げないでよ。本はもっと大切に扱って欲しいかな。本を大切にできない人は、友達を大切にできない人なんだよ」

「哲学者っぽいね。誰の言葉？　ロシア系だろ」

「んー。ニュートンだったかな」

「科学者じゃないか。全然ロシア系じゃねえし」

「科学者でも哲学者でもイギリス人でもロシア人でも本は大切にすると思うよ。大切にする人にとって、本はとっても大切なものだから」

「それって絶対伝記学者の創作だよ。プリンキピアなら受験のときに簡易版を半分くらい読んだけど、本を大切に扱うニュートンなんて、想像もできん」

それに友達少なそうだしな、ニュートン。

「それよりお兄ちゃん、こないだちゃんと約束したじゃない。約束したよ、憶えてるよ、夜月。夜月のいないときに勝手に部屋に入らないって。ノックは三回って」

「見られて困るものがあるわけでもないだろ」

「あるよー」

「あるのか」

「いっぱいあるよー。それにこーんな散らかってて、出来の悪い子みたいで、なんか恥ずかしいかな」

「散らかってる？　これで？　ふうん……。まあいいけど。それより夜月。本棚、整理しただろ？」

「うん。それは見たら分かるでしょ？」

言いながら勉強机の椅子に座って、椅子を回転させて僕の方を向く夜月。勝手に入らないでと言っても、追い出すつもりはないらしい。よっぽど機嫌が悪いときでもない限り、夜月が僕を追い出すなんてことないってそれは、最初から分かりきっていることだ。

「綺麗かな？　ほら、そっちの端からぐうぃーいってグラデーションになってるんだよ。テーマは『虹』かな。赤から紫へー、レインボー」

「『虹』ねえ。虹って虫偏だぜ？　まあいいけど。でもおかげでどの本がどこにあるか全然分かんなくなっちゃってさ。なんかこう、暴力的でグロテスクな本ってない？」

「あ、またその欲求だね。お兄ちゃん、もっと色々な本読んだ方がいいんじゃないのかな？　えーと、前は岡本綺堂だっけ。澁澤龍彥は裏技使ってコンプりってたよね。じゃあお次は国枝史郎？　お兄ちゃんの時代には読めなかった、いいのが復刻されてるよー。あ、そうだ、埴谷雄高は？　この人、本名が格好《かっこう》いいんだよね。知ってるかな？」

「んー。その辺は大体分かったたし。つーか、できれば現代ので、それでちょいとぬるめの奴がいいな。本格的にイッちゃってるの読むにゃ、いまいち僕のコンディションが整ってないんでね」

「あー、だからお兄ちゃん、さっきのはミステリ読んでたんだ。でもお兄ちゃん、ミステリのミステリがミステリミステリぶってる奴だよー」

「ミステリ？　読んでたのは推理小説だよ。そりゃ、推理の推理が推理めいてはいたけどさ」

「最近は推理小説のことを指してミステリっていうの。お兄ちゃん、ちょっぴし物知らずー」

きゃらきゃらとおかしそうに笑う夜月。他人に笑われるのはあまり好きではなかったが、夜月相手なら別に気にならなかったので、僕は「ふうん」とだけ頷いた。

「そういう本ならこと欠かないよー。サイコパスものバイオレンスもの、最近、ミステリ・エンターテインメント界で流行《はや》ってるから。時代がお兄ちゃんに追いついたって感じかな。今ならもう古本屋巡りとかアングラネットとかしなくていいんだよー。でもま、なーんかすぐに追い抜かれそうだけどさ。四人兄弟と七人兄弟、お兄ちゃんはどっちが好きかな？」

「どっちでも」

「じゃ、両方かなー」

夜月は椅子から立って、文庫本を二冊、そばの本棚から取り出した。受け取る。両方ともそんな厚くない、これならすぐに読めそうだ。帯の文句を読んで、続いて裏返して粗筋を読む。なるほど、確かにバイオレンスだ。しかし両方、プロフィールに記されている作者の年齢の若さがなんとなく気にかかる。二十五歳と二十七歳。しかし物は考えよう、作者が若ければ若いほど、道徳の時間のような説教を聞かされる恐れも少ないだろう。反骨反体制は若者の看板だ。

「そっちの青いのが殺人鬼の話で、そっちの紫のが、超能力ホラーだったかな。両方ミステリテイストで、かなり面白いよ。今すっごく売れてるの。ブームって奴かな。クラスの子達も、結構読んでるんだ」

「ふうん……ミステリテイストね。なーんか便利そうな言葉……」

夜月のクラスは二年七組、難関国公立理系コース。三分の二以上を女子が占めている。ちなみに僕は三年二組、同じ国公立志望でも、文系だ。と、僕はそこでさっき考えていたことを言った。

「しっかしさあ、夜月、どうしてこの手の小説に登場するキャラクターって、足し算か引き算みたいに簡単に人を殺すんだろうな？　戦争やってんじゃないんだからさ。さっき読んでた小説にしたってそうさ。僕も久し振りに推理小説読んだけど、もっともらしい動機があってさ、なるほどこれは可哀想だとは思ったけど、でもやっぱ普通、そんな理由で人は殺さないだろ。足し算引き算って、せめて微分積分程度には悩んで欲しいものだとは思わないか？」

「うーん。それは、そういうものだからかな」

夜月は困ったように言う。夜月の困った顔は可愛い。困っていない顔も可愛いが困った顔は特に可愛い。

「でも殺人事件なんておっかないものをテーマに据《す》えなくても他にも世の中に不思議なことはいくらでもあるだろう？　えーと、何だっけ？　その、ミステリって銘打つんだったらそっちの方に焦点を置いてもいいんじゃないのか？」

「歴史上で一番最初のミステリって言われてるのが『モルグ街の殺人』っていう本で、それがタイトルの通り、殺人事件を取り扱ってたんだ。しかも密室殺人事件。知ってるよね？　お兄ちゃん、ポー好きだったもんね。で、後続の作家さん達がそれを真似したり模倣したりしている内にメインストリームになっちゃったんじゃないのかな」

「なーる。明快だ。学ばされるね」

「どうせ作りごと流行ものなんだし、足し算や引き算でいいんじゃないのかな。それにお兄ちゃん、そう言えばだけど、中学生から高校生にかけての年代は多かれ少なかれ、殺人鬼やサイコパス、ナイフや銃に興味を示すっていうの、夜月、聞いたことあるよ。禁忌に魅せられるっていうか、惹《ひ》かれるっていうか。お兄ちゃんにもそういうの覚えがあるでしょ？」

「ないとは言わないけど。うーん。禁忌に触れたい年頃って奴か。反抗期みたいなもんだな、多感な年頃だからね。中高生が好むのは読書だけじゃない、か。まあ確かに、僕自身がそういう暴力的な小説を読みたがってるってのも、結局そこだろうしね。求めているものを提供されて文句をいうのも筋違いか……。『悪』に魅せられる子供達ね。まあ元々『悪党』ってのは無頼で格好いい強い奴って意味だしな。憧《あこが》れの対象なのは昔からだけど、今じゃそれがキレる子供って奴なのか。フランス風に言うならいかれた若者達ってところだな。結局今時のティーンエイジャーに限らず、誰だって若い内は現実主義の現実感に現実を感じられない現実主義者だからな、荒唐無稽《こうとうむけい》ってのが大好きなんだろうさ。だから虚構にしか現実を感じられないんだろ。禁忌ね。今なら、そうか、大量殺人、戦争、強姦《ごうかん》、食人、裏切り、破壊、革命、テロ、それに……近親相姦ってところだな」

「にゅ」

夜月が不意に顔を赤くした。多分『強姦』と『近親相姦』というワードに反応したのだろう。ナボコフだって谷崎潤一郎だって読んでいるおませさんな癖に、読書体験に較べて現実体験が圧倒的に少ないのだ。夜月は胸の前でぶんぶんと手を振りながら

（照れ隠し？）、「そ、それを言うならさっ」と、話を強引に進めた。

「き、キレる子供って、お兄ちゃん、正にそうだったじゃない。お兄ちゃんのせいで転校することになったんだからさー。夜月達一家」

「古い話を持ち出すなあ」

羞恥《しゅうち》に赤くなった夜月をもうちょっと露骨な単語で追い詰めてやろうかと思ったが、既に今日は勝手に部屋に入るという意地悪をしているので、勘弁してやることにして、話をあわせた。

「子供って、大体本当に子供だったじゃないか、あの頃」

「当たり前だよー。高校生であんなことしたら大問題になったんじゃないのかな。お兄ちゃんここにいなかったよ、絶対」

言葉に批難の調子はなく、むしろ楽しそうに、懐かしい思い出話でもするように、夜月は身振りを交えて言う。そんな様子を見て、僕は胸を締めつけられるような思いがした。櫃内《ひつうち》夜月。十七歳、僕の妹。勿論《もちろん》兄の欲目というのもあるだろうけれど——何だろう、とても、整った容姿をしている。あまり食べないためにちょっとばかし痩《や》せ気味で華奢《きゃしゃ》なところがあるが、プロポーションも悪くない。黒目がちな大きな瞳《ひとみ》でこちらを見られると、吸い込まれそうになる。何より、今はタオルに隠れている、腰まで届く長くて綺麗な髪が、耐え難いほどに魅力的だった。それだけでも十分だというのにそれだけでなく、成績も学年トップクラス。体育は苦手なようだけれど、それだって決して人並外れて人並以下というわけではない。いいところを数えあげればきりがないというのが、僕の妹、櫃内夜月だった。にもかかわらず、夜月にはまるで気取ったところがない。こうして僕と二人きりで話すときはまだ積極的だが、それ以外のときは、教室でも部活でも、むしろいつでも一歩引いて、謙虚で控えめな態度を通している。高校生というこの年頃にして可愛くって引っ込み思案というのは実にありえない、海外古典の牧歌的な小説にしかありえないほどに非現実的な取り合わせだが、それにはちゃんとした理由がある。

夜月は小学校二年生のとき、それはそれは酷い苛《いじ》めにあっていたのだ。苛めの理由はしらないが、要はクラスで目立ってしまったのだろう。と言うか、そもそも苛めに理由なんて必要ない。異端はいつだって排除されるし、人は犠牲者を必要とする。優れていることも劣っていることも足が速いことも頭が悪いことも、全部が苛めの理由に直結する。大人でも子供でもそうだが、幼い内は特にそうだ。そこにはあらゆる意味で理屈なんて存在しない。僕も当事者ではないので詳しくはしらないが、とにかく、それは本当に酷い苛めだったようだ。当時小学三年生の、学年の違う僕が比較的早い段階でそれに気付けたのは幸運だったが、夜月の心が半ば閉ざされてしまうのには、それでも間に合わなかったらしい。幼さ以上に夜月は純粋だったのだ。とまれ、遅ればせながらことの次第に気付いた僕は、とりあえず夜月の左脚を折って強制的に入院させ、夜月が学校に行かなくても済むようにした。両親には兄妹喧嘩《げんか》だと言い張り、一方で夜月から、苛めを主導的に行っていたクラスメイト五人の名前を聞きだした。すっかり怯《おび》えてしまっていた夜月はなかなか口を割らなかったが、何回か腹を殴って、なんとか白状させた。それから僕は三日かけて計画を立て、その五人に『制裁』を加えた。それが夜月いうところの『キレる子供』の経緯だ。僕的にはそれはかなり完全犯罪のつもりだったが、子供の浅智恵、ことはあっさりと露見した。露見した上に、五人の中の一人の親がPTA関連の役員だったことが、更に問題を大きくすることとなった。所詮子供のやったことだからと警察沙汰にこそならなかったものの、かくして僕ら一家は遠く離れた異郷のこの地へと、引っ越す羽目になったわけだ。幸い、ターゲットの五人以外にもカムフラージュとして数名襲っておいたので、僕の狙いは夜月以外の誰にも悟られることはなかった。馬鹿な子供がキレただけ。少なくとも、夜月を苛めから解放するという目的だけは達せられたので、これはこれでいい結末ではあったのだろう。しかし——と、今なら思う。あれは、あの行為は、あまりにも短絡的過ぎた。実に意味がない。特に、夜月を助けるために夜月の脚を折っているところが最悪に愚かだ。当時の自分をぶん殴ってやりたいとすら思う。そもそも妹のために苛めっ子へ暴力を行使するというのは当時読んでいた漫画のネタで、僕の子供らしい正義感と自己顕示《けんじ》欲が多分に混ざっている行動だ。情けない。今ならばきっと、目的達成のためには別の、もっと冴《さ》えた手段を選択することができるだろう。だがそれは仕方のないことだ。あのときの自分は出来る限りのことをやったのだ。持てる未分化な頭脳と発展途上の能力で、目的達成のためにあの時点で最良の方法を選び、結果的には成功したではないか。ならばそれでよしとするべきだ。後悔なんて何の意味もない。あとからなら何とでも言える、それこそ推理小説やらの中で探偵が『この事件の犯人は最初から分かっていました』とでも言って説教を始めるようなものだ。後悔に意味はない。現状をどう打破するか。問題はそれだけなのだ。こっちに引っ越してきてからは苛めやそれに類するものはなくなったが、それでも一旦閉じかけた夜月の心が、僕の前以外で開かれることはなかった。肉体的にも精神的にもあの頃からかけ離れた位置にまで、見違えるほどに成長した今に至るまで。精神的外傷というほどに大袈裟《おおげさ》なものでないにしろ、その小学二年生の際に、夜月の自尊心やら自信やらは、完璧に折られてしまったということだろう。何か一つでも他人に誇れるものを持っていればどんな人間でも輝いて見えると言うが、その逆もまた然り。今更どうにもならないとは言え、そのことを思えばやはりあの五人は許しがたい。もっとも、被害者的傾向と人見知りする性格はもう少しなんとかした方がいいのではと思うけれど、だが今の大人しめ、儚《はかな》げな感じのする夜月の性格、悪くもないと僕は思っている。

「——お兄ちゃん。聞いてる?」

夜月の声に、はっと我に返る。思考が全然違うところにスリップしていた。夜月が昔の話なんて振るからだ。僕は脚のバネだけでベッドの上に立ち上がって、一つ背伸びをした。指の先が天井に触れる。

「それじゃあ」と、僕は夜月の方を向いた。

「この二冊は借りて行くね。読み終わったら返すよ。おやすみ」

「え? もう寝ちゃうの?」

「いや、僕はこれから風呂。寝るのは夜月」

「あ、そっか」

「一緒に入る?」

「やだー。にゃいにゃい」

「それなら、さっさと寝るんだぞ。僕、もうお前起こすの面倒くさいんだよ。たまにはお前が朝食作って僕を待ってて欲しいもんだ。じゃ、おやすみね」

「あ、ちょっと……お兄ちゃん」

部屋から出ようというところを引き止められた。

「ちょっと、お話があるんだけど、いいかな?」

「……?」

少し様子がおかしい、と思った。話があるという割に、酷く切り出しにくそうな感じ。今まで何度も言い出そうとしていたがタイミングを逃し続け、ついに僕が部屋から去ることになり、やむにやまれずこのタイミングで言うしかなかったという気配が、ありありだった。しかし僕はその不審を顔に出すことなく「なに?」と踵《きびす》を返した。

「んー……えとえと、じゃあお兄ちゃん、まず、いつもみたくしてくれるかな」

「いいよ」

ベッドの端に腰掛けて、脚を左右に開く。夜月は回転椅子から立ち上がって僕に寄って来て、左太腿《ふともも》と右太腿の間の空間にちょこんと腰を据え、背を僕の上半身へと任せた。僕は夜月の胴に手を回し軽く抱きしめるようにして、夜月の右肩に顎《あご》をのせる。耳元で囁《ささや》くように、「で、何？」と訊き直した。

「えーとね」

夜月の言葉が、普段にまして幼稚っぽくなる。何か本当に言いたいことがあるときはいつもそうだった。小学生の頃から変わらない。僕の目を見て言うこともできないから、こうして後ろから抱いてやらねばならない。

「こないだ、移動教室のとき、三年生の教室のとこ、行ったんだけど」

「うん」

「お兄ちゃん、見かけたんだ」

「ふうん？　声かけてくれたらよかったのに」

「で、でも……お兄ちゃん、友達と一緒だったから。楽しそうにお喋《しゃべ》りしてたから、邪魔かなって思って」

「…………」

ああ、夜月の言いたいことが分かった。この辺は兄妹の呼吸で、大体のことは、皆まで聞かずとも思っていることは分かる。そこでようやく意を決したように、夜月はちらりとだけ僕を振り向いて、訊いた。

「ねえ。あの女の人、誰なのかな？」

「えーっと……そうだね」

多分それは琴原《ことはら》だろう。高校三年生五月の今現在、僕が『楽しそうにお喋り』する機会の多い女子として、可能性としては他に病院坂の存在が考えられるが、だが、移動教室中に三年の教室付近で見かけたというのなら、そちらの可能性は排除しても構わない。さてどうしたものか。名前を忘れた振りをして無関心を装うという案がまず提出されたが即刻棄却。この場合、名前を知らない方が不自然だ。とぼけている気配が見え見えである。とぼけるのは構わないが、とぼけていると思われるのはまずい。

「琴原りりす。クラスメイト」

「すぐ分かるんだね。そんな、親しいのかな？」

「……えーと」

逆効果だった。いや、そうじゃない。今の夜月には何を言っても逆効果にしかならないだろう。かと言って無言は一番まずい。沈黙だけは許されない。ちゃんと説明しなければ。

「別に親しくなんかないよ。友達の友達ってだけ。ほら、いつだったか話したろ？　箱彦《はこひこ》のこと。剣道部部長の迎槻《むかえづき》箱彦。あいつの友達。僕は別に友達じゃないさ」

「箱彦なんて人、知らないもん」

夜月は拗《す》ねたような口調で頬《ほお》を膨《ふく》らます。しかしそれはむしろいい兆候だった。僕が必死で弁解しようとしているのがおかしいらしい。それを見て、僕は少しだけ、胸を撫で下ろした。

「とにかく、あいつと僕、友達ってほど親しくないよ。たまに宿題見せてやる程度。話しているとこ目撃したって、それ、かなりレアな光景だったに違いないぜ。運がいいね、夜月さん」

「その人のこと、『あいつ』って呼ぶの？」

夜月は言う。

「なんか親しげ。すっごく」

「いや、そうじゃなくて」

「夜月、お兄ちゃんが他の女の人とお話しするの、あんまり、好きじゃないかな」

夜月らしい控えめな口調ではあったが、それでもはっきりと、そう言った。僕の方を振り向こうとしないので、どんな表情で言ったかまでは分からない。僕はああ、と再度、胸が苦しくなる思いを味わった。また僕は、知らない間に夜月を傷つけてしまっていたのか。これでは小学生のときから何も変わっていないじゃないか。全く、自己嫌悪だ。どうして僕は琴原なんかに宿題を見せてやったのだろう。あんな奴は先生に怒られてしまえばよかったのだ。あいつが授業中に恥をかかずに済むことと、夜月が思い悩み憂鬱《ゆううつ》に沈んでしまうのとでは、丸っきりつりあいが取れない。タイでエビを釣ったようなものだ。だが——しかし、やってしまったことは、仕方がない。後悔はしない、後悔はできない。これからのことを考えなければ。ここで、今、ここで、どう夜月を傷つけずに、切り抜けるかだ。

「あ……」

　無言の僕をどう受け取ったのか、夜月は慌《あわ》てたように、「ご、ごめんなさい」と、言った。振り向かないままに。

「今、ちょっと我《わ》が儘《まま》なこと言ったよね？」

「かなり」

「かなり……」

「超絶」

「超絶っ!?」

「ディ・モールト」

「イタリア語ー!?」

「でも、いいよ。分かった」

　今まで軽い抱擁程度だったのを、締めつけるように腕に力を込めて、僕は夜月の背中に身体を密着させた。肩甲骨《けんこうこつ》の形が分かる。華奢で肉付きの薄い夜月だったが、それでもそのとろけるようなふかふかの柔らかさに不覚にも酔いそうになった。

「夜月の嫌がることはしないから」

「……そう言って部屋勝手に入ったー」

「それも、嫌ならもうしない」

「………………」

「あいつとは縁を切る」

「べ、別にそこまでしなくても……」

「ちゅ」

　唇を軽く夜月の頬に触れさせた。びくりと夜月の身体が硬直したところで、僕は夜月からそっと手を離し、夜月の華奢い身体を迂回《うかい》するように、ベッドから降りた。

「そんじゃ、風呂行ってくるね。ちゃんと髪乾かしてから寝るんだぞ」

「あ、あの！」

顔を耳まで真っ赤にした夜月が、僕の服の裾《すそ》をつかんだ。どうしたのだろう。まだ何か話があるのだろうか。ひょっとすると琴原のことだけでなく、病院坂のことまでつかんでいるのかもしれない。だとすると、それはさすがに心外だった。病院坂とのことであらぬ誤解は受けたくない。

「何、かな?」

「本棚しか見ないなら……別に」

「うん?」

「別に、部屋に入っても……」

後はごにょごにょと、聞き取れなかったが、それこそ皆までいう必要はない。僕は服の裾をつかんだ夜月の手を取って、「ありがとう、夜月」と言った。

「大丈夫。箪笥《たんす》の下着類の奥に夜月が大事に隠してある秘蔵のボーイズラブ小説にだけは、絶対手を出したりしないから」

「はうっ!?」

顔面蒼白。

「み、見たなっ!? い、いつ見た!?」

「いやいや。すげーな。あれ。お兄ちゃん、ちょっぴりどきどきしちゃったよ」

「ば、ば、馬鹿っ! 大嫌い! はやく出てけ!」

「あはは」

部屋を出て、扉を閉めた。

さ、風呂に入ろう。

私立桜桃院《おうとういん》学園は山の頂上にある。そこに至るまでの山道はしょぼいミニ四駆なら登れないんじゃないかというほどの急勾配《こうばい》で、桜桃院生の間では『千年坂』『眩暈《めまい》坂』『心臓破り』『昇りだけのジェットコースター・天国への階段』などと呼ばれている。僕と夜月の場合はその坂に至るまでに電車を二本乗り換えて更にバスまで使っているので、朝の六時には家を出ないと始業には間に合わない。低血圧の夜月を五時半に起こして、半眠りのまま制服に着替えさせ、走って駅に向かうというタスクを実施するためには、必然僕は五時前に起きなければならない。二人分の弁当を作るのも、電車の中で食べる朝食を作るのも、全部僕の仕事なのだった。そんなわけで僕はいつでも慢性的に寝不足だった。朝の八時十五分。いつも通り、予鈴まで十五分の余裕を見て、学園の門に到着した。僕は中学時代に運動部に所属していたのでそうでもないが、根っからインドア派の夜月は、一年登校してもまだ慣れないのか、肩で息をしている。この分じゃ坂の途中で死人が出る日もそう遠くないと思う。

「じゃ、夜月。また家でな」

「うん」

「今日も一日、しっかり学業に励むのだ」

「らじゃりました」

「偉いぞー」

頭をなでてやった。

学生証を取り出して、正門内側のゲートを通る。駅の自動改札のような機械が五台並んでいて、そこに定期券をそうするように、学生証を挿入《そうにゅう》する。ほどなく向こう側から学生証が出てきて、ゲートが開く。画面には『ヒッウチサマトキ　3ネン　08：17』と表示された。夜月の通ったゲートを見れば『ヒッウチヨルツキ　2ネン　08：17』。このように登校時刻が記録される。遅刻はほんの一秒であっても見逃されないというわけだ。ただこのシステムには明らかな欠陥があって、それは予算の関係かゲートがわずか五台しかないため、始業ベル間際のラッシュ時、普通の門なら遅刻しなかったはずの生徒まで遅刻してしまうということである。他に学園敷地内に入る方法はないし、あったとしても、学園内のあちこちに似たような仕掛けがあり、結局は身動きが取れなくなる。だから学生証を忘れた場合は更に悲劇だ。門のそばに控える守衛さんに言って何とか学園内に入れたところで、その日一日、本当になにもできない。図書室のパソコン一台動かすのにも、食堂を利用するのにさえも、学生証は必要なのだ。学園側はそれをハイテク化と言い張っているがどうかと思う。使う側にスキルがなければハイテクだってノーテクに等しい。まあ、多分、今はいわゆる過渡期って奴なのだろう。二十年後はこれが当然になって、『昔は学校って無法地帯だったらしいぜ』とか、今の僕と同じ年の連中が言って、三十八歳の僕はそれを見て『最近の若い者は』なんて嘯《うそぶ》く。歴史は進めど人間は繰り返す。そういうものだ。いつだって。どこだって。なんだって。昇降口で靴を上履きに履き替えた。夜月と別れて東校舎に向かう。一、二年生の教室が西校舎、職員室、保健室、などなど、他に特別教室が集合している中校舎を挟んで、東校舎が三年生の教室。僕の所属する三年二組の教室は四階。エレベーター・エスカレーター、共になし。どこがハイテクだ。気が滅入ってくるが、何、あと一踏ん張りだ。僕は鞄《かばん》を背負い直して、階段に挑んだ。

「よっ、『ピースメーカー』」

階段の途中で後ろから肩を叩かれる。声で分かる、振り向くまでもない。僕は階段を昇る脚を停めないままに、「そのニックネームは好きじゃないって言ってる」と、応じた。ピースメーカー。言葉通りの『平和の使者《ピースメーカー》』ならまだしも、この場合の意味はスラングにおける『破片拾い《ピースメーカー》』だ。いつからか、僕は同級生の一部からそんな蔑称《べっしょう》で呼ばれている。命名者は英語の教師だ。それは苛めではないだろうかと思ったが、しかし自分でも否定しきれないほどにそのニックネームがはまっているのもまた事実、不承不承、僕はそれを黙認することにした。黙認している内に、その呼び名も徐々に廃れて行っていい傾向なのだが、頑固にもそう呼び続ける奴もいる。この琴原りりすも、その一人だった。

「だって格好いいじゃん。『ピースメーカー』って」

「うるさい。『肉の名前』」

「ぐあ」

『肉の名前』は琴原の一年生のときのニックネームだ。僕はその頃の琴原を知らないけれど、本人にとっては嫌な思い出らしいので、こういうとき使える切り札の一枚である。ちなみに由来はかの名作『薔《ば》薇《ら》の名前』のもじりなどでは勿論なく（ちなみに未読。高校三年生の段階でこの手の本を未読だということは、即ち残りの一生、多分もう出会うことはないという意味で、仕方ないこととはいえ、少し寂しい話だ。合掌《がっしょう》）、文化祭の打ち上げでクラス一同で焼肉に行った際、妙に肉の名前に詳しかったからという、そのまんまな理由である。ハチノス——第二胃。ハラミ——横隔膜。カルビ——あばらの肉。プップギ——肺。そんな感じだ。本人はこの通りかなり嫌がっているが、しかし『肉の名前』、僕はかなりクールな名称だと思うが、どうだろう？　しかし琴原にそう言うと、「じゃあきみに譲るよ」と言われた。僕は笑った。死んでもごめんだ。

「はいはい、分かったよ……櫃内サマ」

言いながら琴原は僕に並んだ。『櫃内サマ』は昔から呼ばれている、僕のスタンダードなニックネーム。別に尊称でそう呼ばれているわけではない。僕の名前が櫃内様刻《さまとき》だから、櫃内サマだ。つまりは本を大事にしないせいで友達の少ない僕に対する、クラスメイトからの皮肉である。これもまた苛めといえば苛めだ。それなりに平凡な学園生活を送っているつもりの僕ではあるが、実は嫌われているのかもしれない。

「ねえ櫃内サマ。二時間目の英語の訳やってきた？　よかったらお世話になりたいんだけどさ」

琴原が僕を覗き込むように、やや先を行きながら訊いて来た。本題に入ったのか。なら、予定よりは早いけれど、僕も本題に入らなければならない。

「ねーねーねー。見せてよー。タダとは言わないしさー、玉子焼きあげるよー？　昨日ゲームやってて暇《ひま》全然なかったんだよ。徹夜だよ、寝ずゲーだよ。見てよこの眼の下のクマを。太陽が黄色く見えるもん」

「それ、遣いどころ違う。ゲームねえ……よくわかんないな、それだきゃ。不得手なジャンルっつーか、まあSFXのことをゲームソフトの略語だと思ってたこの僕がゲームに関して言えることなんて何一つないんだけどさ。つーか琴原、何度も言うけど、言っても無駄って感じだけど、復習は仕方ないにしても、予習くらいはやってこいよ。中間終わったところだとは言っても、僕ら受験生だぜ？ 琴原、数学の点数僕より上だろ？ 数学できる奴って、基本的になら、何でもできるはずだろ。僕、やればできる癖にやる気のねー奴って一番嫌いなんだよ」

「あー。滅入るこというよね、平気で」

「せめて課された宿題はやってこいってこと」

「宿題やるくらいなら校舎のてっぺんから飛び降りた方がマシ」

「いや、校舎のてっぺんから飛び降りるくらいなら宿題やるだろ」

「校舎から飛び降りてもひょっとしたら生き残れるかもしれないけど、宿題なんかやったらわたし、死んじゃうよ。魂《たましい》が死んじゃうっていうの？ うわ、やば、格好いいこと言っちゃったし。かー、大体さー、学校の勉強なんか社会に出ても何の役にも立たないってーの」

「アッタマ悪い高校生みてーなこと言ってんじゃねーよ。それってさ、水泳選手にとってランニングは意味がないって言ってるのと同じだって分かってる？」

「比喩で相手を言いくるめるのはずるいと思うな。思いつきでものを言わせてもらえればだけどね」

「あっそ。ま、その通りだろう。で、その英語の訳の件なんだけどさ。ちょっと、お願いがあるんだけど。『肉の名前』」

「その呼び方マジやめて」

「おっけ。じゃあ琴原。実はね、ちょっときみと距離をおきたいと考えているんだ」

「は？」

何言ってんの、みたいな顔をされた。そりゃ、別に彼氏でも恋人でもないただのクラスメイトにそんなことを言われたら、誰だってそんな反応になるだろう。

「勿論英語の訳は見せてあげるし、数学のノートだっていつも通り貸してあげるけどさ、でも、人前で話しかけてこられるのとか、一緒に昼メシ食ったりとか、ちょっとマズいんだ。しばらくの間でいいから、そうしてくれない？」

「……何それ？　きみそれ、マジで言ってんの？」

「マジっていうか……うーん、その」

ちょっと、琴原の雰囲気に気圧された。かなり怒っている。それも静かに怒っている。一瞬だけ前言を撤回して冗談めかそうかと思ったが、けれど昨日の思いつめた様子の夜月の言葉を思い出し、なんとか踏みとどまる。

「ええとだね、だから、人目につかないところじゃ今まで通りの付き合いを送って全然問題ないんだけど、ただ、たとえばこういう場所ではこれからは……」

「わたしと絶交宣言、縁切り？　そういうこと？」

「いや、だからそれは違うって。英語の訳は……」

「そんなの、どうでもいいっ！」

怒鳴られた。

「ばっかじゃん⁉　そんなの、好きにすればいいじゃん！」

言い返す暇も与えられずに再度怒鳴られて、そして琴原は階段を駆け上った。僕と同じで帰宅部の癖に今でも自主練しているのか、一瞬もそのペースを緩《ゆる》めることなく、僕の視界から消えていった。うーむ、怒らせてしまったか。琴原の性格を考える限り懸念していたことではあったが、見事に予感は的中した。やむを得ない、僕は取りうる中で最良の選択をした。最善の結果を得られなかったのは残念という他に表現しようがないが、それはあくまでただの結果だ。運命の先の見えない僕にしてみれば、常に最良の選択肢を慎重に選んでいくしかないのだし、それを失敗することなく続けてきた以上、今のこの状態は、僕にとってベストであるはずだ。とにかく、これで夜月との約束は果たした。それでよしとしよう。目的は、果たしたのだ。僕はマイペースを通して四階までの階段を昇り切り、三年二組の教室に到着した。僕の机と椅子がぶっ倒れていた。超々局地的な地震が起きたのでない限り、確実に誰かによって蹴飛ばされたのだろう。犯人は考えるまでもなかった。犯人の姿を求めて教室を見渡したが、既に逃亡した後らしい。逃げ足の速い奴だ。

「お前何やったの？」

箱彦が、机を立て直し、置きっぱなしにしていた教科書を机の中に詰め直している僕の惨めな姿を見かねてか、声をかけてきた。

「りりす、すっげー角度で蹴りを決めてたぜ。こう、ライダーキックみたいな角度で、ずっぱーんと」

「ああ。廊下で押し倒したんだよ。あの女、てっきり僕に惚《ほ》れてるもんだと思ってたからさ」

「ありえねー」

「どっちが？　僕が琴原を押し倒した方？　琴原が僕に惚れてる方？」

「惚れてる方」

「てめえ」

「なんちゃって、本当は押し倒した方」

「だよなだよな」

「様刻にそんな度胸ねーって」

「ぼでぃー」

僕は箱彦の腹部にパンチを決めた。「ぐえ」とうめいてよろける振りをする箱彦。無論おふざけだが、たとえ僕が本気で殴ったところで、箱彦は身じろぎもしないだろう。箱彦の腹筋は六つに割れている。迎槻箱彦、このクラスの委員長にして剣道部の部長という、非常に忙《いそが》しい男だ。かなり大柄で見るからに体育会系だが、短く刈った髪は実に健康的、威圧感はあっても見る者に恐怖感まで与えることはない。要するにはナイスガイである。ところでクラスの連中は僕と箱彦を親友だと思っているようだが、しかしそれは正確であって正確ではなく、箱彦は誰に対しても等しく優しく、僕には目立って仲良くしている相手が箱彦くらいしかいないというところが真実だ。そういう意味で箱彦は僕にとって実にありがたい、かけがえがないといっても決して大袈裟にはあたらない、大事な友人だ。昨日の夜、夜月に説明した通り、琴原と僕とは、基本的に箱彦を通じての付き合いである。『琴原とは別に友達ではない』と言ったあれは夜月を誤魔化すための嘘ではない。それは琴原の性格がどうだとかそういう問題ではなく、僕が付き合いが一年未満の人間のことを友達とは呼ばないというルールを所持しているからだ。そこへいくと箱彦と琴原はパーフェクト。何でも箱彦と琴原、付属幼稚園まで遡《さかのぼ》ってそこからずっとの幼馴染《おさななじみ》らしい。親友というのならば箱彦と琴原こそが、親友だろう。さて、その箱彦に、今の事情をどう説明したものか。

「あ。ひょっとして妹さん関係か？」

「全然違う全然極まって違う、そんなにそこまで完璧に違うとは驚き桃の木山椒《さんしょ》の木だ。お前の前世は南極と北極の位置を間違えたペンギン、自分に翼があると信じて千尋《せんじん》の谷から落下した河馬《かば》だな」

「お前さー」

箱彦は呆れたように言う。

「いい加減、妹離れした方がいいと思うぞ？」

「…………」

「シスコン」

「シスコンを悪いことみたいに言うな。大体、妹に優しいのがどうして即シスコンに繋《つな》がるんだ？　箱彦、それはね、国連児童基金に募金した人をロリコン呼ばわりするのと同じだよ？」

「……いつだっけ？　一年んときにさ、お前に彼女ができかけてさー、でもすぐ別れたよな。浜崎海《はまさきうみ》子《こ》。あれも妹さんだったろ？　確か」

「……あれは、別にそんな気があったわけじゃない」

「甘やかすだけが愛情か？　俺はお前のこと友達だと思ってるから忠告するけど、お前、このままだとすっげーヤバい人生歩むことになるぞ」

やれやれ。さすが剣道をやっているだけあって、妙に勘《かん》がいい。剣士の勘は女の勘など遥《はる》かにしのぐといわれるが、どうやら本当らしい。込み入った事情（そうでもないか）を説明せずに済むのは楽でよかったが、押し付けがましい説教はごめんだった。

「…………」

無言、というか『無視』って奴を決め込んでいると、箱彦はまるで子供でも相手にしているかのように「仕方ねーな」と、やるせなさそうなため息をついた。


「りりす、マジで怒ってたぞ。あいつ、お前に妹いること、知らないし」

「できれば黙っといてくれ。これ以上揉《も》めたくない」

「いいけどさあ。いや、いいのかなあ」

「ほとぼりがさめたら、琴原にはちゃんと謝るさ。妹、最近、なんか情緒不安定なことが多いんだよ」

「何かワケあり？」

「さあ……知らない。あまり干渉《かんしょう》しないように気をつけてるから」

どこがだよ、と箱彦は笑った。こいつの笑顔は、なんだか爽《さわ》やかで嫌いじゃない。ちなみに自分の笑顔は割と嫌いだった。なんだか不気味で、デス笑顔という感じなのだ。自然に笑えばそんなこともないのだろうけれど。予鈴が鳴ったので、箱彦は自分の席に戻った。本鈴が鳴る寸前に、前の扉から琴原が教室へ帰ってきて、僕の方を一瞥《いちべつ》もしないままに着席し、近くの席の友達と談笑を始めた。へらへら笑っていて、まるで僕との諍《いさか》いなんてなきがごとしだ。案外、机を蹴飛ばしたところですっきりしたのかもしれない。それならいいのだが。しばらくして担任の池岸《いけぎし》先生がやってきて諸連絡を済ませる。今日と明日、全クラスの文化委員は、再来月に迫った文化祭についての会議があるので、放課後中校舎の第二会議室へ集合しなければならないそうだ。そう言えば夜月は文化委員だったかな。そして池岸先生は退場、一時間目歴史の担当教師がやってきた。歴史の教科書は配られて三日後には全部読み終えてしまったので、授業はそこまで身を入れなくても大丈夫。そう思って僕は教科書に隠すように、昨日夜月から借りた本（殺人鬼の方）を配置し、読み始めた。桜桃院学園において授業中の読書は悪徳ではない。それなりの成績を保って他人に迷惑をかけさえしなけりゃ、誰も文句を言わない。教師も、また生徒も。いい環境だと言えるし、そうでないとも言える。さてこの本だが、やはり足し算か引き算のように人がばんばん殺される、いっそ気持ちいいくらいに。その辺は年配の作家でも若手の作家でも同じらしい。まあ当然だ、若手は年配の作品を読んで育つわけだし。それにそこはそれ、足し算だろうが引き算だろうが、推理小説だからやっぱり人が死ななければ始まらない。だが待てよ。ひょっとしてことは別に推理小説に限らないのではないか。考えてみれば推理作家だけに特別生命観が欠如しているわけではないだろう。これは生命観の問題なんかではないのだ。テレビをつければそこは暴力と死との宝庫。漫画だってそうだしビデオだって映画だってそうだ。子供が事件を起こせばコミックやアニメやゲームの影響だと思われることが多いが、いや多分それは大当たりで、僕がそうだったように、子供が事件を起こせばそれはほとんどコミックやアニメやゲームの影響なのだろうけれど、それは大人だって本質的には同じなんじゃないだろうか。テレビやら新聞やら音楽やらの影響で誰もが暴力を好む。それは道徳の無影響、とも言えるだろう。つまりそれは逆説なのだ。暴力が好きだから暴力に偏る、その理屈はよく言われる恋愛至上主義と同じだ。コンピュータ・ネットワーク技術が現在の姿まで発展したのは戦争と性欲が原動力であるとは、殊更《ことさら》引き出すまでもない一般論。恋愛と暴力。さしずめそれが人間の二大欲求。『この世界には暴力シーンやグロテスクな表現が含まれています』ってか？　まあそれならそれでいいんだけどね。

興ざめなことにその本にはなんと後書きがついてあって、それが妙にフレンドリーな口調だったので、内容がそこそこよかっただけに、僕は肩透《す》かしを食らった気分になった。殺人鬼のドロドロバイオレンスぐちゃぐちゃを描写した作者が最近飼い始めたカメレオンの近況について二ページ分語っている。もー、レオンちゃん可愛くて可愛くてー、本当に色が変わるんですよーびっくりですー。ひょっとすると僕如きガキ砂利《じゃり》には理解できないハイブローかつ深遠な意味があるのかもしれないと思うと滅多なことは言えないが、率直な話、アホかと思う。これはやはり最後に泣き崩れる犯人やいきなり人の道を説き始める探偵などと同じく、何らかの免罪符のつもりなのだろうか。こんなの書いてるけど俺本当はいい奴なんだよー。なめんな。貴様の人格などどうでもいい、表現者になった時点で人格なんざ捨てろ。作者なんてパソコンの周辺機器の一つだろうが。あとカメレオンにレオンちゃんって名前つけるのも禁止。はっ、若造の癖に生意気に謝辞なんか述べてやがる。礼なんざ本人に直接言えっての、礼儀正しい自分のアピールですか？　それとも大物と一緒に仕事ができたことを皆に知って欲しいのかい。レポートのラストに読んでもない参考文献載せている大学生か貴様は。はしゃいじゃってみっともないね。やれやれ、こいつは参らされたね、参らされましたね、どうも。なーんて、でも小説部分は面白かったです、ご馳走様。堪能させていただきました。

読み終わった本を机の中にしまい、教科書に目を遣る。授業はいつの間にか次のページに進んでいた。めくる。と、そこに落書きがされていた。

昼休み僕のところに来給え。

綺麗な字。無論綺麗な字で書かれていても落書きは落書き。考えるまでも無く、病院坂の仕業だ。机の中に置きっぱなしにしていた教科書に、朝一番、誰も教室にいない内に、この文章を書いたのだろう。メッセージを伝えたいなら手紙を挟めばそれでいいし、何より今のこの時代には携帯電話というドラえもんも驚きの便利道具があるのだから、それを使えばいいのに。だがそんな理屈は病院坂には通じない。授業中、何気なく教科書をめくっていたらいきなりメッセージに気付く。そんな演出をしてみたかったのだろう、きっと。今までも何度かこういうことはあったし、落書きされてむかつくほどに教科書を大切にしているわけではないが、しかしこの辺で釘を刺しておかないと、病院坂はどんどん調子に乗ってその内とんでもないことをしでかすような不安もないでない。そう考えるとこの呼び出しは無視した方がいいかもしれない。だが、琴原と揉めて、少し気分が沈んでいたところだ。あいつの言動に振り回されて、ごちゃごちゃと乱れた思考をフィルタリングするのも悪くない。どうしたものか。

1・病院坂に会うことにする。

2・無視する。

どっちの選択肢を選んでも大して変わらない気もする。迷う必要があるとも考える必要があるとも思わないが、何、それすらも、今すぐに決断する必要はない。昼休みまでのんびり考えよう。最良の判断を、持てる最大の能力を使用して。

僕は一番を選んだ。

教室を出て、昇降口を経由して中校舎へ。中校舎一階、その一番奥のスペースが、桜桃院学園の保健室だ。常勤のカウンセラーを兼ねた校医が一人、ベッドは五床。ただし、ずらりと並んだベッドの内、真ん中の一つは常に占領されている——病院坂黒猫《くろねこ》によって。三年七組出席番号二十四番、病院坂黒猫。百戦錬磨の鬼のように縁起の悪いこの名前は驚くなかれ本名である。僕の持論によれば変わった名前を持つ人間はその中身がもっと変わっている。その持論から病院坂はまるで外れていない。色気もへったくれもないジャージ姿で、上半身を起こした姿勢で本を読んでいた病院坂は保健室に入ってきた僕に気付いて、「やあやあ!」と、こちらに向かって手を挙げた。その際、タイトルまでは読めなかったが、とにかく読んでいた本は雑に放り投げられ、ベッドから落ちた。こいつも、友達がいないタイプ。

「来てくれて実に嬉しいよ様刻くん! ふふ、この僕が今日一日この時間この瞬間まで、ずっときみの訪問を心待ちにしていたなんて言ってもきみは絶対に信じてくれないんだろうな、それが残念でならないよ。ひょっとすると昼休みまでの休み時間にでも訪ねて来てくれるかもしれないときみの友情に期待してみたんだが、それは当てが外れたといわざるをえない。だがそのことできみを詰《なじ》るつもりはないから、安心したまえ」

「相変わらずよく喋るな、きみは」

僕はベッドのそばのパイプ椅子に腰掛けた。校医の国府田《こうだ》先生は滅多に保健室にいない。勤務不真面目なのではない、どころか熱心過ぎて、常にどこかで仕事をしているのだ。その意味でここは保健室というよりも国府田先生の事務所に近い。保健室にきた体調不良者や怪我人はどうするのかと言うと、むしろ常駐している病院坂が治療してしまうそうだ。どうして病院坂がこの保健室に常駐しているかというと、彼女が元登校拒否児で、今にしても保健室登校の生徒だからである。ここここそが彼女の学び舎で、今放り投げた本も、よく目を凝らしてみてみれば、物理の教科書だったようだ。ならば放り投げて一向に構わない。

「で、何か用？」

「おいおい、いきなり本題に入らなければならないのかい？　久闊《きゅうかつ》を叙する暇すらきみはこの僕に与えてくれないというわけか。寂しい話だねえ。きみはどうやらこの後によっぽど大きな用事を抱えているようだ。よければ聞かせてもらえないか？　どう考えたところできみにとって次の数学の授業が焦燥の理由に足るとは、とてもじゃないが思えないのでね」

「別に——ちぃと、読みたい本があるだけさ」

「さしずめ今朝、琴原さんと揉めたことがきみを無闇に焦らせている第一の原因ではないかと僕は推測するが、僕のこの推理は如何《いかが》なものだと思う？　正《せい》鵠《こく》を射ているかな？」

「……相変わらず、地獄耳だな、きみは」

どうして知っているのかなんて聞いても意味はない。病院坂曰く、保健室というのは職員室の次に、学園内の情報を集め易い場所らしい。分からなくもない話だが、しかし別に病院坂は情報を集めるために保健室にいるわけではないだろう。威張れることではない。

「どうせまた妹さんが原因なのだろう？　様刻くん。きみのシスコンっぷりは少々常軌を逸しているところがあるというのが僕のささやかな脳細胞が導き出した結論なのだが、どうなのだろうね？　僕は変態が大好きだからそのことできみに不当な偏見を抱いたりはしないけれど、悲しいことに理解力と想像力に欠ける愛すべき普通の人々はそうは思わないよ。そういった人達から見れば様刻くん、きみはシスコンの偏執狂、正しくピースメーカーだ。その辺りは迎槻くんが持ち前の親切心から心配してくれているんじゃないのかな？　おや、その表情から見れば今朝、なにやら言われたらしいね。ふむ、前々から思っていることではあるが、全く迎槻くんは奇跡のような善意の男だね。きみのような変態にまで気をかけようというのだから、全く見上げた慈愛心だ。きみは彼に対しもっと感謝の気持ちを表してもいいんじゃないのかな？」

「きみは僕の良心が具現化した第二人格か？　余計な世話だよ、ほっといてくれ」

「しかしきみの場合誰かが余計な世話を焼いてあげないと死んでしまうんじゃないのかな。僕は今のところきみに死んで欲しくはないんだ。形而上でも、形而下でもね。勝手な話で、きみは迷惑がるかもしれないが、僕は様刻くんのことを数少ない友人の一人だと認識しているから」

「今朝、箱彦にも似たようなことを言われたよ」

「おやおや、それは光栄だ。それなら僕も彼の百万分の一に当たるくらいには人間らしい心を持ち合わせているということになるかな？　だとすれば僕は今思っている以上に自分を誇ってもいいかもしれないな。閑話休題、きみは琴原さんと仲直りする意志があるのかい？」

「あるよ。ただ、しばらく間を置かないと」

僕はぶっきらぼうに答えた。

「病院坂。きみは僕にそんな忠告をするためにわざわざ僕の命より大事な教科書に落書きをしてまで、保健室に呼び出したのか？」

「きみの頭は髪の毛を育てるための苗床《なえどこ》か？　違うというのなら少しは論理的に考えるということをしたまえよ。僕がきみの教科書にメッセージを残したのはまだ誰も教室にいないような早朝なんだぜ？　そのときにはまだきみと琴原さんとは喧嘩などしていなかったはずだろう。それともきみはこの僕に予知能力があるとでも言うのかい？」

「……ああ」

そうだ。病院坂は人の多い場所には入れない。僕の教科書に落書きしたければ、誰も人がいない内でなければならない。それは、僕もちゃんと考えたはずだった。いきなり琴原とのことを突きつけられたので、軽い混乱を起こしてしまったらしい。

「琴原さんとのことを聞き及んだのはその後のことさ。無論、聞いた瞬間きみをからかうネタが一つ増えたことに、僕の心は小躍りしたものだがね。きみを呼び出したのは別の理由からさ」

「ふうん。なんだい？」

「その前に僕はきみから話を聞きたいな。いや、琴原さんと喧嘩するに至った経緯をだよ。きみが他人と揉めるなんていうのは妹さんのこと以外考えられないからそこに原因があるのは僕にとって間違いない推測だが、僕の貧弱な思考能力では細部までを推測のピースで埋めることはできないんだ。きみにも迎槻くんの百万分の一、僕と同程度の同情心があるのなら、僕に救いの手を差し伸べることにも吝《やぶさ》かでないとは思うのだがね？」

「……別にいいけど」

僕は昨日の夜月とのやり取りを、細かい感情を抜きにして、病院坂に話した。病院坂は興味深そうに、にやにや笑いながら僕の話を聞いていた。普段からかなり饒舌《じょうぜつ》に喋るので僕も気付くのに時間がかかったが、病院坂黒猫、本当は話し上手である以上に、聞き上手なのである。全てを話し終えると病院坂は唐突のように「はははははははははは！」と哄《こう》笑《しょう》をあげた。

「こいつは実に愉快極まるな。腹がよじれて切れそうだ。この分じゃ僕もいつ妹さんの嫉妬《しっと》の対象になるか分かったものじゃない。きみも相当な変態だが妹さんもそれに負けちゃいない、究極のブラコンだな。あんな虫も殺さないような大人しそうな顔して、普通、そんなこと言うかね」

「おい。夜月の悪口は許さないぞ」

「ああ、失敬。謝罪するよ、僕はきみに嫌われたくなんてないからね。誤解されているかもしれないからこんな釈明めいたことを言わなくてはならないが、この世に僕ほどきみに愛されようと日々努力している人間はいないんだよ？　僕がきみの気を損ねないために封印している数々の言葉の量が東京ドーム何個分になるか、暇なときに数えてみたいものだが、しかしそれには膨大な時間を要するだろうな。少なくとも夏休み程度の時間では、不可能だ」

「いいけどね。僕だって、いまさらきみに何か言っても仕方ないことくらい分かってる。僕は学習能力を持ってるからね」

僕は演技でもって、嘆息《たんそく》して見せた。病院坂相手に肩肘張っても意味はない。

「それで？　僕を呼び出した理由の方だけど」

「ああ。うん。これは驚くべき偶然の一致ではあるが、僕がきみに振ろうと思っていた話題も正に同じテーマなんだよ。この情報を聞けばきみは感謝のあまり僕の靴にキスしたい気分になるかもしれないから、今のうちにその必要はないと断っておくことにしよう。きみとそんな関係になって妹さんの恨みを買うのはごめんだし、そうでなくとも、きみとは清らかな男女の友情を築いていきたいからね」

「持って回った大袈裟なほのめかしも、昼休みの時間が無限だったら僕も付き合ってやれるんだがな。きみは『匣《はこ》の中の失楽』にでも登場するつもりか？　病院坂、きみの言う通り僕にとって次の数学の授業はたいした難関じゃないけれど、だけど得意ってわけじゃないし、何より、難関じゃなくても得意じゃなくても、それでも数学は好きな科目なんだよ。もしも許してもらえるんなら、教室に戻って予習って奴をやりたいんだけどな」

「悪いね、僕はこういうしゃべり方でしか自我を保てないんだ。それでも僕はきみのために少し無理をして、迅速なる会話の終了へ向けての努力とやらをしてみることにしよう。言うまでもなくそれにはきみの協力が不可欠だ。だから僕の言いたいことをきみにある程度まで推測してもらうという形になるな。何、きみと僕とは実にいい、最高のコンビだ、二人三脚の方が一人よりもずっと速いさ」

「それで？」

「きみは不思議に思わないのかい？　それとも妹さ

んの言うことなら何でも頭から信じるという条件反射にも似た神経回路が、その脳内には張り巡らされているのかな？」

「……？」

唐突な話題転換、ではないのだろう。しかし、病院坂の言いたいことが分からない。どの事実を指し示しているのだろう？　夜月の言葉通りに琴原と距離を置こうとしたこと、それ自体だろうか？　いや、それとはまた少しニュアンスが違う気がする。

「……よく分からないけど、夜月が僕に嘘をついているっていうのか？」

「嘘と表現するほどに真実から外れてはいないさ。内角低めの際どいコースではあるがね。だから審判によってはボールになるかもしれないな。なあ、頼むから考えてもみたまえよ。期待しているのだから、僕をあまり失望させないでくれ。一体二年生の彼女が、どういう理由があって、三年の東校舎に行くんだい？　移動教室と言って、あの辺に移動しなくちゃならない教室なんてないだろう。移動教室はこの中校舎に集中しているんだから」

「あ……」

そうか。言われるまで全く気付かなかったが、それは確かに不自然だ。これは病院坂にどんな揶揄《やゆ》をされても仕方の無いような種類の迂闊《うかつ》だった。僕も三年の校舎に移動してまだ間もないとは言え、気付いてもよさそうなものじゃないか。現に、話を聞いただけの保健室登校者をして、あっさりと推理せしめたというのに。

「じゃあきみは、夜月はわざわざ、三年の校舎に、僕の様子を見に来たっていうのか？」

「いや、それもないさ。様刻くんの話を聞く限りにおいて、引っ込み思案で控えめ、露骨な言い方をすれば臆病な性格の彼女には一人で三年の校舎を訪ねるような度胸はない。ならば結論は言わずもがなだろう？　誰か、人づてに聞いたのさ」

「ふうん……」

夜月の性格からして、仮に人からそういう話を聞いたとしても、その情報提供者に迷惑がかかることを恐れて、自分で見たと言うだろう。言われてみれば昨夜の夜月の気配はそんな感じだった。いくらなんでも不自然過ぎたのだ、僕と琴原程度の、『友達の友達』以上『友達』未満の関係で、あそこまで夜月が不安を抱くはずがない。もしも事実が事実以上に脚色されて伝わったのだと仮定すれば、その辺り、納得が行く。しかしそうだとすると、今度は、その情報提供者は果たして誰なのかという疑問が浮上する。位置から考えて三年生なのか、あるいは、別の二年生なのか……可能性は低いが一年生や、あるいは教師という線もなくはない。疑えばきりがないし、答の出しようもない。

「誰にしろ、いずれにせよ、余計なことをしてくれたもんだ。本当、迷惑至極《しごく》だな」

「そうかね？」

「そうだよ。僕は自分の知らないところで自分の話をされるのが、一番むかつくんだよ。いや、僕のことなんかこの際さておいてもいいさ。夜月だよ、夜月。夜月は人一倍依存心が強いんだ。昔っからそうなんだ。僕が誰かに取られてしまうことを、極端に恐れてる」

「昔っからそうなのだったら、きみは何か対策を準備しておくべきだったと進言したいところだが、昼休みの残りも五分を切ったことだし、そう進言するのはまたの機会に譲ろう。きみはできる限りそうしてきたつもりだろうしね。それにしても喉が渇くね、空気が乾燥しているのかな？　そこにお茶を入れるためのポットという道具があるが、誘惑に負けて使っちゃ駄目だぞ。国府田先生、彼女は迎槻くんにも劣らないくらいのいい人なのだが、そういうところは、何と言うか、厳格でね。この前勝手に茶菓子を拝借したらぶん殴られたよ。無論、平手でだがね。僕のような特殊な生徒にも容赦なしというのは逆に好感が持てるところだが、しかし現代の校風には合わないな。某有名大学病院出身という経歴がそうさせているのだろうとは思うが、しかし彼女の性格は少々心配だよ」

「僕はきみの性格の方が心配だけどね」

「何？　もう一度言ってくれ」

「僕はきみの性格の方が心配だけどね」

「これは嬉しい！　僕は今、様刻くんから気遣いを受けたのだ。こんな心強いことはない、今なら通勤ラッシュ時の満員電車に乗ることだって不可能でない気がするよ！　……乗らないけどね」

「きみの用件ってのはそれか？　まとめれば、夜月に変なことを吹き込んでいる奴がどこかにいるようだっていう……」

「それはもう正解といっても差し支えないほどに正解に近い。さすがは様刻くん、僕の見込んだ男だよ。だがもう少しばかり、話は具体的だ。吹き込んだ人間が誰なのかは、分かっている」

「え……」

「二年七組、数沢六人《かずさわろくにん》。こいつが、犯人だ」

病院坂は僕の反応を楽しむように薄く笑い、その名前を言った。数沢六人。聞いたことが無い。だが名前からすれば男だ、間違いない。それに、七組といえば、夜月と同じクラス。僕の中のどこかにある危険探知信号が一気にレッドランプまで点灯する。

「残念ながらこれに関しては披瀝《ひれき》できるような推理は何もない、ただ単純に、ここのベッドで寝ていたら入ってきた情報だ。前々からきみの妹さん、即ち櫃内夜月にいらぬちょっかいをかけているものがいる、とね。別に用もないくせに三年の校舎に何度か脚を運んでいるようだ——ともね。もっともそれは、部活関係の用事があるのかもしれないが。しかし、どうでもいいが高校生ほど噂の伝わり易い集団は、多分皆無だろうな。ここで寝転んでいるだけでほとんど筒抜けだよ。決定的な証拠はないけれど、わざわざそんなことを言う奴が他にいるとも思えないから、多分犯人は数沢くんで間違いないだろうというのが僕の結論だ」

「だけど、なんで――」

「間抜けな疑問を挟むのはそれで最後にすると約束してくれたまえよ。そんなの、妹さんが様刻くんにべったりだからに決まっているだろう。巧妙かつ狡猾《こうかつ》にひた隠しているきみとは違って、彼女のブラコンはもう周囲中にバレバレなんだよ。知らなかったのかい？　というか、そうじゃないとでも思っていたのかい？　何せ妹さん、何かにつけ二言目には『お兄ちゃんが』だからな。さて、僕がきみに示せる友情の証拠としての情報は、残念ながらこれで尽きた。僕がきみに与えられるものがこの程度だとは情けない話だが、教科書に落書きをした件については、これで帳消しにしてもらえるかな？　僕は実のところ、何よりもどれよりも、それが気がかりでしょうがないんだよ」

「ああ……十分だ」

それはよかった、と病院坂は嬉しそうに目を細めて笑った。

「数沢くんについては、僕よりも迎槻くんの方が詳しいだろうから、彼に訊いてみたまえ。きっと力になってくれるだろう」

「……箱彦？　どうしてだ？」

「数沢くんは剣道部員だからさ。先に言った『部活関係』というのはそういう意味だよ。迎槻くんはその剣道部の部長だろう？　くれぐれも、いきなり二年七組に押しかけるような暴挙に出ないでくれよ。僕が先んじてきみに情報を与えたのは、きみの暴走を止めるためでもあるんだぜ？　僕からの話ならばきみも冷静に受け止めてくれるだろうと思ったからね、風聞に任せてもよかったのだが、必要以上に情報が歪曲される危惧に耐え切ることが、僕の弱い心にはできなかったんだ。『絶対に』なんて要求することは出すぎた真似だろうから僕はやらないが、それでも出来る限り、無茶はしないでくれよ。これは僕からの一生のお願いって奴だ、心得てくれたまえ」

　迎槻箱彦と琴原りりすは二人揃って小学生の頃から剣道をやっていたそうだ。琴原は初段の腕前で箱彦は二段。ただし琴原は中学で部活を引退するときにすっぱりと剣道をやめたそうだ。その理由を彼女はこう語る。

「三年になって最初の頃、どうも納得いかないことがあってさ。つまり、男子剣道部と女子剣道部との扱いが全然違う、男子剣道部がすごく優遇されてたんだ。いや、実際そんなことはなかったのかもしれないけれど、当時のわたしにはそう思えた。で、とうとうこらえきれずに直訴《じきそ》したら、教士の先生に言われたんだ。『体育会系、特に格技というのは独断と偏見の世界だ。差別されるのが嫌なら自宅から一歩も脚を踏み出すな』ってさ」

「そりゃすげえ先生だ」

　言いたいことは分からないでもないが、さすがに僕はちょっと呆れた。剣道は体育会系の中でも相当厳格な規律の下《もと》動いているという印象を持っていたが、それは当たらずといえども遠からずらしい。

「いや、勿論わたしにも落ち度があって。とにかく、色々なことに……特に学校とか先生とか、そういう体制側に対して、文句をいって楯突きたい年頃だったんだよね。『ご老人の説教なんざ御免です！　あなたの話は退屈なんです、わたしの意見を聞いてください！』なんて言っちゃってさ。いやもー、ほんっと、若気の至り。本当はただ、先生に褒《ほ》めて欲しかっただけなんだよねー」

「反体制か。分かる分かる、若い内は誰だってそうだよな。それと似たような台詞《せりふ》、僕も中学生のときに言ったことがある。相手は先生じゃなくて先輩だったけどね。いやもー、何かにつけて偉っそうに先輩風吹かす連中で。自分らが一年のときに苛められてた憂さを僕ら後輩で晴らしてたんだな、ありゃ。

愚に返るとはよく言ったもんだ。バスケ部でさ、そういう意味じゃ剣道よりはずっとフランクなとこがあったけど、所詮は体育会系だわな。『ご自慢の過去を語るのは引退してからにしてくれませんか。あなたがたの時代は終わったんです。はっ、気の利いた化け物ならそろそろ帰る時分ですよ、先輩方』ってね。バッシュでボコボコにされたっけ。若かったなあ……」

「わたし、そこまで嫌な奴じゃなかった……かなり一緒にして欲しくない。ボコボコにした先輩の気持ちめっちゃ分かるし、それ、若さのせいじゃないと思う……それにきみ、『本当は褒めて欲しかった』わけじゃないでしょ、それ」

「まあね。いろいろあったんだよ、しょぼくまとまった先輩達でさ。軍隊みたくまとまってんならまだしも、サロンみたいにひよってまとまってて。大変だったよ。この学園ほどお上品なトコじゃなかったしな。で、琴原は結局それで剣道をやめたと」

「いや、それだけが原因じゃないんだけど。大体、剣道の防具って面《めん》も胴《どう》も籠手《こて》も垂《たれ》も、臭いし、きついし、汚いし」

「3Kか」

「そう。臭いってかなり決定的だよね。――それにさ、どうも箱彦のコピーみたいになっちゃってね。ずっと一緒だったからかな、わたしの剣筋ってね、ずっと一緒に剣道やってたから仕方ないことなんだろうけど、でもわたしはやっぱりそれが一番嫌だったかな。自分が劣ったコピーだなんて、認めたくなかったから。なんとなくだけどね」

「はあん。でも似たような環境で育った幼馴染同士なんだからそんなの当然だと思うけどね。人は才能よりも環境に左右される生き物だから。だからあとは体格の問題……ああ、そこでまた先生の有難いお言葉に戻ってくるわけだ。でも、メスがオスより単純な『力』が弱いってのは、仕方ないことなんじゃないの？」

「そんな言葉じゃ納得できねーっすよ」

「だろうね。でもその先生も、悪気があって言ったわけじゃないと思うよ。少なくとも、琴原に剣道をやめさそうとしたわけじゃないだろ。反射神経やらなにやらならメスの方が上なんだから、そりゃスタイルを変えろって意味だったんじゃないか？」

「分かっちゃいるんだけどね、わたしも。今ならね。でも今更ね、ずっと続けてきたスタイルを変えるなんてね。それは、自身がカーボンコピーである以上に、辛いことだと思うから」

「言うじゃん」

「たまにゃね」

ともかく、琴原は剣道をやめて箱彦は続けている。『迎え突きの箱彦』という通り名で県下に知られる彼は、高校剣道界の一部ではかなり有名だったりする。琴原は帰宅部、勉強も遊びも適当にこなす、まあ何ていうか、力はあるけど目的のない高校生の見本みたいな感じに成り果てた。独断と偏見と差別は、琴原のような被害者を産みもすれば、箱彦のような優達者を産むこともある。夜月が苛めにあったことですら、同じだけの逆確率で、クラスの人気者になれていた可能性もあった。どんなことでもどんなことの理由になりうる。動機だの目的だの、あらゆることに関してそんな論議をするのはまるで無意味だ。

五時間目の数学、僕は担当の木坂《もくさか》先生が黒板に書き連ねていく長々とした公式をノートに写す。先生がその公式を説明するのを聞きながら、箱彦の方を見遣った。彼は眠っていた。連日の部活でお疲れモードらしい、昼時は眠くなって当然だろう。続いて琴原の方へ目を遣った。と、目が合ってしまった。琴原は驚いたように目を大きく見張ったが、だが即座に教科書に向き直った。正確には教科書の間に挟んでいる漫画に向き直った。数学なら予習復習の必要なく、琴原は九割以上の点が堅い女なのだ、授業中は読書の時間。三つも先の席なので、それが何の漫画なのかまでは分からない。分からないがただし、それが昨日の続きだとするならば、『HIGH SCORE』の二巻だろう。読み終わったらまとめて貸してもらう予定だったのだが、琴原、ああも高速で僕から目を逸らすところを見れば、やはりまだ怒っているようだ。机を蹴った程度で怒りは収まらないらしい。当然だが。この分では先週貸した西岡兄妹も諦《あきら》めた方がいいかもしれない。かと言って、返してもらってから話を持ちかけるわけにもいかなかったし。ん？　目が合ったってことは、琴原、最初は僕のことを見ていたってことだろうか？　分からない。たまたま振り向いただけかもしれない。他人と目が合うタイミングなんて、そんなものだ。

五時間目が終了して、こちらから行こうと思っていたのだが、教科書やノート類を机の中にしまっている内に、箱彦の方から僕の机の場所へと寄ってきた。

「櫃内、お前昼休み、どこ行ってたんだ？　昼飯、一緒に食おうと思ってたのに」

「うん？　琴原と揉めてんだから、そういうわけにゃ行かないだろうが。四時間目の途中に食っちゃったよ」

「揉めてるからこそ、飯ドキが仲直りの機会なんだろうが……ったくどいつもこいつも、物分りの悪いガキばっかだ。じゃあ、また、病院坂のとこか？」

「ああ、まあね」

頷くと箱彦は何ともいえない複雑な表情をした。

「別にお前の人間関係に口出すつもりはないけれど、あんな奴とあまり親しくしない方がいいと思うぜ。前から何度も同じこと言ってるみたいだけどさ、病院坂、あいつ、やばいんだよ」

「酷いな。お前は僕の大親友のことをそんな風に言うのか？　そりゃおおざっぱな見方ってもんだろ。いくらあいつが保健室登校児だからってさ」

あえて茶化した言い方をしたけれど、箱彦は複雑そうな表情を少しも変えない。

「そうじゃなくってさ……だから、あいつ、やばいんだよ」

「そんなの、知ってるさ」

病院坂もまた、箱彦や琴原と同じく付属からのエスカレーター生だから、付き合いのあるないはともかくとしても、噂は聞いているのだろう。そして病院坂黒猫に関する限り、聞いて気分が爽やかになるような噂は存在しない。何せ小学生のときからずっとの、十年以上にわたる筋金入りの保健室登校児だ。成績が学年トップ、それも桜桃院学園始まって以来の秀才という位置づけでなければ、とっくに退学処分が下っている。そういうポジションもまた、人々の——教師や生徒を問わず、人々の好奇の視点の的になりやすい。

「でも憶測で物を言うのはよくないと思うぜ？　話してみりゃ、エキセントリックではあるけれど、それなりにウェルメイドなところもあるし」

「憶測か……そうかもしれないけどな」

納得いかない風の箱彦。なんだか喋りづらそうだ。言いたいのに言えないことがあるかのような雰囲気。豪放磊落《らいらく》なこの男にしては珍しい。だが今は病院坂の話題で盛り上がるための時間ではなかった。六時間目まで、わずか十分しか休憩《きゅうけい》時間はない。

「なあ箱彦。それよりも僕、お前に聞きたいことがあるんだけれど、いいかな？」

「うん？　何だよ」

「お前、剣道部の部長だろう？　二年の、数沢六人って奴について、知りたいんだけれど」

「数沢……？」

怪訝そうに眉を顰《ひそ》める箱彦。

「数沢が、どうかしたのか？」

「聞きたいだけさ」

「……ふうん。まあ、そうだな……」

納得いかない顔は相変わらずだったが、別に追及するようなところでもないと思ったのか、箱彦は口元に手をやって考えるようにしながら、慎重に言葉を選びながら、続けた。

「正直なところ、あまり、いい奴ではないな」

「ふうん。何か、煮えねー表現だな」

「一応、正選手の一人だよ。つーか主力選手の一人っつーべきかな。役割《キャンプ》は先鋒《ヴァンガード》で、個人戦じゃ記録も持ってる。対校試合に来た奴らが数沢のことを『ランダミングランブル』って呼んでるのを聞いたことがあるな」

「『予測不可能《ランダミングランブル》』……か。いち高校生が得る二つ名にしちゃ、随分と大仰だね」

「ああ、直訳すると『混沌の乱数』か。雰囲気、数沢の剣筋って、すげえ予測しづらいんだよな。次の手が見えないっていうのかな。そういうの、本当はよくないんだが。要するに刃筋がひねくれてるってことだからな。高校剣道っつーんは基本的に中段か上段に構えるもんだけど、数沢は八双《はっそう》に構えるんだ。それだけでもやりにくいってのに、足捌《あしさば》きが滅《め》茶苦《ちゃく》茶《ちゃ》うめーんだわ。ありゃ天性のもんだろう、うまいというよりはずれてるっていうべきかな。継ぎ脚って分かるか？」

「専門用語は分からんし、構えがどうとか具体的なことを言われてもピンと来ないな。僕は竹刀《しない》に触ったことさえないんだぜ？ つまるところ、お前とどっちが強いんだ？」

「そりゃまあ、どっちかって問いなら、俺だ」

「自信家さんだね、『迎え突きの箱彦』さん」

「それはやめてくれ……」

『迎え突き』というのは剣道における禁じ手の一つらしい。どんな技かは知らないが、名字が見事一致してしまったために箱彦はそれで名が通ってしまい、対戦相手から不必要に恐れられているそうだ。ご愁傷《しゅうしょう》さまである。しかし僕の『ピースメーカー』にせよ琴原の『肉の名前』にしろ、どうも僕の周囲にはニックネームに恵まれた奴はいないらしい。それこそ『ランダミングランブル』のような、スマートな名前が欲しいものだ。世の中うまくない。

「人間的には、どうだ？」

「剣道は精神修養の手段ではあるがそれが効果を発《はっ》揮《き》しない奴もいるという生きた見本のような男だよ。掃除はサボる、稽古《けいこ》の手は抜く。朝練にゃ来ない、要領のいい怠《なま》け者。その癖、この四月から入ってきた新入部員にゃ先輩風吹かしまくり。挙句に女子部員にはちょっかいかける。まあそりゃ部活だけに限らず日常生活全般にわたる性癖みてーだ。なまじ顔もいいし、結構遊んでるみたいだな。この学園にゃ珍しいタイプだな。いや、ある意味相応しいとは言えるんだろう。確かに文武両道……ではあるんだよ。運動もできるし、頭も切れる。だけど、性格的には、あまり褒められたもんじゃないな。手を焼いてるってのが、本音だ」

「そうか……」

　これは、思ったより状況は危険そうだ。病院坂がわざわざ呼び出してまで僕にこの事実を教えた理由が、なんとなく分かった気がした。

「もういい。外見的特徴を教えてくれ」

「短い金髪で、体つきはあまりがしがししていない、線の細い感じかな……一見すると女の子に見えるかもしれない。学ラン着てる以上、間違えようはないが」

「分かった。サンキュ。ためになったよ」

「……どういうことだ？　ていうか、どうして数沢のことなんか聞くんだ？　……あ、まさか、また妹さんのこと……そういえば数沢、七組生だったな……」

　気付かれたか。本当に勘がいい。

「数沢がお前の妹に手を出したのか？」

「まだ出してない……けど、少しやばい」

「……何するつもりだ？」

「別に何もしないさ。兄として、好奇心として気になっただけだ。お前に迷惑はかけないよ」

「迷惑とか、そんなんじゃなくて……」

「ほら、もう席に戻れよ。いくらこの学園が放任主義だとは言っても、お前にとって次の授業はさっきみたくおねむに過ごしていいってわけにゃいかないぜ。僕は平気だけど、何せ、村上《むらかみ》先生の授業だからな」

「ああ……そうだな」

不安そうに僕を見ながらも、箱彦は席に戻っていった。村上先生は箱彦のことを毛嫌いしている数少ない教師の一人なので（格闘系の部活の部長なんてロクなものではないという価値観の持ち主だ）、なまじ僕の言葉も箱彦を追い返し会話を断つための方便というわけでもない。さて、と僕は思考する。問題そのものの姿は大分明瞭になってきた。少なくとも数沢くんは公明正大なジェントルマンというわけではなさそうだ、そしてその少なくともだけで、僕が動く理由には十分に足る。あるいはことは一日二日を争うかもしれない。だが一秒一刻というまでに差し迫ってはいない、次の授業をサボるほどに焦らなくてもいい。まずは、ちゃんと考えよう。対策を練る。箱彦率いる剣道部の正選手となれば、運動能力・格闘能力はかなりの部類に入るだろう。考えなしに馬鹿みたいにぶつかって、返り討ちにあったりすれば致命的だ。目的を果たせない行為などに何の意味もない、たとえ『目的』という言葉が持っている意味が皆無だったとしても。持てる能力を最大限に、最良の手段を選択。病院坂の忠告も忘れずに。怒り、それに類する情動に任せて行動するのは愚の骨頂だ。よく聞く白鳥の比喩を思い出す。白鳥は優雅に泳いでいるが、水面下では必死に脚をかいている、と。だがこの比喩は間違っている。澄んだ水で泳いでいる白鳥を見ればよく分かる、白鳥は、水面下の動きすらも、優雅そのものだ。スムーズにはスマート。整っているものは上から下まで全てが整っているものだ。分かったような顔した奴は『世の中には報われない努力もある』なんて言うが、そんなことはない。努力をすれば必ず成功する。成功しなかった人間が積み重ねてきたのは努力でなく徒労だ。改めて僕は現状を認識し、それからざっと、現時点で取り得る選択肢を一通り総ざらいして、一つ一つの案を、順番に検討する。候補を二つに絞って、更に比較検討。この二者択一のパートが一番時間がかかる。その作業を終えて、僕は「ふう」と息をついた。まあ、こんなところか。これで後、大事なのは、熱くならないこと、それだけだ。では心を落ち着けるために、ここらで一旦思考をスイッチすることにしよう。そう思って僕は昨日夜月から借りた本の二冊目（超能力ホラーの方）を教科書の間に挟んだ。意外なことに、こちらの本では、紙くずのように人が死んだりしない。どころか、ここではこのキャラクターを絶対に殺さなくちゃならないだろうと思うような場面でも、奇跡的な偶然でぎりぎり生き残ったりする。作者は甘いんじゃないかと思わなくもない。にもかかわらず、何ともいえないほどに暴力的な小説だった。これは実に巧みだ。非の打ち所が無い、今僕は、久し振りに面白い小説というものを読んでいる。行間から作者の怜悧冷徹さが伝わってくるようだった。全てが計算ずくでありながら、どんな計算を立てているのか読者のこちらがまるで読めない。作者が何を考えているのかちっとも分からないのだ。作者の思考がほとんど因数分解できない。ルーツや元ネタが分からないなんてレベルではなく、日本語の構成法から違うような雰囲気だった。夢中になって、僕は本当に数沢くんのことを読中、完全に忘却してしまっていた。こんな小説が国語の試験に出されたら僕の得点は確実に七割を割るだろう。多分この作者は『夢十夜』における第六夜を思わせる手法で、創作活動に勤しんでいるに違いない。考えて書いているのではない、書くべきものを、考えているのだ。

「…………さて」

僕もそうしなければならない。最良の手段はいつだって、そこに存在している。僕はそれに気付かなければならないのだ。六時間目が終わって、最後に担任の池岸先生がやってきた。特に連絡事項なし。起立、気をつけ、礼。さようなら。僕は既に準備していた鞄を肩にかついで、駆け抜けるように教室を出た。その際、琴原とすれちがったけれど、当然、お互い、何も言わなかった。気まずい。だが今はその気まずさを意識している余裕はない。東校舎を出て、一、二年生の教室がある西校舎へと向かう。階段を昇って三階、二年七組はそこにある。さすがは難関国公立理系コースの通称『七組生』のクラス、解散は遅いようで、ドアの窓からちらりと覗けば、まだみんな席について、先生の話を聞いていた。何にせよ、数沢くんが早々に部活に出ていないのならば、それでいい。七組生——学年トップレベルの成績を誇る夜月がその中にいることは言わば必然だ。僕と夜月は中学までは普通の公立学校に通っていたのだが、中学二年生になる頃、どうやら夜月は相当以上に勉強が出来る方だということが分かってきて、その並外れた知能を更に発展させるにはそれなりの環境が必要だという意見が、家族会議において提案された。そのまま公立高校へ進学するより、難関私立を目指すべきだと。そう提案したのは両親で、僕も賛成した。僕自身はある程度以上に頭のいい人間はどこの高校に行っても変わらないという持論を持っていたが、この桜桃院学園の校風(無干渉放任主義)が夜月に合うだろうと考えたのだ。だからその案に反対したのは夜月一人だった。どうしてだと理由を訊けば、一言、「お兄ちゃんと一緒の高校に行きたい」と。僕と少しでも離れるのが嫌だったらしい。それでやむを得ず、僕は中三七月の段階で志望校を桜桃院学園に変更するという無茶をやった。妹の将来のことを思えば偏差値を5ポイントくらい上昇させることは、別に苦痛でもなかった。過保護過ぎるのではないか、と思わなくもない。僕は夜月を甘やかし過ぎているのではないか。それは志望校変更のことだけではなく、今、こうして、ここにいることも。けれどその思考は後悔に類するもので、今だからそう思ってしまうだけだ。実に無意味。そのときは、そうするしかなかった。今だって、こうするしかないのだ。

　ようやく終わったらしく、教室から鞄を背負った生徒が出てき始めた。僕は覚悟を決めて、七組の中へと足を入れた。勝手に部屋に入ったことは何度もあるが、夜月の教室に入るのはこれが初めてだった。探すまでもなかった、夜月はすぐに目についた。そしてそのそばに、金髪の背の低い男がいた。身長体格が夜月とそんなに変わらないその男は、まるで夜月に詰め寄っているようにも見えた。

「おい」

　僕は早足で近付いて、男の肩に手を置いた。

「きみ、数沢くんかい？」

「はあ？」

　数沢くんは僕を振り向く。特徴的な垂れ目で、初対面の僕を睨《にら》むようにする。もっともそれに関しちゃお互いさまといえるかもしれないが。

「お、お兄ちゃん……？」

　夜月がびっくりしたような声を出す。それを聞いて数沢くんは「ちっ」と、あからさまに舌打ちした。どうやら自分と夜月との会話が途切れたことが不愉快だったらしい。分かり易い奴だ。

「ど、どうしたの？　わたしに、何か用かな？」

　さすがに学園内において夜月は自分のことを名前で呼んだりはしない。僕はそうじゃないよ、と夜月に対して首を振った。

「こっちの数沢くんに、ちぃと用があってね」

「は？　何すか？　お兄さん、俺になんか用すか？」

「そう聞こえなかったか？」

『先輩』ではなく『お兄さん』と呼んだところで、数沢くんが夜月にいらぬことを吹き込んだ張本人であることを確信する。全く、困ったことをしてくれるガキだ。僕は無言で、数沢くんに応える。こんな奴相手に口をきいても時間の浪費だ。僕は口喧嘩をしにきたわけではないし、数沢くんと思想対決するつもりもない。実際の中身がどうかはともかく、自身を優秀だと思っている人間、概して他人を見下している人間相手に議論することは徒労でしかない。

「おいおいー。櫃内、なんなんだよ、この人ー」

僕が何も言わないのを見て取って数沢くんは夜月に標的をうつした。その人を小馬鹿にしたような態度と夜月に対する馴れ馴れしくも親しげな口調が、僕の心の乱暴な部分を心地よく刺激してくれる。

「はは、お兄さん、まさか『俺の妹に手を出すな』とか言って、現れたってわけじゃないっすよねー？　そんなの今時全然流行《はや》らねーっすよ。何熱くなってんすか」

「……成程ね」

「は？」

いや、箱彦が手を焼くわけだと思ってね。しかしそんなことは言わない。無駄な会話だ。僕は自分より随分と背の低い数沢くんの胸倉をつかんで、ぐいと持ち上げた。数沢くんが今更のように、驚いた、信じられないというような表情を見せた。考える暇は与えない。

「知らねーのか？　なら教えてやるよ数沢くん。最近はキレて壊れた人間失格ってのが流行ってるんだ。一つお利巧《りこう》さんになったな、おめでとう」

そのまま力任せに、近くの壁に数沢くんの身体をたたきつけた。加減はしない。剣道部の正選手だと言うのなら、この程度で怪我《けが》するような身体は持ち合わせていないだろう。怪我されても別に構わないが、それでは箱彦に迷惑がかかるかもしれないのだ。

「困り者だな、最近のガキは『時計じかけのオレンジ』も読んでないのか？　もっと本読めよ、中高生。まあいいけど……数沢くん。今日は忠告に来ただけだ。僕は引き算をやりたいわけじゃない、きみの計算が通じない相手がいることは理解できたろう？」

「う……」

「どうなんだ？　もうちょっと勉強するか？　先輩に向かってあんま生意気言ってるようだときみの電話《ケータイ》のアドレス帳に載ってる奴……一人残らず全員区別なく……メモリから消去しちゃおう、かな？　そんなことになったらさ、数沢くん、困るよね」

「な、なんだよ……なんなんだよ、あんた、関係ないだろ――」

「家族のことだぞ。僕以上に関係している奴が一人でもいるってのか？　どうなんだ、数沢くん。生きる難易度《レベル》をあげて欲しくないなら、あまり手間をかけさせないでよ。これでも優しくしてるつもりなんだ。いいかい、僕はどうなんだと訊いているんだぜ」

「……わ、分かり、ました」

　足が完全に浮いているので呼吸も苦しげに、数沢くんは言った。

「分かりました、から……」

「よしよし。きみは話が通じる相手で、嬉しいよ」

　胸倉から手を離し、数沢くんから距離を取る。そしてさっさと、固まったように僕を見ていた夜月にも視線をやらず、机と机の間、まだほとんど残っている二年七組の生徒と生徒の間をすり抜けながら、教室を後にした。撤退こそ迅速に行わねばならない、それは教訓だ。最後に振り向いて教室内を覗き、「騒がせたね」と、誰にともなく謝罪した。数沢くんは床にへたりこんでいた。僕はその姿を確認してからドアを閉め、廊下を歩いて階段を降り、校舎から外に出た。そこで一つ嘆息する。ま、とりあえずこんなところだろう。個人的感想としてはまだまだやり足りない気もするが、あれ以上追い詰めると向こうも暴力に訴えてくる可能性もある。剣道部正選手という立場上、あるいは七組生という立場上、喧嘩や私闘はご法度だろうが、それこそキレ易い子供の理屈で、暴発されてはたまらない。体格では僕が上であっても、正面から争えば、きっと数沢くんの方が強いだろうから。だから今は軽く一本釘を刺しておく程度が最良手だ。うまくすれば、数沢くんの興味が夜月から僕に移る可能性もある。恋愛と暴力の二者択一ならば暴力を選ぶ若者の数は、決して少なくはないのだ。うまくいかなかったところで、つまり今回のこの行動が全く効果を発揮しなかったところで、夜月に変な噂を吹き込んだ報復分だけのことはしたので、僕的には損はない。損得勘定だけが全てではないが、精神衛生上の健康を保っておくのはとても大切なことだ。

さてこれからどうするか。

1・保健室へ行く。
2・剣道部を訪問する。
3・琴原を探す。
4・家に帰って夜月を待つ。

僕は当然、四番を選んだ。

「もー今日は夜月、本当に驚いたよ。心臓とまるかと思っちゃった。お兄ちゃんいきなり教室に来るんだもん」

その夜、僕が自分の部屋で明日の予習と、おぼろげに始めた受験勉強とをこなしていると、例によって風呂上りの夜月がやってきて、頬を可愛く膨らませ、そんな風に僕に抗議した。だけどその表情は決して怒りを表せてはいない。むしろ、どこか日常における一種の事件を面白がってるようにも思えた。

僕と夜月は朝は一緒に学園に行くけれど帰りが揃うことは滅多《めった》に無い。夜月にも色々付き合いがあるらしく、たとえば今日は例の文化委員の会議が閉門時刻ぎりぎりまで紛糾していたらしく、夜月の帰りはかなり遅かった。晩御飯の席には両親がいたし、だから、今日あの教室での件から、二人っきりで話すのは、これが初めてだった。

「あの後すごい蜂の巣つついたような大騒ぎになっちゃったんだからね。夜月、色々訊かれちゃってたじたじだったよ。『お前の兄ちゃん何者だ!?』みたいな。『話が違うぞ』って。夜月、さすがにフォローできなかったよ。今度ああいうことするときは、ちゃんと先に教えておいて欲しいかな。びっくりしちゃうんだから」

「悪かったよ」

「あ、ううん。謝らないで」

夜月は言いながら、僕のベッドの上に寝転んだ。そして、風呂上りの柔軟体操を開始する。夜月は身体が柔らかい。

「夜月、ほんとは、嬉しかったから。お兄ちゃんは夜月の自慢なんだから」

「……そりゃ、何よりだ」

「お兄ちゃんは夜月専用の英雄係だよ。助けて欲しいって思えば、それだけで、助けに来てくれるもん」

「そんなに困ってたのか? 助けて欲しいって思うほどに?」

「うーん。そんな、深刻じゃなかったけど……でも、数沢くん」

夜月はそこで一旦、言いづらそうにした。

「夜月のこと嫌いみたいで、夜月に、時々、意地悪するの。嫌なのに」

「……ふうん。そうか、そりゃ嫌だな」

冷静な視点で、兄という立場を外してごく客観的に見るならば、数沢くんが夜月に向けるそれは好意に近いものであって、単純に夜月が一方的に嫌がっているだけとも言えるだろう。引っ込み思案な夜月には、遠回しなひねくれた、『ランダミングランブル』式の好意は決して届かない。とはいえ僕に数沢くんをフォローする義理があろうはずもないし、そもそも、夜月が嫌がっているのなら、どんな理由があろうとも、それは『意地悪』でしかない。苛めと一緒だ、被害者がどう認識するかだけが、問題なのだ。向こうの事情なんて関係ない。

「お兄ちゃんは本当は夜月のことなんか邪魔だって。お兄ちゃんにはちゃんと彼女がいるんだからって。数沢くん、そんなこと言うの」

夜月を見る。夜月は、枕に顔を半ばうずめていた。ひょっとすると軽く泣いているのかもしれない。夜月の涙腺は酷くゆるい。そんな姿を見ていると、僕はいつも、やるせない、無力感にも似た気分にとらわれる。守ってあげなくてはと思わされる。

「あんなくだらない奴のいう戯言《ざれごと》なんかに惑わされるな。僕がお前のことを邪魔だなんて、思うわけがないだろう? 今まで一度でもそんなことがあったか?」

「……本当?」

「当たり前だ。僕にとってこの世にお前以上に大事なものなんかないんだからな。だから、お前も変な遠慮しなくていいし、僕には本当のことを言ってくれていいんだ。むしろ昨日みたいな中途半端なのが一番厄介《やっかい》なんだよ。困ってることがあったら、ちゃんと相談するんだぞ」

「……うん。ありがと」

それでも尚、夜月は顔を起こそうとしない。そして僕の言葉を待っているかの如く、黙っている。沈黙はもっと構って欲しいという、夜月からの控えめなサインだった。僕は勉強を諦めて、ノートと参考書を片付け、「そんなことより、夜月、何かして遊ばないか?」と、夜月に言った。

「え、いいの?」

がば、と顔を起こす夜月。現金なものだ。

「丁度キリがいいところだったんだよ。じゃあ、そうだな、何がやりたい?」

「えーとねー、じゃあ、将棋かな」

「そりゃ久し振りだな。分かった」

僕は押入れを開け、将棋盤を探す。ほどなく、駒の入った箱とともに、それは見つかった。ベッドの上において、僕もベッドの上に正座し、夜月と向かい合い、駒を並べる。

「パスありのルールな」

「何回までかな？」

「五回」

「それ、絶対多いよー」

「じゃ、三回」

「むー。その辺かな」

先手は夜月。夜月は歩兵を動かした。

「そう言えば、借りた小説、両方とも読み終わった」

「もう？　相変わらずお兄ちゃん読むの速いね」

「殺人鬼の方は普通に面白かったけど、超能力ホラーの方はずば抜けて面白かった。夜月、あの作者の本、他に何かないか？」

「ううん。あれ、デビュー作で、まだ一冊しか出てないかな。あ、でも、短編の載ってる雑誌がいくつかあるよ。読む？」

「ああ。是非」

「ご執心だね。お兄ちゃんが何の文句もつけないなんて珍しいかも。夜月も、あの人の本、好きだよ。なんか、人間が書いてる感じがしなくてさ」

「ああ、その表現はいいな。うん、僕にも、読んでて作者の姿が全く見えなかったんだ。何考えてるんだか、全然読めなかった。あんなこと、滅多にないぜ。読解能力、自信なくしちまって、今も国語の勉強してたところさ」

「きゃらーん。飛車いただきー」

夜月が僕の飛車を取った。その飛車を取ってしまえば、あと四十五手以内に確実に詰まされてしまう決定的なポイントだというのに、いとも容易く。夜月は頭はいいけれど、先の先の更に先を読むというような考え方からは無縁だ。暗記能力と公式の応用能力に秀でているが、仮説から仮説を導き出すような、綱渡りのような枝分かれを実感として味わうには、夜月には根気が足りないのだ。根気、それはとても大事だ。その単語は決して体育会系だけのものではない、勉強にしたって、遊びにしたって。いつだって我慢しきれない人間が失敗する。何事もタイミングが大事だ。数沢くんのことだって、あれで解決したわけではない。あんなのは、ただの宣戦布告に過ぎない。だからここから先、僕は相応の根気を据えてかからなければならないのだ。小学生のときの失敗を繰り返すことだけは避けなければならない。僕はともかく、夜月には、今も生活というものがあるのだから。桜桃院学園二年、しかも七組生。その立場、それは守るべき鉄の砦だ。今夜月をそのレールの上から脱線させるわけにはいかない。僕がやらなければならないのは足し算や引き算ではなく、もっと複雑怪奇な、暴力的でしかもグロテスクな計算だ。

夜月を守る。

夜月に迷惑をかけず。

夜月を傷つけない方法で。

「パス」

僕は無駄なパスをした。これで、勝負の行方は、また、分からなくなる。

「お兄ちゃんはどの台詞が気に入った？　夜月はね、割と最後の方で、主人公の『わたし』がお兄さんに書いた手紙。感動して、ちょっと泣いちゃった」

「泣きはしなかったけど、同感」

「やっぱり家族って、大切だよね」

「当たり前だろ」

「当たり前だけど、でもああいう風に書かれちゃうとね、ちょっと考えちゃうかも。夜月だったら、あんな風にはできないなって思って」

「あまり身ぃ入れて考えるなよ。面白い小説であるのは確かだけど、あくまで娯楽なんだから、楽しむためのもんで、悩むためのもんじゃないぜ」

「そうかもしれないけどさ。家族観って、やっぱり釈然としないものがあると思って。だってさ、家族って、自分で選んでなるわけじゃないでしょ？　大抵、最初から決まってるもん」

「でもないぜ。決まってるってほどにゃ、決定してないさ。結婚して夫婦になったり、離婚して他人になったり、養子になったり、勘当されたり。法律で家族を語るなら、そういうことになるさ」

「うーん。でも、法律上でいうなら、やっぱり子供に選ぶ権利はないよね。お兄ちゃんの妹に生まれることなんて、夜月、選んでやったわけじゃないし、お兄ちゃんだって、夜月が妹になることを望んでたわけじゃないんだよね」

「まあ、そうだな。そういう言い方をすれば」

「あ、でもでも、今の、変な意味に取らないでね。夜月は、お兄ちゃんのことが一番好きだよ。お兄ちゃんの妹で、よかったって思うもん。でもね、兄妹って、いつか別れなくちゃならないでしょう?」

「そうか? なんで?」

「だって、お兄ちゃん、いつか家でちゃうんじゃないかな。そうしたら、夜月、一人だよ。一人になっちゃうんだよ。ほら、兄弟は他人の始まりっていうでしょう?」

「それをいうなら、血は水より濃いともいうぜ。お前を一人にゃしないよ。どっちかっつーと家を出るのは女の子の方じゃないのか? 古い考え方かもしんないけど。いつか、そう遠くない先の話、お前に好きな人ができてさ——」

「夜月はお兄ちゃんのことが一番好き。この先もし他の男の子を好きになることがあっても、夜月はいつまでも、お兄ちゃんのことが一番好きなんじゃないのかな。それにこの先お兄ちゃんのことを好きだとかいう他の女の人が現れたとしても、絶対に夜月の方が、その人よりも、お兄ちゃんのことを好きだと思う」

夜月は普通に言った。

「だからお兄ちゃんも夜月のこと好きでいてね。夜月のこと、ずっと、一番大切にしててね」

夜月がまた、無造作に僕の金を取った。

僕は二回目のパスを使った。

翌日、夜月と僕は、遅刻してしまった。不覚にも電車を一本逃してしまったのだ。学生証をゲートに通した際に記録された時間は『08：45』。言い訳の仕様もない。僕は構わなかったけれど夜月は七組生なので、酷く怒られるかもしれない。夜月の寝坊に原因があるとは言え、可哀想なものは可哀想だった。だから僕は遅刻したのを電車が混んでいた所為《せい》にした。

「大体さー、この国は人間が多過ぎるんだよ。世界地図の上の染みみたいな大きさしかないくせに――アメリカで作られてる世界地図、見たことあるか？　笑えるぜ、本当に――一億強だぜ？　どう考えてもそんなにいらねーじゃんよ。東京の人間とか全員殺しちゃってもいいんじゃないのか？」

「よくないよ……お兄ちゃん、東京の人がみんな死んだらもう日本おしまいだと思う……それに、東京の人達が死んでもここの電車は混んだままだと思うかな」

「そうか。そうだな、確かに自分がリスクを負わないのはよくない考え方だ。それに東京を壊滅させても人口は十分の一程度しか減らないってんじゃ、焼け石に水。よし、じゃあこうしよう。日本に住んでる人、籤《くじ》引きで半分くらいに減らすんだよ。籤が外れだった人は自殺すること。そうすりゃ電車も全国的にすくし、日本も大丈夫だろ。二分の一くらいの確率なら、僕も夜月も、絶対生き残れるだろうし」

「やだよー。お兄ちゃん、そんなことになったら、もしも自分が生き残ったとしても、クラスメイトとか友達とかの数も半分になっちゃうんだよ？」

「馬鹿。どうしてお前はいつもそんな風にネガティブに考える？　前向きに考えるんだよ。友達が、なんと半分も残るんだぜ？」

「そもそもそんなこと考えなかったら誰も死なずに

済むんじゃないかな……ていうか、夜月が寝坊して遅刻したのを庇うために、東京を完全破壊したり七千万人も殺したりしなくていいよ。ごめんね、お兄ちゃん」

「気にするな。それより、数沢くんが何かやってきたら、すぐに僕に電話入れろよ。飛んでいくから」

「はーい」

「いい返事だ。今日の帰りは？」

「今日も委員会だから、昨日と同じくらいかな」

「そっか」

「にゃー」

「うむ」

そう言って、昇降口で靴を履き替えたところで別れた。東校舎四階の教室に行くと、当然授業は始まっていて、滅茶苦茶注目された。運悪く英語の授業だったため、「おいおい、破片拾い《ピースメーク》に熱中し過ぎて夜更かしか？」などと先生にからかわれたが、構わず、僕は席についた。低レベルな人間は相手にしないに限る、相手が教師であってもだ。机の中から教科書を取り出して、中身をチェックする。昨日のことがあるので、病院坂からまたぞろ何かメッセージでもあるかと思ったのだが、今日は何もなさそうだった。では授業に集中しよう、教師がどんなのだろうと、英語はしっかり勉強しなくてはならない。寝不足は我慢。二時間目までは。

一時間目が終わった休み時間、箱彦がやってきた。遅刻したことをネタにいじられることになるのだろうかと思ったが、そうではなく、昨日の、数沢くんとの件だった。

「お前、二年の教室に乗り込んだんだって？」

「いや？　全然？　何言ってんの？　それより知ってるか、ピカソのあの長ったらしい本名って伝記作家が作ったデマなんだぜ」

「お前は一体何考えてんだよ、本当に……」

「数沢くんから聞いたのか？」

「いや、本人からじゃねーよ。あいつはプライド高いから、そんな愚痴みたいなことは言わねーさ。だが、二年生は他にもいるからな」

「人望のある部長は言うことが違うね。僕も今度生まれ変わったら剣道部の部長になることにさせてもらうよ。今度って、別に今まで生まれ変わったことがあるわけじゃないけどさ」

「茶化すなよ。俺にそれを教えてくれた奴は、お前が数沢のこと、殺しかねないような勢いだったたって言ってたぜ」

「学校でそんなことやるわけないだろ」

「学校じゃなきゃやるみたいな言い方だな」

「おいおい。そんなどうでもいい言葉尻を捉えるのはやめてくれよ、お前は理屈系の評論家か？　それとも真面目な受験生？　僕の台詞の横には傍線でも引いてあるのか？　傍線①のときの登場人物の気分を答えなさいってか？　参るよね」

「……そんなことしたら、かえって妹さんの迷惑になるだろう。兄貴が教室に乗り込んできたなんて、いい恥さらしだぜ」

「間抜け扱いはよしてくれ、ちゃんと考えたさ。僕は後先考えないガキじゃない。そのリスクもきちんと認識していた。リスクよりも利益の方が大きいと判断したからこそ、実行したまでだ」

「リスクよりも利益が大きい、ね。じゃあお前は、バレないなら人を殺してもいいって考えるのか？」

「随分と話が飛ぶよな。そういうのを極論っていうんだよ、知ってるかい？　殺人はいけないことだ。勿論暴力もそうだ。いうまでもないだろ。別にちょっと服をつかんだだけで、僕は数沢くんに、何も大したことはしていない。今、妹には、僕のような『危ない』『ヤバい』『キレてる』存在が背景にいるということを示しておくことが必要だった。だから場所も教室を選んだ。それだけのことだよ。むしろ、暴力を使わずにことを解決するための手段だったんだ。あまり責めるようなことを言わないでくれよ」

「……お前さ、妹さんがからむと、もう前後の見境もなくなり、何も視界に入らないって感じだな」

「何言ってんだよ。僕は冷静な判断力はいつでも保っているさ。それが自慢なんだから」

箱彦はわざとらしく、頭をかく仕草をした。

「様刻。お前、今日の放課後、剣道部に来い」

「は？」

「体育館の二階だよ。そこに剣道場がある。知ってるだろ？」

「……いや、初耳だな。へえ、そんなとこにあったんだ……つーか、そんなとこあったんだ。剣道場ね。でも、なんで？」

「いいから。部活は六時に終わるから……七時だ。七時に、来い」

「七時って、閉門時刻が七時半だから、マジでぎりぎりじゃないかよ。どうして」

「いいから、来い。約束したぞ」

箱彦は、もうこれ以上言うべきことは尽きたといわんばかりの態度で僕から離れていった。なんて変な奴——と判断することはできないだろう、箱彦の反応は、多分正常だ。そもそもあの反応こそ——僕に対して正体不明の危機感を抱いてもらうことこそが、僕が数沢くんに求めたことだ。その意味でも、僕の試みは成功していると言える。あれが最良の手だったかどうか、なんてことは今更考えない。それは考慮するだけ無駄な議論だ。それにしても、そこまではいいとしても、何故僕は箱彦から呼び出しを喰らったのか。同じクラスなのに、なんでわざわざ改めて。愛想が尽きたなら尽きたで、もう相手にしてくれなくてもいいのに。今日もまた、僕に一瞥もくれようとしない琴原と同じように。これは無視してしまってもいい種類の『押し付け』約束だとは思うが、さて、どうしたものか。こんな風に次々と問題が生じてくる状況というのは、実のところ、あまり嫌いではない。この気分は、数学の（無論取り分け難解な）証明問題に取り組んでいる際の快感にも似ている（ここだけの話、僕が今のところもっともリスペクトしているのは、僕の読書趣味を決定付けた江戸川乱歩でもそれを後押しする形になったエドガー・アラン・ポーでもなく、小学生時代教室にウォークマンを持ち込んでまで一日中聞いていた鈴木彩子でも今でも全曲のメロディラインを口笛で吹けるエニグマでもなく、まして夜月に無理矢理つき合わされ、目が腐るほど見たフランシス・F・コッポラでも同じくデビッド・クローネンバーグでもなく、ポール・エルデシュだ）。問題を、困難を楽しめずに何が人生なものか、そんなことでは生きていけない。相手にしてくれなくてもいいとは言え、実際、箱彦との縁が切れてしまえば、友達の少ないこの僕は、学園生活に並々ならぬ不要な労苦を背負い込む羽目になる。剣道部の部長が友人にいるというのは決して悪いことではないのだ。較べるのも何だが、箱彦は病院坂黒猫などよりはずっと有用な、様々なところに繋がっている大人脈である。ここで決裂することは琴原との仲直りの機会も永遠に失われるということだし、そうなると最悪、箱彦を敵に回すことになるかもしれない。ならば多少の嫌な思いは我慢して約束は守っておくべきだ。いや、そういう損得勘定をさておいても、箱彦とはできれば良好な関係を維持しておきたい。そう、友情だ。友情は大事にしなければならない。箱彦に関しては今のところ夜月の嫉妬の対象外なのだから、尚更《なおさら》そうすべきだ。では放課後、剣道場に行くことは決定。そう決めた頃にぴったり二時間目が始まって、僕は眠りに落ちた。おやすみなさい。

「きみという男は全く驚くべきほどに聳《そび》え立つ大いなるバベルの塔のような有様だね。ふん、妹さんをバベルの図書館とするならば実に言いえて妙だ。エルンストを割れるほどの爆音で聞きたい気分だ、この僕の中にあるかどうかもわからない不確かな思いやりの心からようやくのことで生じた奇跡のような老婆心を全く逆の意味に受け取ってくれるのだから。きみは二千円札を平気で使ってしまう種類の人間に違いない。いやはや何とも、今から思えば我ながら本当に余計なことを言ってしまったものだ。僕はいつの間にか、きみという男を理解しているつもりになっていたようだね」

放課後、箱彦との約束の時間までの暇つぶしの選択肢に、僕は『保健室へ病院坂に会いに行く』を選んだ。どうせ昨日、二年七組に乗り込んだ件については病院坂のことだ、聞き及んでいるだろうし、そうだとすれば病院坂のことだ、何か僕に言いたいことが出来ただろう。病院坂は閉門時刻ギリギリまで、学内に生徒が多く残っている内は保健室から出ることもできない。暇つぶしはお互い様だ。普段一人で保健室にいる際は教科書か小説かを読んでいることが多いらしいが、別に病院坂は夜月のような読書中毒ではない、こちらから訪ねれば本を閉じてくれる。他にも『琴原を探す』『先に剣道部を見学する』『夜月の委員会を覗きに行く』という選択肢も思いつかないでもなかったが、だが、箱彦との約束を前に、新たな問題を発生させる可能性はできるだけ潰しておきたかった。その点病院坂は安心だ、病院坂黒猫にはあらゆる意味で生産性というものが欠如している、いい意味でも、悪い意味でも。

「忠告は参考にしたさ。これでも考えてやってんだよ。きみは僕の友達だけど、しかし僕のことを過小評価しているんじゃないのかい？　きみは心配してるようだけど、僕は別に間違ってないさ」

「間違っていない？　ああそうとも、きみは恐らく今までの人生一度だって間違ったことがないと主張するのだろう。だがそんなものは誰だってそうだ、主観的観点から『間違った』行為に及んだ者など歴史上に一人だっているものか。人間として間違った行為とはね、『空を飛ぶ』『真空中で生活する』『光速を超える』『摂取したエネルギー以上のエネルギーを生産する』など、そういったことだよ。そう、その意味においては、きみと妹さんとの近親相姦だって何も間違っちゃいない。最低限、世界との対立事項であるとは言えないな」

「相姦なんてしてねーっての」

「時間の問題だと思うがね」

意地悪い口調で言う病院坂。どうも思った以上にお冠らしい。元々気分屋だが、滅多に他人に親切にすることなどない女だけに、それがないがしろにされたときの怒りは激しいというのか。しかしそれはあまりに勝手な言い分だと思う。

「大体さ、箱彦もきみも、とにかく僕のことを過保護扱いするけど、兄妹で仲がいいのが、そんなにいけないことなのかい？　そんなの、普通だろ。家族を大切にするのは当然だ」

「開き直りは極まって恥ずかしい愚か者の結論だぜ、様刻くん。きみは退屈なだけの馬鹿ガキか、違うだろう？　何度も話題にしてきみの気分を害するのは僕の望みじゃないのだが、避けようもない問題、きみと妹さん、そんなことで将来どうするつもりなんだい？」

「きみに将来とか言われたくねーよ、社会不適合者」

「僕は自分の将来のヴィジョンくらいはっきりと見えているさ。僕はこのまま保健室登校でこの学園の卒業資格を手にしてから単身アメリカに渡るつもりだ。ようやく十八歳になれるからね、くだらん家族とおさらばできるというわけだよ。あの低能ばらの稼ぎのお陰で自分が生きていると思うだけで走る虫《むし》唾《ず》を感じなくても済むようになるというのは、思うだけでもいいものだな。もう向こうの教授陣とも話をつけている」

「アメリカの大学だったら普通に学べるってか？　人の多さは向こうでもそんな変わらないぞ」

「生徒としてならともかく、研究員としてなら別だ。数人クラスの人数なら、僕でもなんとか我慢できなくもない。そこからじっくりと馴らしていく。成人してからもずっとこんな生活を送るわけにもいかんしな。とにかく子供扱いされないだけの年齢と知識量まで、やっとのこと、達したものでね」

「ふうん……初耳だな」

「話してなかったから僕を水臭《みずくさ》い奴だと思うかい？本決まりになるまでは伏せておきたかったのでね。訊かれりゃいつでも答えるつもりだったんだが」

水臭いも何も、僕としてはただの売り言葉に買い言葉だったのだが、まさか病院坂が将来について真剣に考えているとは思わなかった。驚きの気持ちと共に敬意にも似た感慨が僕の中から泉のように湧《わ》き出ていた。

「きみの言う通りだ、僕は確かに社会不適合者なのだろう。だがこれでも世界に対して、駄目な奴なりに折り合いをつけようという心意気は持っているつもりだぜ。鋭意努力している。そもそもこうやって保健室登校をしていることが何よりその証拠だとは認めてもらえないだろうか。だがそこへいくときみはどうだい？　まるで世界のことなんか我関せずを決め込んでいる。きみがいるから世界があるんじゃない、世界があるからきみがいるんだよ？」

「それは僕だけじゃなく、夜月とのことも言っているわけだね、病院坂」

「分かっているじゃないか。はばかり様、無論家族間の問題にこの僕のようなニュートンの林檎《りんご》並みの真っ赤な他人が口出しするべきではないのもまた事実だろうし、もしもきみらが将来『グリーン・ゲイブルズ』で暮らすつもりだと言うのならば、もう僕に言うべき言葉は残っちゃいないがね」

「そんな先のことまで……」

言いかけて、やめる。それは自分を否定する言葉だ。ことはいつだって、先の先の先まで考えて臨まなければならない、少なくともそこに問題や敵が存在する以上。ここらでいいだろう、なんていう妥協《だきょう》点は存在しないし、様子見や日和見なんて、そんな言葉は僕の人生には不必要だ。

「『持てる最大の能力を発揮して最良の選択肢を選び最善の結果を収める』――というのはきみの数ある持論の一つだったね。小学生のとき、きみ達兄妹が転校することになった一件もまあ、そのときの状況からすれば、最大で、最良で、最善だったに違いない。それはきみの言う通りだ。だが今きみは同じことを繰り返そうとしていないかな？　数沢くんは剣道部の正選手だよ。万が一、彼が昨日激昂《げきこう》し、取っ組み合いの喧嘩になっていたらどうするつもりだったんだい？　僕も経験はないので大きなことは言えないがね、剣道というのは、常に十キロ近い防具を身につけてわずか十メートル四方の試合場で互いを打ち合う、群を抜いて激しいスポーツなんだよ。その経験者と素人《しろうと》のきみの差は、体格程度では埋められないぜ」

「その可能性はないと踏んだ。病院坂、人を馬鹿みたいに言うのはやめてくれないか。僕はリスクを恐れて何もできない臆病鶏とは違うんだよ」

「ふん、だろうね。きみにはいつだって確信がある。僕なんかには及びもつかないほどのね。だが確信のもてない僕ら凡俗としては、危なっかしくて見てられないよ」

「だけどな、昨日のことは――」

「昨日のことじゃない、妹さんとのこと全般だ。言いたかないが甘やかし過ぎだよ。妹を守るために下級生のクラスに押しかける程度ならまだしも笑い話で済むが、妹に言われて友達と縁を切る奴がどこにいる？　今僕が問題にしているのはむしろそっちなのだがね。迎槻くんが怒るのも無理はないさ」

「箱彦が怒ったのは昨日、数沢くんに手を出した方だよ。自分とこの部員、しかも正選手に危害をくわえられそうになりゃ、そりゃ誰だって怒る。夜月は関係ないさ」

「そう思いたければそう思うのはきみの自由というものだ。自由？　は、くだらない。この世代でそんな言葉を信じている馬鹿なんかいるわけがないじゃないか！　何が自由だ、幻想ですらない、そんなものは掃き溜めにでも捨ててしまえ！」

「……何言ってんだ？　熱くなって」

「失礼、取り乱した。ともかくだね。僕としては、様刻くん、きみは即刻琴原さんと仲直りするべきだよ。そして妹さんには申し開きをするべきだ。琴原さんはあくまでただの友達で、一番大事なのはお前だけだ、なんて生ぬるい台詞でもいい。極端から極端に走る大胆さはひとまずさて置いて、そういった細かいことから、まずは始めることがお勧めだよ」

「ご注進マジで痛み入るよ。まあ本音の話、その選択肢も考えないじゃなかった。でも、僕はそれを選べなかったよ。冷静な話そうするべきだったのかもしれないってのは分かるけど、そのときは時間がなかった。夜月がすぐ目の前で返事を待っていて、あまり待たせるのも可哀想だったしね。それに数沢くんからどんな言われ方をされたのか、かなり思いつめていた。あのときは夜月の望みを全面的にかなえてやるのが最良だったんだ」

「当事者でしか、あるいは兄妹でしか分からない阿《あ》吽《うん》の呼吸か。僕には兄弟姉妹がいないから何ともいえないがな。しかしきみがどれほどの熟慮の結果でその判断を下したのだとしても、外から見れば安易な選択肢に走ったようにしか見えないよ。本当のところがどうだかなんて僕の知ったことじゃない。でも、そういう風にしか、見えないんだ」

「いちいち否定するのが面倒臭い詰問だな」

「だろうね。だがきみはあまりにも過去に目を向けなさ過ぎる。後悔をしないのと後ろを振り返らないのとは意味が違うと、小学校の校長先生は訓話を垂れていなかったかい？　垂れていなかった？　それは残念。しかし様刻くん、きみの哲学とは違って、現実に広がる選択肢の数は、無限なのだよ」

「無限に近くても、無限じゃない。病院坂。情報ならばともかく、説教は真っ平だよ」

「説教？　そう聞こえるか。見識の違いだね。これもまた、きみにとっての選択肢を広げるための情報の一部だと、僕は思っていたのだが」

厳しい顔つきで一人頷く病院坂。とても同じ年とは思えないほどに老成した雰囲気がある。もっとも、人生経験が欠けているという点において、この女に勝るものはこの学園内にはそうそういない。見た目に騙されてはならない。こいつは遠足にも行ったことがないのだ。

「これは僕の悪い癖だ。言うなら持病かな。僕はね、自分の周りで何かが壊れたり、崩れたりすることが耐えられないんだよ。そういうのを見ると苛々する。調和のとれた世界こそが、完全なる静寂こそが、僕が神様に求める唯一のものなのだ。壊れた世界なんて真っ平ごめんだ。論理を重んじるつもりなんてこれっぽかしもないが、だが、辻褄の合わないことや、不合理や不条理に対して、僕は怒りにも似た気分を味わうことになる。だからきみのように不安定な人を見ると、とてもほっておけない。だから僕は人ごみが嫌いなんだよ。人ごみとは、言うならば不調和の宝庫だからね。本当、悪い癖だと思う。だがこれだけは忘れないでくれ。僕はいつだってきみの力になることを惜しまない女だよ。それではこれ以上きみの内側に踏み込まない内に、話題の転換を図ろうか。最低限、ラインは重んじなければね。親しき仲にも礼儀あり、礼儀あってこその親しき仲だ。そうだね、きみが迎槻くんと交わした約束の時刻午後七時まであと三時間か。しかし部活は六時に終わるというのに、迎槻くんは一時間もの間道場の掃除でもするつもりなのかな？　まあいいや、では様刻くん、手慰《てなぐさ》みに、将棋でもやろうじゃないか。きみと僕なら盤がなくてもできるだろう？　妹さんとの勝負は、いささか物足りなかったようだしね。掛け値なしのきみの実力なら、歩兵を全部落としたところで大抵の相手には勝てるんじゃないのかい？どっこい、僕はそうは行かないぜ。僕なら大抵の相手には、王将以外の駒が全部歩兵でも勝てるさ。まあ、それじゃあ二歩になっちゃうけどね。さて、様刻くん、ではパスは何回がいい？」

「……五回」

「分かった。では、きみからだ。様刻くん」

「パス」


七時ちょっと前に病院坂に別れを告げて、僕は保健室を出た。部活動は大体六時頃に終わる習慣になっているので、学園内は既にかなり閑散としている。六時から、学園が完全に閉鎖する七時半まで、その空隙であるこの一時間半は、冬でなくともかなり薄ら寒い空気が漂っている。教師陣も大半は六時前にはゲートを通って帰ってしまうし、衒いのない真面目な話、夜中の学校と夜中の病院だけは、近付きたくない。まるで廃墟だ。一つ呪文を唱えれば、全てが崩壊してしまいそうな錯覚に囚《とら》われる。中校舎から連なる渡り廊下を歩いて、体育館へ。体育館も無人だった。電気も消えてしまっていて、僕の視力では奥まで見通せないので、かなり不気味な雰囲気をかもし出していた。階段を昇ると段々と、竹刀を打ち合うような音が聞こえてくる。はて、部活が長引いているのだろうか。まだ終わっていないようだ。だとすると今行くと邪魔になるか。いや、約束の時間は守るべきだ。階段を昇ってすぐに廊下になっていて、右側にトイレがあってその向こうには倉庫らしき鉄扉が二つ、あとは汚れた白の壁に窓がずらり並んで続いている。そして左側におわすは引き戸の扉。その向こうはもう、ずーっと壁。教室などと違って前後に扉があるわけでなく、向こう側への出入り口はここだけらしい。扉の上にプレートがあって、そこに『剣道場』と、達筆で描かれていた。ふむ。竹刀の音はやはりこの中からのようだ。扉の下へと目線を降ろしてみると、木製のすのこを挟んで靴が二足、揃えられている。当然だが土足は（上履きも）厳禁らしい。下駄箱はないらしい。片方の靴は箱彦の上履き――だが、もう片方の上履きは誰のだろう？　それに、中からこれだけ派手な音が響いているというのに、二人しかいないというのだろうか。窓があれば覗《のぞ》いて様子を見るのだが、あるのは天窓だけだ。僕の背はあそこまで届かない。僕は無意味としか思えない二度のノックをした。ノックは竹刀の音にかき消されて、当然、返事はなし。靴がある以上箱彦が中にいるのは確かだし、やむなく僕は上履きを脱いで、扉をそっと開けた。

剣道場に来るのは初めてだった。と言うか、箱彦に言ったよう、僕は体育館に二階があることすら、これまで意識していなかった。後ろ手に扉を閉めつつ、ぐるり空間内を見回す。床は全て板。そこに白の太いビニールテープが張られて、横長の剣道場に、横並びに二つの試合場が作られている。神棚に近い方の試合場で、二人の剣士が竹刀でお互いを打ち合っていた。この無闇にだだっぴろい剣道場の中、いるのはやはりたった二人だけだった。あれは、箱彦と――それから、数沢くんだ。迎槻箱彦と数沢六人とが、鍔《つば》迫《ぜ》り合いのような距離で剣を交わし合っている。僕は道場内、壁際の端っこを歩くよう気をつけながらマットの敷かれた見学者用スペースに移動し、道場付属の更衣室の戸にもたれてその場に座り（胡坐《あぐら》で座りかけて、思い直して体育座りにした）、二人の試合を眺める。いや、審判員がいないから、これは試合ではなく互角稽古とか何とかいう奴だろう。ふむ、と僕は頷く。剣道というのはもっとやかましい、派手派手しいスポーツかと思っていたが、そして実際やかましく派手派手しくはあるが、薄暗い剣道場の中、限られた空間で黙々と竹刀を振るう二人の姿は、僕の抱いていたそういうイメージを全く覆すものだった。なんというか、一種の高潔さすら感じてしまう。崇高さと言ってもいいかもしれない。何と表現しようと同じことだ。箱彦が向かっている相手が数沢くんでさえなければ、僕はすっかり見蕩《みと》れてしまったに違いない。そのとき、唐突と言ってしまっていいくらい不意に、状況が変わった。箱彦が数沢くんに対し、綺麗な突きを決めたのだ。試合ならまず確実に一本——まあ、剣道のルールなんて知らないけど——決まったことだろう。だが今は試合じゃない、稽古だ。連続で、箱彦の技が、吸い込まれるように数沢くんに決まっていく。ついに数沢くんは、その場に倒れてしまった。

「イメェエーン！」

箱彦は奇声に近い咆哮《ほうこう》と共に、その数沢くんに面を決めた。驚いた、剣道というのは倒れた相手に攻撃してもいいのか。いや、いくら何でもいいわけがないぞ。しかしそんな僕の驚きなどどこ吹く風で、箱彦は更に、数沢くんに竹刀を振り下ろした。そして残心ある姿勢で開始線まで戻る。

「ありがとうございました！」

「…………」

「数沢っ！　礼はどうした！」

それは今まで僕が聞いたことも無いような、厳格な響きを持つ声だった。あの人のいい箱彦にそんな声を出すことができただなんて、僕はにわかには信じられなかった。数沢くんは何とか立ち上がり、すっと、目を伏せるようにだけだったが、箱彦に言われた通り、ぐっと、沈めるように頭を下げた。ぼそぼそと何か呟《つぶや》いたようだが、ここまでは聞こえない。多分「ありがとうございました」と言ったのだろう。でなければ「この野郎」「死にやがれ」か？　いや、あそこまで叩きのめされてそんなことは言えない。たとえ僕が数沢くんだって、言えないだろう。

「おい、数沢。分かったんだろうな？　もしも約束を破ったら、そのときはこんなものではすまないぞ。最悪、部を辞めてもらうことになる」

「…………」

「返事は、どうしたっ！」

数沢くんは箱彦の叱声《しっせい》に不承不承と言った感じに頷いた。そして箱彦の次の言葉を待たずに、駆け出るように、試合場のラインから外に出る。僕の存在に気付いていないということはないだろうが、しかしちらりとも僕の方を見ようともせず、むしろ避けるようにして、まるで逃げるようにほうほうの体で、そのまま剣道場から出て行った。しばらく僕は数沢くんが開けっぱなしに出て行った扉を見ていたが、すぐに、箱彦の方に向いた。箱彦は、神棚に向かって座礼をして、それから、試合場を二つ経過し、僕のところまでやってきて「よう」と言う。

「相変わらず時間に正確だな、お前。まるで原子時計なみの精密機械のような有様だ」

「……病院坂には、さっき、バベルの塔のような男と言われてきたところだよ」

「なんだそりゃ。意味わからねー。哲学的ちゅーか、お前の話を聞いてると、病院坂にはどっか哲学者の趣があるよな」

「そうでもないと思う。むしろ……そうだな、あいつの性格は科学者向きだ。無論、独断と偏見だけどね。僕はあいつのカウンセラーじゃないんだし。で、何の用？　その分じゃ、僕をその竹刀でぶちのめすために呼んだってわけじゃなさそうなんで、安心してるところだけど。それともその判断は早計かな？　果し合いでもするのかい？」

「今の見たか？」

「うん？」

「今の、目撃したな？　じゃあ、目撃した事実を言ってみろ」

「……？　えーと、箱彦が数沢くんをしばいてた」

「あれは居残り稽古だ。今日は部活、六時の定時で終わったんだが、俺と数沢だけが残って、一時間、打ち合ってた。あれはあくまで部活動の一環だ」

箱彦は意味ありげな風に僕を見た。

「だがお前がそう捉えるのは、勝手だな」

「……箱彦、お前」

「だからもう、あいつのこと、許してやれないか？」

ああ、そうか。箱彦の意図がつかめた。こんなところにこんな時間に呼び出した意味も、さっきの数沢くんとの試合もどきの打ち合いの意味も。それに、部活が六時に終わるというのに、その一時間後に僕を呼び出した時間差の問題に関しても。箱彦は僕の替わりに、いうならば数沢くんに対して『制裁』を加えたのだった。小学生の頃の僕がやったように。ある意味で、その箱彦の行動は的外れとも言えよう。僕は別に数沢くんに対して暴力を行使しようなんて、毛ほども思っちゃいなかった。これ以上夜月に余計なちょっかいをかけなければそれでよかったのだし、病院坂辺りの言う通り、真っ向からの一対一勝負で、僕は数沢くんに勝てっこないだろうから。だけど、しかし。だからといってここで箱彦の行為を無駄な徒労と言うことは、僕にはできない。

「成程……どうしてお前が剣道部の部長なんてやっているのかようやく分かったよ。さすが、『迎え突きの箱彦』は考えることが違うな」

「嫌な言い方すんなよ」

「合法的に後輩を甚振《いたぶ》る冴えた方法……」

「更に嫌な言い方すんなよ……」

呆れ顔の箱彦だった。

「とにかく、あいつにはもう、お前の妹さんにいらん手出しをしないようにも、言い含めておいたから。だからお前は数沢に対して、これ以上何もしなくていいんだ。お前もさっきの見て、ちったあ溜飲がさがっただろう？」

それがさっき、数沢くんに向けて言っていた『約束』か。なんと、あろうことか事後フォローにまで気を回してくれるとは、箱彦、お前は本当にナイスガイじゃないか。お前の前世は神様か？　そこまで親切にされると、さすがにいぶかしむような疑いが湧いてくる。こいつ、何か企《たくら》んでいるのではないだろうか。あの、ライオンを躾《しつ》けるよりもまだ手の掛かりそうな数沢くんを、暴力を使ってとは言え説き伏せるなんて労力を無償で払ってくれる人間がいるとは、とても信じられない。きっと何かの罠がある。

「答えろ。目的はなんだ?」

「は?」

「何か目的があるんだろう。成程、出来る限り応えてやるから、何でも言ってみろ」

「ひでえ奴だな。そんなに他人が信用できないか。いやいや、さすがに俺も、そろそろ数沢には一発気合いいれとかなくちゃまずいなと思ってたところだったし、いい機会だったんだよな」

くっくっく、と箱彦は愉快そうに笑った。

「だが実はそうだ。狙いがある」

「やはりな。この悪党め。くたばるがいい」

「まあ待てよ。そろそろ、来ると思うからさ」

箱彦は、壁にかけられた時計を確認しつつ言った。七時五分。秒針までは見えない。そろそろ来るとはどういう意味かと考える前に、数沢くんが開け放していった扉の向こうから、小走りな調子で誰かがやってくるのが見えた。

「ちょっと箱彦ー。今そこで涙ぐんでる数沢くんとすれ違ったんだけど、あんた、何か心当たり――」

彼女は、箱彦に向けてそう言いさしたところで、箱彦の前で体育座りしている僕を視界に入れて、驚いたように硬直してしまった。その様子から判断すれば、どうやら彼女も、何も知らないままにここへ呼び出されたようだ。

琴原りりすだった。

全く、『迎え突きの箱彦』は本当に考えることが違う。だがここでいえる確かなことは、箱彦は、持てるその能力を最大限に発揮して、最良の選択肢を選び、最善の結果を収めようとしているようだったし、それなら僕もそれに協力するに吝かではないということだった。琴原がどう考えているかはともかく、僕はそう思った。ここで選ぶべき選択肢はまるで冷たい方程式ではない。だから言った。

「よお――『肉の名前』」

「……『ピースメーカー』」

素直になることに素直になれない僕らの世代にしてみれば、仲直りの初めは、精々こんなところだろう。箱彦が脇で策士な笑みを浮かべているのが、そこはかとなく気に喰わなくはあったけれど。

剣道場の鍵を締め、三人一緒に体育館を出て、職員室に鍵を返し、昇降口で靴を履き替え、正門ゲートに学生証を通して、『天国への階段』を下って(『昇りだけのジェットコースター』なんて言っても、当たり前だが帰りは下りだ)、学園最寄りのバス停まで歩いたところで、箱彦は「じゃ、俺はここで」と、僕と琴原に手を振って、帰っていった。箱彦は徒歩通学なのだ。さりとてそんな近い場所に家があるというわけではない、一度遊びに行ったことがあるがかなり遠い。だがそこは体育会系、行きも帰りもウォームアップとクールダウン。大したものだ、あまり真似したいとも思えないが。琴原と僕もバスの進行方向が逆なのでここで別れることになるが、そこはそれ、なんとなく雑談する空気だったので、バスが来るまで、僕は琴原の側のバス停のベンチに腰掛けて、琴原と隣り合った。

「いやしかし僕は驚いたね。剣道って板間でやる競技だったんだな。僕はてっきり畳の上でやるのかと思い込んでいた。多分柔道と混じってしまったんだろう」

「きみって超然としてる割には妙なところで物知らずだよね。どっか抜けてるっていうのか。そういうとこ、悪くないと思うけど。いやあくまで個人的にはだけどね」

琴原はくすくすと笑う。その笑いの後で、沈黙。会話が続かない。雑談する空気だというのに、何を言うべきか思いつかない。仲直りはしたものの、しかしなんとなく二人の間の雰囲気は気まずい。ぎこちないというべきだろうか。さっきまでは箱彦がいたのでそうでもなかったのだが、二人になった今、なんとなくぎくしゃく。それは昨日の今日だし仕方がないことだと思う。箱彦の企みだったとは言え、二人とも、心の準備なんてまるでしていなかったのだから。ただ、僕にとって琴原はあくまで『友達の友達』、『友人の幼馴染』と認識していたのだけれど、そろそろその認識も改めなければならないかもしれないとは、思い始めていた。話していてそう思う。大切なものは失って初めて分かると言うが、本当に分かるのは、それがまた戻ってきたときなのかもしれない。僕の友達に関する持論も、あるいは定義を改めなければならないかもしれない。

「でも箱彦も酷いよね。いいように取りゃいいように取れるけど、数沢くん、これじゃダシに遣われたようなもんじゃん」

「ん？　琴原、数沢くんのこと知ってるの？」

「そりゃまあ。わたし、たまに剣道部に遊びにいくから、顔見知り。へへ、やめたっつっても、一ヵ月にいっぺんくらい、竹刀振り回さないと落ち着かないっていうか、気負ってやらない分だけ、ストレス発散になるわけだよ。数沢くんはね、それに、目立つし。ほら、あの頭。桜桃院生で髪染めてる子って、ほとんどいないじゃん？　確かに数沢くんって生意気なところあるけど、はー、けどさ、箱彦も、泣くまで痛めつけることないじゃんね。もうほんっとう、可哀想だった」

「可哀想といや、そりゃ可哀想じゃあるかな」

僕は数沢くんには全然同情していないけれど、とりあえずスムーズな会話の進行のため、そう同意した。

「ねえ、きみ、妹さんがいるんだって？　その妹さんが原因で、数沢くんは箱彦にお仕置きされちゃったんでしょ？」

「――うん」

「どんな娘？」

興味なさげな風を装っているだけに、琴原がそのことにかなりの関心を持っていることが、逆に分かる。しかし琴原は夜月のことを知らないはずなのだが。ということは昨日か今日の内に、ことの事情を箱彦から聞いたのか。陰で活躍、迎槻箱彦。黙っていろと言ったはずなのに。

「超可愛い」

「うわあ。ベタボメじゃん」

「うん。自慢の家族だよ。この間さ、将来どこに住みたいかって話をしたんだよ。すると妹は『雪国に住みたい』っつーんだな。なんでって訊いたら、雪が積もってたらこけても怪我しないからってんだけど、おいおい、雪のねーとこじゃ普通ころばないだろって。ほら、可愛いだろ？」

「ごめん……その話からは妹さんの可愛さじゃなくてきみがいかに妹さんを可愛がってるかしか伝わってこないよ……」

「それが伝われば十分だ」

「でもなんかそれも不思議。普通、家族のことって隠したがらない？　誰でもさ。みんなそんなもんだぞ？　わたし、兄貴が二人いるけど、あまり人に触れられたくない」

「そりゃ単純に仲が悪いんだろ」

「別に仲は悪くないんだけれどさ。ただ何だろうね。同族嫌悪ってあれかもしんない。家族って、自分のことじゃないのに、自分のことみたいでさ」

「血が繋がってりゃ当たり前だろ」

「ふうん。妹さんのこと、好きなんだ」

「家族だからな。好きとかそういう問題じゃねーだろ」

「家族、ね……きみはなんだかその言葉を免罪符のように使うんだね。印象で物を言ってしまったらだけどさ。家族って言えば全部片付いちゃうみたい」

「免罪符ね。いや、そんなつもりはないけど――ただ、それが一番簡単な言葉であるのは確かだな。たとえばさ、妹と、将棋指したりするわけだよ。いつからだったか、僕はハウスルールとして、パス制ってのを取り入れたのな。ほら、トランプの七並べとかであるルール」

「何で？」

「妹には、本当は、ゲームを複雑にするためって言ってあるけど、本当は、そうすると、さりげなく、いい勝負ができて、かつ負け易いから」

「………………」

「六枚落ちやら八枚落ちやらじゃ、いかにも手加減してますって感じになるし。言っとくけど、そうでなくとも、バレないようにわざと負けるのって、かなり難しいんだぜ？　圧勝する方がよっぽど簡単なんだよ」

「……妹さんのこと、好きなんだ」

「だーかーら、好きとかそういう問題じゃねーって。でも、まあね。好きっちゅーなら、好きなんだろうさ。お互いどっちかに恋人でも出来ない限り、ずっとべったりだろうな。自分でもそう思うよ。これはもう仕方のないことだと思ってる。箱彦なんかにゃ、シスコン扱いされるけどさ。勘弁して欲しいよ。真面目な話、シスコンシスコン言われ続けてると、本当にシスコンみたいな気分になってくるからな。周囲が守り立てると本人もその気になる。基本だね」

　適当に答えながら、しかしまあ、琴原と仲直りできたのは素直によかったと思えるが、この状況そのものは、あまりよくないかもしれないな、と考え始めていた。今回は箱彦の友情に感謝を示してこれでよしとできるが、だが次からは、同じことがあってはならないと思う。何ていうか、微妙な居心地の悪さがあるのだ。それは選択肢がないがゆえの窮屈《きゅうくつ》さみたいなものだろう。ここに至るまでの過程は全て箱彦の計らいであってそこに僕の選択権はなかった。琴原にしたってそうだ。いや、待てよ。ここで思いつく。琴原の方は違うのかもしれない。琴原は、箱彦から事前にこの計画を打ち明けられていたのかもしれない。本人は箱彦に呼び出され、七時まではわけも分からないまま一人で校内をうろうろしていたなんて言っているが、夜月のことを既に聞いているとなれば、その可能性は大いにありうる。剣道場に入ってきたときのあの驚きが演技だったとは思えないが、思えないだけということは十分にありうる。そもそも僕はその手の腹芸を見抜くのはあまり得意ではない。嘘や虚偽は苦手なのだ。とは言えわざわざ改めて訊くほどのことでもないだろうが。そんなのは、どっちでもいい。問題は、選択肢のない窮屈さ、それだけだ。

「琴原、きみにとっての箱彦ってそんな感じじゃないのかな？ 箱彦って、きみにとって、家族みたいなもんだろ？ ずっと昔からの付き合いなんだから」

「うーん。ま、付き合いだけは長いか。家族というなら家族感覚だよね。言っちゃえばわたし達って家族ぐるみの付き合いだし」

「家族ぐるみね。いいねー、そういうの。クラスん中じゃ、卒業したら結婚すんじゃねーかって言っている奴もいたな。きみと箱彦。どう？ そんなのあり得る？ 琴原って実は箱彦にラブだったりする？」

なんとなくの軽口で言ったのだが、琴原はちょっと不愉快そうな感じにあっちを向いてしまい、返事をしなかった。やばい、また怒らせてしまったのだろうか。それとも単純に図星を突いてしまったのだろうか。箱彦と琴原がそんなことになるなんて、僕の想像力の範囲を超えているけれど。ふと、病院坂の言っていたことを思い出した。僕に琴原と仲直りをして、それから夜月に申し開きをしろと、あいつはそんなことを言っていた。その半分は期せずして達成されたわけだ。となると残り半分。だがこちらも、数沢くんが流したあることないことが原因なのだから、その原因自体が箱彦によって断たれた以上、問題はそれほどの難物ではない。僕が手段を選択するまでもなく、問題は次々と解決の兆《きざ》しを見せ始めていた。楽なのはいいが、しかしやはり、窮屈な感は否《いな》めないし、それに、釈迦《しゃか》の手の上で踊っている孫悟空みたいな気分は、僕にとって心地いいとは言いがたい。

「櫃内、さ」

「うん?」

呼びかけられて我に返る。琴原は僕をじっと凝視《ぎょうし》していた。睨みつけられているのかと思うほどに。

「肩んとこ、糸くずついてる」

瞬間、硬直。

「は?」

「とったげるよ」

言うが早いか、琴原は僕の方へ身体を寄せてきて、そして手を伸ばして、そのまま、僕に抱きついた。バランスを崩してしまったのかと思ったが、勿論、そうではないらしい。そのまま琴原は僕から離れようとしない。

「ごめん。わたし、きみ、すっげえ好き」

「……なんで、今、このタイミングで言うかね」

「ごめん」

「空気読めよ」

「ごめん」

「しかも手が古い」

「ごめん。自分でもそう思う。でも」

琴原は僕から離れないままに言った。

「わたし、こういうのうまくできないし。昨日、すごく、傷ついたし。もうあんなの、嫌だしさ。妹さんに縁を切れって言われたら、わたし、また絶交されちゃうんでしょ? だったら、今しか、言えないかもしれないし」

「……ふうん」

そこまで聞いているのか。ま、そりゃそうだよな。友達は天秤《てんびん》にかけられるようなものじゃないとは言っても、箱彦にとって、どちらが重要かと訊かれれば、僕と琴原では、当然、琴原を選ぶだろうから。

「……意味のない質問だと思うかもしれないけど、いつから？」

「去年」

「会ってねえじゃん」

「去年の文化祭。きみ、箱彦とつるんで、クラスで出し物やってた。きみ、マジで格好よかった」

文化祭？　憶えていない。何をやったっけ。いや、憶えていないわけじゃない、だけど強く記憶に残ってはいない。僕にとって重要なイベントではなかった、細部まで思いが行きわたらない。だったら多分、それは僕の知らない僕を、琴原は捉えたということだろう。そういうのは……分からなくもない。正直な話。自分のことでさえなければ。

「それで、わたし、志望大学変えた。同じクラスになりたかったから」

「……やべえ。馬鹿だ」

「かもしんない」

「道理で妙に数学に強いはずだ。理系の出かよ」

「感想は？」

「だから、馬鹿だって」

「それは……酷いと思うよ」

「酷いかな」

本当の、今現在抱いている感想は、『この感覚、夜月に抱きつかれたときの感じに似ている』だったけれど、そんなことをいうべきでないことくらいは僕にだって分かる。それにそれはただの体格の問題だ。箱彦にとって僕と琴原が両天秤にかけられないように、僕にとって夜月と両天秤にかけられるような存在は存在しない。しないのだ。

「ねえ、櫃内——」

「バス来たよ」

僕は言った。嘘ではない、丁度、向こうの角を曲がって、バスが暗い中、ヘッドライトを照らしてこちらにやってくるところだった。琴原は、どうするのかと思ったが、そっと、僕から離れた。香水の香り。剣道場の匂い。動悸。息遣い。ベンチから立ち上がって、座っている僕を寂しそうに見下ろす。その目は、見ていて辛かった。でも、目を逸らすことはできそうにない。射抜かれているような気分だった。

「返事はなし？」

「明日」

僕は言った。

「明日、朝、何か言うよ。僕にも考えさせてくれ」

「……それって、望みはあるって意味？」

「そう考えることで楽になれるなら、そう考えてくれていい。確かに、完全に望みがなければ、ここで断るだろうしね」

「……分かった。それじゃ、期待、してたりしてるから」

琴原はそう頷いて、バスに乗った。ほどなく扉がしまり、バスは排気音をあげ、発進した。僕はその車体を目で追ったが、しかし、すぐに見えなくなってしまう。腕を組み、なんでかなあ、と思う。さりとてそういう可能性をこれまで全く考えていなかったわけでもない。時折琴原が僕に見せる表情から、あるいはこちらに向ける視線から、そういう気配を感じ取ってしまったこともある。だがそんなの、自意識過剰の自惚《うぬぼ》れに過ぎないと、そのたびに打ち消してきた。いや、それどころではない、僕にとってはそれは打ち消すまでもない『事実』だったのだ。しかし現実、仲直りができたと思った途端にこれとは、何とも因果なものだ。もう少しで勢い頷いてしまうところだったけれど、咄嗟《とっさ》の機転で返事を明日に先送りしたのは、我ながらいい判断だったと思う。どう考えてもこれは、夜月に相談せずに決めていい種類の話ではないだろう。と、道路を三車線挟んだ向こうのバス停に、バスがやってくるのが見えた。僕が乗らなくてはならないバスだ。だが今からでは走ってもとても間に合わない。やれやれ、と僕はベンチから腰を浮かして、向こうに渡るための横断歩道へと移動する。横断歩道を渡る頃にはそのバスはもう出発してしまっていた。この時間帯だから、次のバスまで二十分近く待たなければならない。とはいえ別に構わない、人を待つのはともかく、バスを待つくらいのことは、僕にとっては苦痛ではない。

バス停のベンチに病院坂黒猫が座っていた。ジャージ姿ではない、普通の、学園指定のセーラー服姿だ。こいつともそれなりに長い関係ではあるが、そういえば制服姿を見るのはこれが最初かもしれない。というより、保健室以外の場所で会うこと自体が稀だし、学園外では初めてだ。うむ、何と言うか、全然似合わない。いや、似合わないというのは少し違う。スカートが長過ぎて一昔前のスケバンみたいになっているのだ。いつどこからヨーヨーを取り出してきてもおかしくない感じである。学園でも体操着で過ごすことの多い病院坂、スカートの丈を気にするようなメンタリティは持ち合わせていないのだろう。

「よお、くろね子さん。三十分ぶりだな。今帰りか?」

「見ての通りだよ様刻くん、きみの両眼が映し出している通りだ。きみは自分の眼が信じられないのかい? いやね、僕も夜中の一人歩きは本当ならごめん蒙《こうむ》りたいのだが、こんな時間にでもならないとここらの田舎バスでも閑散とまではしてくれないからね。言ったことがあるはずだぞ? スシヅメ状態のバスに乗るくらいなら地獄の業火で焼かれた方がまだマシだ。いやいやそれにしても、様刻くん、実際きみには参ったよ。見せつけてくれるじゃないか、もう。琴原さんとの仲直りは、成功したようだね」

皮肉げな、揶揄するような調子で病院坂は言う。

「ああ……見てたのかよ、悪趣味な奴。……病院坂も、行き帰りは制服なんだな」

「中学生じゃあるまいしジャージ姿で登下校などできないよ。僕にも見栄や羞恥心くらいはあるんだ。それにしても本当、参ったね。様刻くん。バス停でああも熱く抱き合ったりするか、普通。風紀委員みたいなことは言いたくないけど、しかしもっと公序良俗を重んじようよ、様刻くん。この間テレビで仕入れた知識によるとだ、ああいうのをバカップルというらしいよ。聞いて驚き見て驚き、いやはや、勉強になったよ。とは言え『ロミオとジュリエット』も『ポールとヴィルジニー』も、現実に存在してしまえばそんなものなのかもしれないが」

「違うよ病院坂、あれは……って、おい。あれ見てたのなら、なんできみ、さっきのバスに乗らなかったんだ？　まさか僕を冷やかすために、わざわざバスを一本遅らせたって言うのか？　暇な奴だな」

「半分はその通りだ、ご名答。きみの慧眼にはいちいち恐れ入るよ、見習いたいものだな。だがしかし『そのためだけ』というわけではない。安心したかい？　ふふ、もう半分はね、きみの迂闊さを笑うためだ。おいおい、似たようなものだなんて言わないでくれよ、冷やかすのと笑うのとじゃあ全く、雲泥の差だぜ。僕はこのところ笑いに飢えていたものでね。笑いに飢えるというのは食物に飢えるよりもずっと悲劇的だとは思わないかい？　僕はそう思う。とにかくこれで僕は残りの一生、笑いに不自由することはないと思うと、満ち足りた気分だよ」

「何を言いたいんだ？」

「病院坂黒猫は櫃内様刻に対し、人目のあるところであんな真似をするべきではないと遠回しに忠告しているのだ。バス停だけに限らずね、用心深いきみにしては迂闊としか言いようがない。これぞ正に、千慮の一失、上手の手から水が漏れるという奴だな。あるいは気が利き過ぎて間が抜けるというあれか。滑稽《こっけい》、滑稽」

「……？　何言ってんだ？　全然分からない」

「きみが分からないときみがいうのならば、僕は順を追って説明しよう。実を言うとだね、きみと、琴原さん、それに迎槻くんの三人を、僕は学園内から既に発見していたのだよ。きみ達三人が仲良く並んでゲートをくぐるところを、この自慢の猫目でしっかりと目撃した」

「なんだよ。声かけてくれりゃいいじゃん。三人くらいなら、きみだって平気だろ？　そうすればバス停で、琴原とあんなことになることもなかったのに」

「その言い方では琴原さんがあまりにも可哀想だ。他人を思いやれとは言わないが、その努力はするべきではないかい？　しかしね、声をかけなかったのはきみ達の邪魔をしたくないという他にももう一つ理由があった。つまり、きみ達三人と、僕との間に、もう一人、別の人物がいたからなんだよ。彼女が障害物になって、僕はきみ達に近寄ることができなかったのだ」

「……障害物って……数沢くんか？　いや、『彼女』って言ったな。きみの知ってる奴なのか？」

「櫃内夜月。きみの妹さんだ」

こいつにしては素っ気無い口調で、病院坂は言った。

「ちなみにさっきまで、僕の隣に座っていた」

「……ってことは」

「始終、全て見られていたよ」

気が遠くなるとは、正にこういう気分をいうのだろう。僕は病院坂の隣に座った。そうしないと、後何秒もしない内に、卒倒してしまっただろうから。全く、何が全てに解決の兆しが見えてきただ、最悪じゃないか。これならまだ、琴原と決裂したままで、数沢くんの問題もまだ解決せずにいた方がずっとマシだった。何ということだろう。いや……違う、違う違う、後悔すべきような問題ではない。あの時点で僕には、そんな可能性は判断できなかった。確かに夜月が文化委員の集まりで帰りが遅いこと、ゆえにあの時間ぴったり学園内にいる可能性があることだって思い至る方法が全くの零だったわけではないけれど、だが、そんな偶然までも予測できるわけもない。将棋を指している途中で地震が起きて駒の位置がずれたようなメタファーじゃないか。後悔はしてはならない。今は、新たに生じた問題に対して解決策を講じなくては。そのためには、まず、冷静に状況を把握する必要がある。

「……どんな感じだった？　夜月」

「相変わらずきみは前向きでいいねえ。僕の期待していた通りの反応だ、嬉しいな。僕はその、きみの無闇に前向きなところが大好きだよ。落ち込むために使った時間、今計測してみたが、わずか二秒だ。きみは変態だが、そこだけは僕もあやからせてもらっているよ。既往は咎《とが》めず。ここだけの話、きみと出会ってから、僕は随分とポジティブになった気がするしね。さて、きみから僕に向けられた質問の内容は何だったかな？　そうそう、妹さんの様子はどうだったか、だ。うん、どうやら妹さんは僕のことを不知だったらしく……いや勿論保健室に病院坂という名字の奇妙な女生徒がいることくらいは聞き及んでいるかもしれないが、しかし直に会うのは初めてだったから、この僕がそうだとは気付かなかったようだった。だが僕は、いつぞやきみが自慢げに見せてくれた妹さんの写真を覚えていたからね。ほら、きみが定期入れに後生大事に入れているあれだ。あれ、まだ入れているのかい？　別の写真と交換した、そうかい。とにかく僕は彼女がきみの妹さんだとすぐに気付いた。文化委員会は本日も七時過ぎまでやっていたんだよ、文化祭が近いとは言え、本当に頑張るよね。まあ我が愛すべき学園、進学校ゆえに、行事らしい行事は文化祭くらいだからな。妹さんはまるで隠れるようにしながら、きみ達の後ろをつけていたよ。いや、つけていたとは言えないか？　帰り道はきみと一緒なんだから。声をかけるのをためらったのは、勿論人見知りする妹さんばかりが原因ではないのだろうな」

「それで？　病院坂、きみは夜月に声をかけたのか？」

「いや。ご存知の通り、僕も結構人見知りする性質だしね。それに僕は何と言って妹さんに話しかければいいのだい？　『ややあこいつはどうも初めまして、様刻くんと頻繁《ひんぱん》に二人きりで語り合っている病院坂黒猫です』？　全く、考えてからものを言いたまえ。とは言え、さりげなく彼女に近付いて表情を窺《うかが》ったりはさせてもらったがね。つらそうだったぞ、妹さん」

「……そうか」

「でもきみと琴原さんが抱き合っているのを今きみの座っている場所から目撃したときの顔なんて、いやはや、こういっちゃ僕が酷い奴みたいだが、本当に見物だったな」

「……泣いてた？」

「泣いてはいなかった。必死でこらえているようだった、誰が見ているわけでもないのにけなげだねえ。まあ僕が見てはいたけれど、しかし彼女、僕のことなんてまるで目に入っちゃいなかったよ。いいタイミングでやってきたバス——あのバスさえこなけりゃ、修羅場に居合わせることができたのにな——いいタイミングでやってきたバスの中に飛び込んだ後のことまで僕は関知できないが、多分そこでも泣きはしなかっただろうね。悲しいときに泣いて済むのなら、そんな楽な話はない」

「……抱き合ってたんじゃない。一方的に抱きつかれたんだ。告《こく》られちゃった」

「やはりね」

「なんだそりゃ。知ってたのか？」

「別に。そんな噂は聞いたことはない。だが、自分から抱きつくような甲斐性《かいしよう》、様刻くんは持ち合わせちゃいないだろうとそう思ってね。シスコン王子のきみがあの程度の同級生に浮気心を出すなんて、天地が引っ繰り返ることが信じられても、それだけは信じられないからな」

「僕なんかのどこがいいんだろう。物静かな無愛想がもてんのは中学生までだって思ってた。多分何か勘違いしてると思うんだけれど、琴原。『友達』として結構馬があったから、錯覚しちゃったのかもしれないな。だとすると悪いことをしたもんだ」

「人を好きになるのに理由はいらないさ。いつだったかきみが僕に語ってくれたことがあるだろう？ 苛めなんて、どんなことでも理由になりうると。優れていることも、劣っていることも。足が速いことも、頭が悪いことも。同じだよ。暴力も恋愛も同じ感情から生じる、錯覚さ。理由なんかどうでもいい、後付けで構わない、しかし、人が生きる上で不可欠だ」

「それって、もうちょっと表現を飾ればいいこと言ってる感じなんだけどな……」

「だからさしあたってのきみの課題は妹さんと琴原さんのことだが、先に構えているのは妹さんの問題だな。一体どうするんだい？ 今回はそのまま妹さん自身が目撃者でかなり言い訳がきかない状況だよ。この暗がりだし、遠目だしね。よく見えない分だけ、若きイマジネーションをかきたてられることだろうからな」

「困るよな」

「困るのかい？ やはり琴原さんはきみの好みじゃないのか。確かに彼女はずば抜けた美人ではないが、しかし器量が悪いというわけではないだろう。様刻くん。そう言えば訊いたことがなかったね、きみの理想の女性像とはどんなものなのかな？」

「あーっと……ほどよく淫乱で乳の大きい娘」

「直截的だね。ふん、妹さんと真逆か、分からなくもないな。その辺は普通なわけだ——異性の兄弟持ちは、その兄弟と正反対の異性を好むというからな。そういう意味では妹さんも琴原さんも、おっぱいは非常に慎《つつ》ましやかだね。女に言わせればスレンダーの方が格好いいと思うのだが、男は女に格好よさなんて求めてないのかもしれないな。どうでもいいけど。ちなみに自慢ではないが僕のバストは86のEカップだ。チビでおっぱいが大きいと必要以上に扇情的《せんじょう》になって困るから、常に2号はサイズが上の服を着て誤魔化しているがね。ふふん、眼つきが変わったぞ様刻くん。凝視しても無駄だ、服は透けない。まあ僕もきみのことは憎からず思っているし、友人としてなら触らせてあげてもいいんだよ？」

「難しい注文だな。友達の乳の揉み方なんざ知らねえよ。っておいこら、勝ち誇ったツラすんな、気持ち悪い。てめえみたいな理性の権化、誰が相手にするか。僕の好みは別にいいだろ、それより、ならば病院坂。きみ、僕の相談に乗ってみるつもりはあるかい？」

「それは相談に乗ってくれと言う意味かな？　ならば友人として相談に乗ろう。そうだね、これを機に妹さんとじっくり話し合ってみることだ。考えようによっちゃあこれはいいきっかけだろう？　この手の問題は騎虎の勢いとなる前に手を打つべきなのだ。揉めているときこそ、問題を解決する最良のシチュエーションなのだよ、古き先人説いていわく『雨降って地固まる』って奴かな？　妹さんは兄離れをし、様刻くんは妹離れをする。そしてきみは琴原さんと試験的に恋人関係を築いてみるんだ」

「何でみんなそうやって、僕に妹離れをさせようとするんだ？　なんつーかそれって、安易じゃないか？　立入禁止に匍匐《ほふく》前進、電話《ケータイ》禁止にＰＨＳ、煙草《たばこ》禁止に葉巻を吸って、十八歳未満購入禁止のエロ本を万引きするような解決策だと思うんだけど。今時シスコンなんて珍しくもないだろう。よくある話だし、同性愛よりずっと分かりやすい」

「同性愛は多くの国で市民権を得ているが近親相姦が認められている国はほとんどないぞ。それは原因のない倫理的な禁忌というものだ、これから先だってそうじゃないのかな。昔は今より緩かったらしいが、それでも『源氏物語』のようにいかれても見てられない。安易というなら、そういうものに安易に触れるのは粗忽《そこつ》が過ぎるよ」

「そうかねえ……安易でもねーんだけどね。色々、悩んでるよ」

「悩んでいるのかなあ、きみは。落ち込まないというのは悩まないというのと同じだよ。アドレナリンが分泌されていないんじゃないのかい？　アドレナリンというのもあれでなかなか侮《あなど》れない存在だというのにね。ふん、考えるんじゃない、感じるのだ？　拳法家かね、きみは」

「はん。それこそ余計なお世話だ、助言を求めておいてこんなことというのはなんだけれどね。だがきみの意見は参考にさせてもらうよ、病院坂。こうなってしまった以上は、夜月とは一度、話し合う必要があるだろう」

「だろうね。精々頑張りたまえ。できれば明日、結果を聞かせてくれると嬉しいんだが。昼休みはあいているかい？　なら保健室に来たまえ。いうまでもなく、妹さんに目撃されないよう、気をつけてね」

「ほざいてろ」

話している内にバスが来た。そこから駅まで病院坂と適当な雑談をし、ホームで別れた。病院坂とはここから逆方向なのだ。一人、電車に乗る。結構込んでいた。もしもあちらの電車も同じような状況だったら病院坂は大丈夫だろうかと心配したが、だが、そんなことで気を揉んでも仕方が無い。その問題は僕には対処しようがないことだ。迎槻箱彦。琴原りりす。数沢六人。病院坂黒猫。そして櫃内夜月。

どうするかな。

楽しくなってきちゃったよ。

家に帰っても、電気はどこもついていなかった。そう言えば両親は今日は泊まりだったか。夜月も、どこかに寄って帰っていないのだろうか？　だが玄関に靴があることを確認する。ショップで、夜月が決め切れなくて、やむなく僕が選んでやった靴。間違いなく帰ってきている。僕は鞄も置かずに階段を昇り、堅く閉ざされている、夜月の扉をノックした。返事は当然のようにない。いないのか、あるいは居留守か。判断できない。

「おーい、夜月ー。僕だぞ？」

返事はない。

「おーい、お兄ちゃんだぞ？　寝てるのか？」

ノブをつかむ。回らない。鍵なんてついていない、ならば中からロープか何かで細工が施されているのだろう。これで、部屋に夜月がいることははっきりした。ついで、僕の来訪を拒絶していることも。

「開けてくれ、夜月。話をしようよ」

「…………」

「ったく……晩御飯作るから、しばらくしたら降りて来いよな？」

あまり押すのも逆効果かと、とりあえずはそう言って、自分の部屋に行く。学生服から室内着に着替えるためだ。だが部屋に戻った瞬間、そんなことをする気はすっかりなくなった。僕の部屋はまるで嵐でも来たかのように、滅茶苦茶に荒らされていた。牛の大群でも通ったかのような有様だ。考えるまでもない、夜月の仕業だろう。整理整頓が看板の夜月、その逆だって不得手というわけではなさそうだった。こりゃ、思っていた以上の問題らしい。学生服のままで一階に戻り、晩御飯を作るために冷蔵庫を開けた。ふと、カップサイズのヨーグルトに目が行く。マジックペンで『夜月の』と書いてあった。夜月は何にでも名前を書くのだ。そうしているのを見るたび、子供かあいつは、と思うが、しかし考えてみれば、この、名札のついた学生服だって同じことだ。病院坂が着ているジャージにだって、でかでかとゼッケンが縫い付けてある。あるいは、小説のタイトルの下にみっともなく記されたペンネーム。その他、どんなものにだって、結局名前が書いてある。所有権がどうとかいうより、現実問題、そうでもしないと、誰が誰だか、何が誰のだか、区別なんてつかないのかもしれない。自分が学校の先生だったとして、生徒が名札をつけていなかったら、男女の区別しかできないと思う。冷蔵庫の中に大量の豆《とう》腐《ふ》を発見。では、麻婆《マーボー》豆腐でも作るか。確かパスタがあったはずだから、麻婆パスタだ。パスタを茹でつつ、一方で副菜を準備する。だが夜月のことが気にかかって、まるで料理には集中できず、何ていうか酷い出来だった。食べる前から失敗と分かる。それでも一応見栄えのするように盛り付けて、テーブルに運んだ。夜月が二階から降りてくる気配はない。仕方なく、僕は一人で箸を取った。味が薄い。こんな薄味の麻婆豆腐があるものか。でも仕方がない、作ったのは僕だ。それにこれは、単純に味付けを失敗したからというだけの問題でないことも、分かりきっていた。味気ない食事にはいつも別の理由がある。食べ終えて、トレイに夜月の分の皿を載せ、階段を昇る。そして扉をノックした。

「おい、晩御飯持ってきてやったぞ。とりあえず開けろよ。今はこれ、食べるだけでいいからさ。お前食が細いんだから、最低限食べとかないと、身体壊すぞ。季節、変わり目なんだから」

「…………」

「おい、夜月」

「…………」

「おい！　いい加減にしろよ、夜月！」

僕はトレイを廊下に置いて、激しく、扉を、とてもノックとはいえないような勢いで叩いた。

「何か話しなきゃ何も進展しないだろうが！　気持ちよく落ち込んでんじゃねえぞ！」

「…………」

「おい夜月！」

僕はもう一度、強く扉を叩いた。

「もういいよ！　いつまでもガキみてえに構ってもらえると思ってんじゃねえ！　お前なんか知るか、

好きにしろ！」

　別に——これに関して、何の計算もなかったなんて、いい子ぶったことをいうつもりはない。僕はあらゆることに計算が先に立つ、そういう男なのだから。理性の権化というなら僕の方こそが正にそれだ、僕はこれまで理性による判断以外の何物にも従ったことがない。少なくともそう思っている。だがこのとき、夜月に対して本気で憤《いきどお》っていたのも本当だった。引っ込み思案も気の弱さも、それが夜月の性格なのだから構わない。だが、問題に対して何の対処もしない、部屋に引きこもって話を聞こうともしない夜月のその態度はどう考えても感心できるものではないし、それは僕の持論と哲学に真っ向から反対するものだった。僕はトレイを持ち直して、階段へと向かった。夜月のために作ったこの料理がまるで無様だ。こんな大失敗作はゴミ箱にでも捨ててしまえ。が、そこで、後ろから扉の開く音が聞こえた。振り向くと、夜月が飛び出してくるところだった。セーラー服のまま、着替えていない。

「や、やあっ、お兄ちゃん‼」

　叫んで、そして夜月は、泣きじゃくりながら、脚をもつれさせつつ、僕のスラックスにすがりついてきた。まるで加減がない。その衝撃でトレイを落として、料理の載った皿が廊下に落ちる。プラスティック製の皿なので割れたりはしない。だが、そうでなくとも、そんなことに構ってられる状況ではなかった。

「や、いやあっ、やだあ、やだやだ、そんなこと、言わないでえっ！」

「よ……夜月？」

「やあ、やだぁ！　やだよお！　だ、駄目っ！　駄目駄目っ、絶対に駄目え！　夜月のこと、嫌いになっちゃ駄目だよおっ！」

　思い至る。そう言えば、夜月が僕を拒絶したのはこれが初めてではないけれど、僕の方から夜月を拒絶したのは、これが初めてだったということに。そしてそんなことをすれば一体どうなるのかということにも、考えを巡らせたことすらないということに。そして……そんなことを、いとも簡単に、こんなにも不用意に、実行してしまったということに。

こんな、たわいもなく。

「やあ、やなのぉ！ お、お兄ちゃん、もう、わがまま言わないから、夜月のこと、見捨てないでぇ！ これからは、ちゃんとお兄ちゃんの言う通りにするからっ！ 言うこときくからっ！ 一人にしないでっ！ う、うわあ……うぐ、ごめんなさい、ごめんなさい、ごめんなさい、ごめんなさい——お兄ちゃん、許してぇ……」

大粒の涙が溢れる瞳で僕を見上げる夜月。哀れを誘う表情で僕を下から見上げる夜月。夜月。夜月。夜月夜月夜月夜月。跪《ひざまず》いて僕に許しを請うその姿勢は、あまりにも惨めったらしく、見ていられなかった。こんなものでも病院坂は『見物』だというのだろうか？ 夜月はまるで呪文のように「ごめんなさいごめんなさいごめんなさいごめんなさいごめんなさいごめんなさいごめんなさいごめんなさいごめんなさいごめんなさいごめんなさいごめんなさい」と繰り返す。一体夜月は何を謝っているのだろう？ 僕は夜月の何を許せばいいのか？ 部屋に閉じこもって夕食に出てこなかったことか？ 馬鹿馬鹿しい。だけど夜月にそんなことをさせているのは、真実、この僕なのだった。それは間違いない。箱彦や病院坂の心配がもろに当たっていたことに、僕はこのとき、本当の意味で気付いた。確かにこれは異常だ。こんな兄妹はありえない。過保護だとか、甘やかしていたとか、そういうような話では済まされないかもしれない。十七年。夜月が生まれてから十七年。僕はそういう風にずっと夜月に接してきたのだ。こんなにも不用意に——なんて、とんでもない。今まで一度も『こんなこと』がなかったことが、度を越した異常なのだ。均衡《きんこう》が、ぎりぎりのところで保っていた均衡がこうして破綻《はたん》した。本当の話、今までのいつだって、昨日だって一昨日だって一年前だって、その機会はあった。ほとんど綱渡りのように、今まで均衡を保っていたのだ。そりゃ病院坂辺りでも危なっかしくも思うはずである。一体僕はどこで間違ってしまったのだろう？　今まで、常に最良の選択肢を選び続けてきたはずなのに。あるいは、小学生だったとき、転校する羽目になったあの騒動辺りから、既に間違っていたのだろうか？——そうじゃない、きっと、間違えたのではない。間違えたはずがない、この僕にケアレスミスなどありえない。僕は今まで、あれだけ慎重にやってきたのだ。全てに対してそうだとは言わずとも、最低、夜月のことに関してだけは、最善を尽くしてきた。避けようのないもの以外、全部避けてきた。解きようのない問題以外、全部解いてきた。ならばこの状況は、これでも僕達にとっては、ベストなのだ。最悪に近いベスト。だとすればそれはどうしようもない。後悔しても仕方がない。運命を呪うなんて無駄だ。神様を責めても無意味。僕にすがりつく夜月。もう声もあげられない、ぐずぐずと、呻いているだけだ。本当にぎりぎりの、均衡。

それが現状だ。

ならば——認識しなくては。

そして、最良の選択を。

「あ、あっ——た、食べるから——」

そこで夜月が僕から不意に、手を離した。何をするのかと思えば、夜月は廊下にぶちまけられた麻婆豆腐へと、その手を伸ばしたのだ。

「夜月、おにいちゃんのいうとおり、すぐに、ばんごはん、ちゃんと、たべるから——」

「おいっ！」

もう作りたてではないとはいえ、それでも生手を突っ込めば火傷《やけど》必至の麻婆豆腐に指先が入るぎりぎりで、僕はその手首をつかんだ。それでも、夜月はまるで僕を振り払わんばかりにほとんど半狂乱に暴れ、麻婆豆腐へ手を伸ばそうとする。

「何やってんだ、お前は——」

「やあっ、や、やぁ……食べないと、食べないと、食べないと、食べないと、食べないと、食べない と、食べないと、食べないと——」

「いいんだよ！　それはもう！」

「う、う、うううううう、う、うううううう……」

「馬鹿、火傷すんだろうが！　意味わかんねえよ、なんでそんなことするんだよ！」

「好きだからだよ！　お兄ちゃんのことが好きだから！　お兄ちゃんが好き、好きなんだよ！　だから夜月お兄ちゃんの言われた通りにするのお！　何で分からないのっ、どうして分かってくれないのっ、夜月、お兄ちゃんが好きだって、ずっと言ってるじゃない！」

夜月は怒鳴った。夜月の怒鳴り声なんて、いつ以来だろう？　まして、それが僕に向けられるなんて。寝起きの頭を金属バットでぶん殴られてる気分だった。

「お兄ちゃんが好き、好きっ、好き、好き好き、好きなのぉっ！　好き、大好きっ！　離れたくないのっ、放したくないの、ずっとそばにいたいのっ、ずっとそばにいて欲しいのっ！　誰にも渡したくないの、夜月だけのお兄ちゃんでいて欲しいのっ、お兄ちゃんさえいればそれでいいのっ、他に何もいらないのっ！　お兄ちゃんは夜月だけのなのっ、誰かのものになっちゃやなのぉ！　他の人と喋っちゃ嫌、他の人に触っちゃ嫌、他の人を見ちゃ嫌ぁあ、他の人に優しくしないで、他の人のことなんか構わないで欲しいっ！　お兄ちゃんが欲しいのっ、お兄ちゃんは夜月のなのっ！　好きっ、好きなの！　ごめんなさい、ごめんなさい、本当に好きなのお……ごめんなさい、ごめんなさい！　許してください、好きなんですっ！　で、でも、夜月、もうお兄ちゃんの一番じゃなくていいから……そんなわがまま、言わないから……夜月のことなんか最後でいいから——だから、せめて夜月のこと、嫌いにならないでぇ……お願いだよ、そばにいてよぉ……夜月のこと知らないなんて、そんな酷いこと、言わないでよお!」

子供のように、動物のように泣き叫ぶ。思慮も分別もなく。こんなにも激しい想いを……夜月が、その大人しい性格の内に秘めていたなんて、思いもしなかった。そして夜月は再度、僕の脚に全身全霊の力で抱きついてくる。その力は酷く頼りない。けれどその命がけにも似たひたむきさは、頼りなさとは無関係に、頼りないがゆえに、僕から選択肢を奪っていく。

「お兄ちゃん……お兄ちゃんお兄ちゃんお兄ちゃんお兄ちゃんお兄ちゃんお兄ちゃんお兄ちゃん……お兄ちゃんお兄ちゃんお兄ちゃんお兄ちゃんお兄ちゃんお兄ちゃんお兄ちゃん……」

そして……選択の余地は、もうほとんどない。

そんな中での、最良の選択。

ぼくは、選ぶ。

「……本当に、馬鹿で可愛いな、お前は」

僕は夜月の頭に、優しく手を置いた。くしゃり、と髪を軽くかき回す。

「僕がお前のことを嫌いになったりするわけがないじゃないか。この馬鹿。馬鹿馬鹿馬鹿。僕だって、いつでも言ってるだろ? 僕は、夜月が、一番大切なんだから。お前はいつだって、僕の一番なんだからさ」

「お兄ちゃん……おにいちゃぁん――」

「ほら、立てよ。高校生にもなってみっともないぞ」

僕は夜月の身体を抱えて、半ば強引に立たせて、その肩を支えた。夜月はまだ呼吸をするのも厄介なくらいに泣きじゃくって、何度も繰り返し喉を鳴らしていた。本当に、まるで子供だった。この分じゃ、廊下の片付けは後回しにするしかなさそうだ。僕の部屋はあの有様だし、僕は夜月をつれて、夜月の部屋へと入った。ベッドに座って、脚の間に夜月を座らせ、いつものように後ろからそっと抱き抱える。いや、いつもよりも、もっと優しく、なお甘く。そのまま、夜月が泣きやむのを、黙って待つ。

どれくらい時間が経ったのか、分からないほど。

「……お兄ちゃん――あのね、夜月はね」

「僕は、お前が一番大事だよ。他の誰より。どんなものより。僕はお前のためなら誰を殺したって構わない。何でもできる。不安にさせて悪かった。ずっと曖昧にしてきて悪かった。謝らなくちゃならないのは僕の方だよ。ごめんね」

「……そんなこと、ないよ。だって、夜月が」

「なあ、夜月。友達に、言われたんだ。こういうことは、いい機会だって。揉めたときこそ、話し合ういい機会なんだって、さ。僕もそう思う。だから、ちゃんとしようと思うんだよ」

「ちゃんとって？」

「約束しよう。僕はずっと、夜月のそばにいる」

夜月は、涙混じりの目で、僕を振り返る。

「ずっと……？」

「ずっと。一生、離れない。誓おう」

それではさようなら倫理。もう二度とお目にかかることはないでしょう。今までありがとう道徳。本当にお世話になりました。僕は、妹を、愛します。

腹に回していた手を焦《じ》らすような仕草で這わせながら、静かに、夜月のささやかな胸へと移動させた。服の上からでもわかる柔らかな感触が、指に触れる。

「ぃやっ……」

「何？　どうかしたの？」

「う、ううん。なんでも」

「そう。ならいいんだけど」

紅潮した顔を俯けて、僕の視線から逃れようとする夜月。そんな夜月の姿に加虐《かぎゃく》心と庇護欲を同時にかきたてられて、脚の先からぞくぞくと感じてしまう。僕は夜月の肩に顎を置いたまま、夜月の耳元で囁くように言葉を続けた。

「兄弟は他人の始まりなんて、知ったことか。二人とも、大人になったら、家を出てさ。どっか田舎の方にでも家を借りて、二人で暮らそうよ。お前が言ってた、雪国でいいさ。僕は寒いの苦手だけど、我慢するさ、お前のためなら。二人とも、家で出来る仕事でもして。兄妹で一緒に過ごすことに何の不自然があるっていうんだい？　要は、子供を作らなきゃいいだけの話じゃないか」

「にゃー……」

くすぐったそうに身体をよじる夜月。そんな夜月を逃さないよう、僕は脚と腕とで、夜月の動きを拘束して、固定する。そしていつも通り、夜月の頬へ、軽く、撫でるように、跡をつけないように気をつけながら、唇を這わせた。そう、これが現時点での最良の選択だ。もう僕達は引き返せないところにまで逸脱してしまっている。そのことを悔やんでも仕方がない。やり直せることなんて、この世には何一つだってないんだから。現状は認めろ。現実を把握しろ。現実逃避に意味はない、落ち込んでいる間に思考しろ。救いが用意されていないわけじゃない。最良の選択肢は、いつだって用意されている。手の届く範囲で、それを選べ。それが、幸せに続く道だ。

僕は夜月から手を離して、「さ、」と言う。

「今から僕、廊下を掃除して、それから晩御飯、作り直すからさ。夜月は着替えて、それを食べるんだ。その間に僕は風呂を入れて、食事を終えた夜月が、最初に入る。いいね？」

「あ、うん。わかった」

「それじゃあ、夜月。お兄ちゃんを許してくれる？」

「も、勿論だよっ」

「ありがと。大好きだよ、夜月」

僕が夜月から身体を離そうとしたとき、夜月は上半身をひねるようにして僕の方を向いて、「あ、あ、お兄ちゃん」と、僕を見つめた。別に手をかけられて動きを止められたわけでもないのに、その瞳で吸い込まれるように見られると、僕は動けなくなる。

「夜月、お兄ちゃんに、おねだりがあるかな」

「何？」

「ん」

　夜月は目を閉じて、僕に正面の角度で、唇を向けた。すました顔をしてこそいるが、よく見るまでもなく、少し震えている。だがそれは僕も同じだった。自分の顔の筋肉が引き攣《つ》っているのがはっきりと分かる。心臓が早鐘のように打つ。全く……さっきまであんな泣き喚いていた癖に、このスイッチの切り替えの早さだけは、やはり夜月も女の子なのだな、と思わせる。ただ……それは、それはいくらなんでもさすがにやり過ぎだと思う。現時点では兄妹のスキンシップのレベルを完全に超えている。

「……焦らし作戦？」

「いや、そうじゃなくて」

「キスだけなら、子供はできないんじゃないかな」

「……ふむ。言われてみりゃ、確かにそりゃそうだ」

　どうしたものか。考えるまでもなく夜月のいうことに理は通っているが、それに、僕にしたって、行為に及ぶに吝かではないのだが。両親は今日は泊まり。ことが露見する心配はない。さてさて。

　1・する。

　2・しない。

　この場合、この場における最良の選択は——

「……舌入れていい？」

「駄目」

「けち」

　結局その日は、晩御飯の作り直し作業と、自分の部屋の片付けとで、就寝予定時刻二時間後を迎えてしまった。部屋の整理は夜月に手伝ってもらったので思ったより時間はかからなかったけれど、それでも明日、授業中に二時間眠るか三時間眠るかの違いでしかないだろう。夜月におやすみを言って、僕はベッドに入る。そして考える。考えるのは琴原のことだ。こういう結論になった以上は、琴原からの告白に関しては、きっぱりと拒絶する必要があるだろう。その結果また決裂することになっても、それはもう仕方がない、諦めよう。そこまで虫のいいことは言えない。断り文句は何がいいだろう。『ごめん、僕、シスコンだから』。アホか。しかもそれだと夜月にいらん恨みが向いてしまう可能性がある。まあ、それは明日、琴原の反応を見ながら決めた方がいい、今のような頭の中で冷静な判断ができるとは思えない。冷静な判断。はっ、友達と妹に同じ日に告られて冷静でいられる奴なんていないっての。一度すっきりして、リセットをかけるとしよう。夜月のことを思いながら眠ろうと思った。頭の中でどんな想像を膨らませたところで子供はできないだろう。倫理的にも道徳的にも許されるはずだ。多分。

翌日いつも通り学園へ向かう。だが、起きこそしたものの、夜月はどうも普段以上に夢うつつみたいだった。夜月もまた、昨晩妄想をたくましくして眠れなかったのかもしれない。耳年増。僕は寝不足には慣れているが、低血圧の夜月は大変だろう。七組生では授業中に居眠りもできないだろうし。電車の中で船を漕いでいる夜月を、ちょっと哀れに思ったので、僕はずっと肩を貸してあげた。『天国への階段』を昇り終えて、正門ゲートをくぐる。『ヒツウチサマトキ　3ネン　08：17』『ヒツウチヨルツキ　2ネン　08：17』。本日は優等生。僕は居眠りするけれど。昇降口で、上履きへと履き替える。

「じゃ、夜月。今日も一日、頑張っていこう」

「うぃー」

「よーし、可愛いぞー」

「えへへー」

「今日の帰宅は？」

「今日は普段通りかな。部活もないし。あ、帰り、本屋さん行くかも」

「承諾。それじゃ」

手を振って別れて東校舎に向かう。その道すがらに考えるのは、数沢くん、数沢六人くんのことだった。昨日は色々あったけれど、箱彦のこと、琴原のこと、夜月のこと、本当に色々あったけれど、最低、数沢くんのことだけは解決したつもりでいた。けれど本当にそうなのだろうか？　本当に、箱彦の『教育的指導』だけで、数沢くんのことは、ちゃんと終わったのだろうか？　数沢くんがどんな性格の持ち主なのか、僕にははっきりとは分かっていない。夜月はあの通りのお人よしで当てにならないし、箱彦の評価が正しいかどうかも、言ってしまえば不明だ。もしも、箱彦の『指導』でもへこたれず、更に逆恨みするような人格だった場合はどうする？　そういう風に思えば、まだ安心するには早いかもしれない。夜月でなくとも、数沢くんと箱彦との間に何かの険悪さが生じることも予想できる。その際、僕はいくらなんでも無責任ではいられないだろう。ふむ、とするとこの僕も、まだ待機状態に入るのは早いかもしれない。と、階段の登り口に箱彦の姿を認めた。いい体格なので奴は目立つのだ。こんな時間にあんなところで何をしているのだろう？　剣道部の朝練の帰りか？　いや、それにしては鞄を持っていない。しかし何をしている？　誰かを探しているようにも見えるが。

「おーい、箱彦。何してんだ、お前」

「あ、様刻！」

呼びかけると、箱彦はこっちに向けて走ってきた。そして、ただならぬ剣幕で、まるで怒鳴りつけでもするかのような口調で僕に言う。

「様刻、お前、早く教室行け！」

「は？　箱彦、おはようの挨拶《あいさつ》もなしか？　お前ね、一日というのは気持ちのいいおはようございますから始まるって——」

「いいから、鞄なら俺が持っててやるから、走れ！」

「お前、何言って……」

「行きゃ分かるよ、早く！」

急《せ》かし方が尋常《じんじょう》でないのを見て取って、僕は箱彦の言葉に従うことにした。鞄を箱彦に預け、言われたままに階段に向かう。四階分の階段を一気に、駆け上る。三階の途中で息が切れたのでペースを落とした。運動不足。それにしても一体何だというのだろう？　箱彦があんなに取り乱すなんて珍しい。その理由として考えられるのは、やはり琴原のことだろうか？　だとすると昨日の告白の一件だろう。四階に到着する。しかしそれがこんな、起き抜けの男を急かせて走らせるようなことか？　教室内で琴原がマシンガン片手に暴れてでもいるとも思えない。

だが、教室に辿《たど》りついて、僕は自分のそんな推測が全て間違っていたことを知る。教室内には既に結構な生徒が登校してきていて——その全員が一点を注目していた。注目されているその場所は、僕の席だった。僕の席に病院坂黒猫が座っていた。昨日バス停で見たのと同じ、珍しいセーラー服姿。うなだれるようにして、がっくしと、机にその頭を伏せている。

「お、おい——」

僕は慌てて病院坂に駆け寄った。何て馬鹿なことをするんだ、こいつは。こんな人の多い場所にこられるような身体じゃない癖に。クラスの連中が病院坂に向ける無遠慮な視線が必要以上に気に障る。その視線の一つ一つが、病院坂の精神を傷つける刃だというのに。僕は病院坂の肩をつかんで引き起こした。顔色は芸術的なまでに青を通り過ぎていて灰色だ。僕が見えているのかいないのか、虚《うつ》ろな瞳だった。

「しっかりしろ、病院坂！」

「——やあやあ、様刻くん。全く、随分と社長出勤だね……革命的なまでの『緑色の目』とは、正にきみのことを言うのだろうな。本当、あやかりたいものだよ——もっともこの僕にしたって、『ゴドーを待ちながら』とはいかないがね……」

安心する。それだけ饒舌を振るえるならまだ大丈夫だ。僕は病院坂の身体を抱え上げ、肩に担ぐ。女の子とは言えさすがに人間、かなりずしりとくる。こらえる。更に注目するクラスメイト達。僕はその視線から逃げるように、人を押しのけながら教室を出た。どこに連れて行けばいい。保健室。休める場所。その前にどこか、人気のないトイレだ。ここまでの状態になってるんだ、一旦吐かせないと。

「年頃の乙女を荷物のように扱うのは感心しないな……それに、気分の悪い人間には、運び方というものがあるだろう……全く常識の欠けた人間は始末に負えない……ふふふ、きみのような才《ざえ》の男にそこまで期待するのも無闇な話か……」

うわ言のようにぶつぶつと肩口で呟く病院坂の声を聞きながら、僕は職員トイレを目指した。さすがに多少の逡巡《しゅんじゅん》はあったが、僕も一緒に女性用トイレに入り、個室の中で、病院坂に胃の内容物を吐かせた。しかしそれがどうもかんばしく行かなかったようなので、仕方ない、僕が病院坂の喉に手を突っ込んでやった。五分ほどそれを繰り返して、ようやく楽になったらしく、病院坂は「よし。もういいよ」と、ようやくいつも通りの口調で言った。

「もうかつがなくてもいいか？　一人で歩ける？　まあもうちょっとゆっくりしろよ。ああそうだ、何か飲むか？　冷たいジュースでも。欲しいなら買ってきてやるよ。あと、これ、ハンカチ。口元拭け」

「きみの絶え間ない好意には本当に感謝するよ。ところでさっき予鈴がなったのには気付いているかい？　ならば本鈴までもう間がないのも当然分かっているだろうね。そんな現実把握《はあく》能力の高いきみに対して迷惑をかけることになるが、一時間目をサボって、保健室で僕とのお喋りに付き合ってくれないかな？　僕のために何かをしてくれるというのなら、是非そうしてもらいたいのだが」

「……どういうことだ？」

「きみに相談したいことがあるんだよ。友人として応えてもらえないだろうか、様刻くん。きみの良識ある態度をできれば期待したいところなんだがね」

人ごみの毒に当てられて苦しそうにしているときならまだしも、調子を快復した病院坂の言葉に無闇従う必要はないのだけれど、だが病院坂があの教室の中にいた理由を考えれば、そうと性急に断ずることはできない。病院坂黒猫はいうならば視線恐怖にも似た人間アレルギー、不特定多数の中にいると神経に失調を来たす体質の持ち主だ。そんな彼女がそれを押してまで教室内で僕を待っていたというのは、取りもなおさずそれだけの用が僕にあるということだろう。そう判断し、僕は病院坂に対して「分かったよ」と頷いた。

「ありがとう。お礼に先ほどの介抱の際どさくさにまぎれてしこたまおっぱいを揉みしだいてくれたことに関しては不問にしておいてあげるよ。……そんな顔をしないでくれ、冗談だ。わざとでないことくらい分かってる。非常時だったし、不可抗力、互いに忘れよう。勿論妹さんにも秘密だ。では様刻くん、ちょいと肩を貸してくれ。恥ずかしながら、まだ僕の両の脚はふらふらしているんだ。こういうのを指して、人は『膝が笑う』なんていうのだろうがね。お笑い種だ、きみの言う通り、僕の将来はかなり深刻に心配だな。我ながら困ったもんだ」

保健室に移動して、まず病院坂はベッドの周りにカーテンを引き、その中で制服から体操服へと着替えを始めた。僕は病院坂が着替え終わるまで手持ち無沙汰の間に、本鈴のチャイムを聞いた。今頃教室はどんな状況だろう。箱彦がうまくフォローしてくれていたらいいのだが。ああ、そう言えば琴原に対して交した約束を、これで反古《ほご》にしてしまったことになる。『明日、朝、何か言うよ』。どうしよう。問題を先送りできたことは別に嬉しくない、どうせいつかは解決しなければならない問題だ。病院坂にばかり目がいってクラスを見渡す余裕はなかったが、琴原はあのときもう教室の中にいたのだろうか？

「着替え終わったよ。入ってきてくれ」と、中から声。僕はカーテンを開けた。タンクトップが透けて見える半そでのゼッケンつきだぼだぼシャツに、紺のブルマー姿。ああ、今日から六月だったか。そろそろ衣替えの季節。そう言えば僕の夏用のシャツはどこにあるだろうと、ふと考えた。今夜、夜月に訊いてみよう。

「ところで……、本題に入る前に確認だが、様刻くん、妹さんとは仲直りできたのかね？」

「ああ、それは滞《とどこお》りなく。きみの助言が役に立ったよ、病院坂。話し合ったことで僕ら兄妹は随分と前に進んだ気がするよ。礼を言わせて貰う」

「それは何よりだ。僕はこの身がきみの役に立てた事実がとても嬉しいよ。で、肝心の用件なんだがね――」

病院坂は珍しく持って回った言い回しを使わずに、直截的に本題に入った。

「きみ、数沢六人を殺しちゃないだろうね？」

「……は？」

「額面通りの意味で素直にとってくれ、これは僕にしては滅多にない、何の含意もない、裏のない言葉だよ。もう一度言い直そうか？　櫃内様刻くん、きみは数沢六人を殺していないだろうね？」

「――んなことするわけねえだろ。何でまた。箱彦みてーなこと言わないでくれよ」

「ふん。これもまた、迎槻くんと被ってしまったわけか。いやね、様刻くん――いいだろう、きみの言葉と、きみとの友情を信じよう。この学園が正門のあの機械で、生徒の登校時刻と下校時刻を記録しているのは知っているね？　二年少し通っているのだから当然知っているはずだ」

「ああ、知っちゃいるがな。今さっきも、『ヒツウチサマトキ　3ネン　08：17』って、無愛想な文字を見たところだよ。ちなみに僕の記憶が確かなら、昨日は『08：45』だったと思うぜ。遅刻したんだ」

「帰りは？」

「うん？」

「それがきみなりのサービス精神じゃないというのならば、そんな呆《ぼ》けた顔を僕に晒《さら》すのは遠慮してくれないか。今はそれを楽しんでる余裕もないしね。昨日の帰りの時刻はいつだったのかと訊いたのだよ。答えてくれたまえ」

「えーと、昨日の夜は『ヒツウチサマトキ　3ネン　19：15』だったかな。そんくらいだ」

「迎槻くんも？」

「同じだよ。同じ時間に出たんだから」

「琴原さんもか」

「当然だろ」

「うん、そうだ。きみの言う通り、当然だ。だがその時刻にはさしたる意味がない。僕が今言いたかったのは、学園敷地内に入った以上、出なければならないということだよ。にもかかわらず、いいかね、にもかかわらずだよ——昨日の夜、数沢六人は、この学園から帰った形跡がないんだ」

「……え？」

一瞬、病院坂の言っている言葉の意味がつかめなかった。だがすぐに思い至る。それが意味することは、数沢くんはあの後、学生証をあのゲートに通さなかったということだ。それだけのことを言っているのだ。それだけ。しかしそれだけのことをこうも大仰にいう病院坂の意図は、まだつかめない。

「それがどうかしたのか？」

「どうかしたとはきみ、また呑気《のんき》だね。僕はこの事実を国府田先生から聞いたのだ。記録にはこうある——五月三十一日、『カズサワロクニン　2ネン　08：25』——そして下校時刻の記録はなし。これは一体どういうことだと思うかね？」

「学生証を忘れたか落としたかしたんじゃないのか？　ゲート横に控えてる守衛さんにそう言っての学園への出入りなら、機械の記録には残らないだろ」

「きみは僕の話を聞いていないのか？　僕の話など聞くに値《あたい》しないと思っているのなら、遠慮なくそう言ってくれたまえ、僕は永遠に口を閉ざそう。いいかい様刻くん、それなら登校時の記録も同様でなければならない」

「だったら……学園の中で紛失した、かな？」

「その可能性はない。そんなの、その守衛さんに話を聞けば分かることだろう？　それならそれで別に記録をとらなくてはならないし、もしもそうだったなら――今、職員室でその事実が話題になったりしないし、数沢くんの家族から学園に電話があることもない」

「職員室？　家族から電話？　そんなことになってんのか？　……何やら、大事《おおごと》みたいだな」

「大事も大事さ」

僕は認識を改めた。普通ならば、まだそこまで緊張を強いられるような場面でもない。だが僕は昨日の夜、その数沢くんとかかわっているのだし、それもあまり進んで人に語りたいようなかかわりかたでもないのであって、あの後数沢くんが帰っていないというのならば、考えなければならない『問題』が生じてくる。それにその事情を差っ引いたところで、いくら病院坂黒猫が地獄耳だと言っても、その事実がこんな早朝から病院坂の知るところとなるというのは、今日はかなり早くの時間帯から職員室及び校内で、『それ』が元の騒動が起きているということではないだろうか。

「つっても、記録がないってことは――当然、数沢くんは学園敷地内から出てないってことだよな？」

「無論だね。それは間違いない。あのゲートは無理矢理突破できる種類じゃない。言い方はなんだがこの学園、セキュリティは刑務所並みだよ。ハイテクも、いらぬところで効力を発揮したわけだ」

「数沢くんは、どこかに隠れてるってことか？」

「一晩中かい？　何のために？」

「でも、そう考えるしか——」

「何らかの条件の下において動きが制限されているという可能性がある。物理的——心理的——精神的? どんなケースが考えられる? 選択肢が限られている物事の思考活動は、様刻くん、きみのお家芸だろう?」

怪我をしていて、しかも声が出せない。箱彦に散々打たれてたからその線はありえるか。あるいは、ぼろぼろに打ちのめされたから、その精神的なショックで、どこかで落ち込んでいる——それとも、一晩帰らなかったのは『結果』ではなく、その先に何か目的を据えた『手段』の選択——なのかもしれない。だがそういった推測を行うためには僕はあまりにも数沢くんのことを知らな過ぎる。それはさっきも考えたことだ。だが最低限、トップとボトムの想像だけはできる。トップは、無論、機械の記録ミス、数沢くんは家族に秘密でどこかへ遊びに行っている。そしてボトムラインは——

「それでさっきの質問かよ。『きみ、数沢六人を殺しちゃないだろうね?』か。ふん、いいセンスしてるな、きみは。僕のことを心配してくれたのか? それとも数沢くんのこと?」

「当然のことにいちいち断りを入れなければ僕はきみとの会話を終わらせることができないというのなら、それだけで僕の一生は終わってしまうだろうな。勿論、きみの心配をしたんだよ。数沢くんの顔すら、僕は知らないのだからね。きみは数沢くんのことじゃ相当思いつめていたみたいだし」

「そんな理由で人なんか殺すかよ、馬鹿馬鹿しい」

「妹さんのことがきみにとって『馬鹿馬鹿しい』『そんな理由』であるとは、頑張っても外側からは観測できないよ。これは僕の個人的な意見などではなく、誰もがきみに下す正式なる評価であると思うがね」

「そうかね、そこまでいうなら無下に否定はしないけど。けどな、病院坂、その問題は昨日、一応、解決したんだよ。昨夜《ゆうべ》話しておくべきだったかな。詳しい事情は省くけど、箱彦と、琴原の協力を得てね」

「ふうん？　なんだ、そうだったのか。琴原さんと仲直りしただけではなかったのか」

「昨夜はきみから夜月の話を聞かされて、言いそびれちまった。まあ、解決つっても、一応だけど」

「一応でも解決していないよりは遥かにマシだ。解決しているに越したことはない。だってほら、きみがこの件に無関係だと聞いて僕はとても安心したよ。なんだ、それなら本当昨日に言ってくれればよかったのに。だが、しかしやはりこの齟齬《そご》、気になるな。僕はこういう——辻褄の合わない、中途半端な矛盾《むじゅん》が気持ち悪くて仕方ないんだ」

「でも、きみが気にしても仕方ないだろ」

辻褄が合わないのが気持ち悪いというのは分からなくもない。それはいわば問題を放置しているということなのだから。ずらり並んだ選択肢を前にうろうろしている犬の気分なんて、できれば味わいたくはない。だがしかし、それにしたって、病院坂の様子は尋常でなく、凝り過ぎのように思える。どうしたって、わざわざ苦しい思いをしてまで、教室で僕を待つ必要はない。僕のことが心配だったといっても、どうせ、僕は昼休みに保健室へ行く約束をしていたというのに。緊急事態だというなら、それこそ電話を使えばよかっただけだ。注目を浴びてしまうのは仕方ないにしろ、廊下で待っているという手もあったろう。どうも、病院坂は焦ってしまうと順路通りの思考ができない奴のようだった。新発見だ。

「きみ、細かいことにこだわり過ぎじゃないか？　微に入り細を穿つってあれだろ。あら探しってーのか。そりゃ、入ってきた情報に不合理があればもやもやするってのも分かるけど。でもその心配は自分にかかわりある範囲内にしておけよ、病院坂、数沢くんに会ったこともないんだろう？」

「うーん……そうかもしれないけど。いや、かもしれないじゃない、きみの言う通りだよ。これじゃほとんど神経症に近い、前にも言ったがこいつは僕の持病なんだ、辻褄合わせ《ピースメーカー》」

「無神経で馬鹿なガキが一人、学園内で夜明かししたってだけの話じゃないか？　で、お節介な家族がそれを過剰に心配してるとか。甘やかされてそうだったしな、数沢くん。現実的にはそんなとこが妥当だと思うけど。よくある話さ」

「前向きだね。しかし様刻くん、過ぎたる楽観主義は阿呆とさほど変わらんよ。僕はそう思うね。これがもしも学園を揺るがすような大事件に繋がったらどうするつもりなのだい？」

「それでも過ぎたる悲観主義者よりはマシだろ。悩める哲学者なんて今時お寒いぜ」

「しかしきみ、様刻くん、きみは本当に気にならないのかい？　今、この状況で、他の誰でもない、正に僕や様刻くんにとって一番ホットな話題の中心人物であった数沢くんその人の行方が知れないという事実が——本当に気にならないというのかい？」

「……それは、そういう言い方をされるとさ——」

と、そのとき、後ろでドアがスライドされる音が聞こえた。ノックはなし。誰かと見れば、そりゃノックもないはずだ、この保健室の主、校医の国府田先生だった。国府田先生は随分と慌てた様子で、授業中なのに僕がこんなところにいることにすら、気が回らないようだった。

「あ、病院坂さん！　わたし、ちょっと今から学園、出なきゃならないから、ここ、よろしくね！」

国府田先生は病院坂に向けて言った。普段から保健室を開けっ放しにしている癖にわざわざそんなことを断るとは、一体国府田先生、どこへ行こうというのか。病院坂はそれに対してどうということもなく「分かりました、先生」と上品な、猫かぶりの言葉遣いで頷く。そして続けて、実にさりげなく、「そんな慌てて、何かあったんですか？　国府田先生」と、訊いた。

国府田先生は答えた。

「体育館二階の倉庫から死体が見つかった」

「へえ。死体。怖いですね。誰のですか?」

「さっき探してた子。二年の数沢くん。あの頭派手《はで》な子だよ。知らないかな? なんっつーか『奇妙』な話だけど、殺されてるみたい」

「だってさ、櫃内くん」

病院坂黒猫はご自慢の猫目とやらで僕を見て、意地悪っぽく肩を竦《すく》めた。僕は「やれやれ」と軽く呟き目を逸らす。そして病院坂から目を逸らしたままでぼんやりと考える。ふむ、どうやらことここに至った段階で事態はいささか厄介な状況に陥《おちい》ってしまったようだった。僕も色々なパターンを想定してはいたがこれは完全に予想外だ、僕もまだまだ甘い。しかし最低限、これで僕と夜月の間にあった、数沢くんについての諸問題は一通り解決したことになる。僕が選択するまでもなく、完膚《かんぷ》なきまでに。選択の余地がなかったのは実に窮屈極まりない、忸怩《じくじ》たる思いだが、しかし前向きに、それだけはよしと捉えておくことにしよう。運がよかった、僕の人生にもそういうことだってあるさ。はてさて、ではこの僕はこれから、まずはとりあえず何をどうさせてもらおうか。

考えろ。

たんてい編

病院坂

この小説には暴力シーンやグロテスクな表現が含まれています。なんて言ったところでそれは所詮『小説』という堅牢《けんろう》な枠の中で起こる矮小《わいしょう》なお約束、ルールと秩序から外れない愚《おろ》かな思い込みに過ぎないことがほとんどで、その暴力やグロテスクを思う存分楽しんだ後、読者は何食わぬ顔をして己《おのれ》の所属する世界、自分の世界、『平和な世界』へと帰還する。暴力もグロテスクもいわゆる娯楽、純粋無粋の娯楽に過ぎない、それはただそれだけで、それだけであり、それだけでしかない。ただしこの場合の問題は『それ以外に何もない』という意味での『それだけ』なのではなく、それ以外に選択は幾らでもあるというのに唯一と捉《とら》えてしまっているからこその、知らない内に僕らが厳選してしまったという意味で『それだけ』なのである、ということだ。もっともこんなのはただの詮《せん》ない言葉遊《リリック》びであって、現実的問題には何も役に立たない『価値なし』であって、観念に観念を重ねただけの似非《えせ》哲学に過ぎない。ところで論理学と哲学との違いについて、病院坂が昔語っていたことがあった。病院坂はこう言った、『論理学は理性であり、哲学は情愛なのだよ』。他人を煙《けむ》に巻くことにかけては一流で、その上一流の皮肉屋である病院坂の言うこと、僕は理解しようともしなかったが、しかしそんなあいつに僕はこんな感想を抱いたものだ――きみは、論理学には向いていないよ、と。哲学者よりは科学者向きの性格だとは思うが、あいつのやり方は、どうにも論理的であるとは、理性的であるとは、言うことはできそうもない。もっとも、そういう観点において物を言えば、暴力もグロテスクも、論理よりもむしろ哲学、理《ことわり》よりはむしろ愛で、把握《はあく》すべきものだろう。例え話、それは僕が中学生の頃、学級崩壊や少年犯罪、そんなあれこれが一大ブームのようにマスコミやらにもてはやされたことがあった。大人達は『どうしてこんなことになってしまったのか』『昔はそうでなかった』『時代が』『社会が』と、悲嘆《ひたん》するかのように、あるいは嬉《うれ》しげに、囃《はや》し立てたものだった。訳知り顔で『人間関係の希薄さ』がどうたら、『コミュニケーション能力』がどうたら、抜かしてやがったものだが——それを横目に、まさにその『少年』だった僕らは、ずれた議論をしてやがる、と思っていた。いや、彼らの意見自体に、どうこう言うつもりはない。反論しうるだけの根拠は、こちらとしてはどこにも見出せない。だから、子供の暴力性の発露を漫画やアニメやゲームの責任にするのと同じで、お気に召すまま大いに結構。それについては、やはり、彼らは正解を出しているのだと思う。——だが、しかし、子供だった僕らが『ずれている』と思ったのはそんなところではない。『少年』、『子供』、当の僕らにしてみれば……少なくともこの僕にしてみれば、『少年が犯罪を起こす』、そんなことがさしたる異常事態のようには思えなかったのである。騒ぎ立てるほどのこととは、とても思えなかったのだ。実際、僕が夜月を守るため、小学生の頃に起こしたあの事件——騒いでいたのは大人だけで、僕の同級生や、当の被害者にしたって……『ああ、こういうことがあるんだよなあ』と、みんなみんな、なんとはなしに受け入れていたように思う。夜月が苛《いじ》められていたことも、もし発覚していれば、大人は『あんないい子がどうして苛められるのだろう』などと言うかもしれないし、苛めていた連中に対して『きみ達みたいないい子がどうして苛めなんて』と言うかもしれない。どちらも正しくあって正しくない。そんなことを言われたところで、夜月も、僕が『制裁』を加えたあの連中も、『分かってないな』と思うだけだ。僕らは小学生のそのときからちゃんと、根っこのところでは理解していた。僕らは誰も、被害者にもなりうるし、加害者にもなりうるのだ、と。真実の意味で、いざ何かがあったとき、『どうして自分がこんな目に』と思うような人間はいないだろう。せいぜい、『どうして自分だけがこんな目に』といったところくらいで、どんないいことがあってもどんな悪いことがあっても、意外さに驚くということはなく、『ああ、やっぱりなあ。こんなことだと思ってたんだ』『ま、こんなところだろ』と納得できるんじゃないだろうか。詰まるところ、世界なんて、どうしようもないようにできているということか。世界。世界、世界、ね……。世界。この言葉を口にするとき、しかし僕も、他の誰も、地球を全て、まして宇宙の全てを含めて考えている者は、皆無だろう。認識、認識という観点では、地球の裏側を流れる川のせせらぎを、意識しようとは思えない。国際化が進んでも国境がなくなっても、人の脳髄で、もしくは人の心で、認識するためには、地球はあまりにも広過ぎる。人間など精々、自分のことを把握するだけでも手一杯なのだから、家族や友達、学校や職場、その程度の範《はん》疇《ちゅう》内をだけを指して、僕らは『世界』というのだと思う。無限大に近い莫大な世界の中における酷く個人的な世界。堅牢な枠の中で起こる矮小なお約束、ルールと秩序から外れない愚かな思い込みに過ぎない——個人的な、世界。そういえば、なんだっけ、ものの本によれば……個人的で卑近な物語を指して、それを『小説』というんだったっけ。だったら、ことさら言い換えるまでもない。この小説には暴力シーンやグロテスクな表現が含まれて、いる。

　きぃ、と、扉の開く音がした。

「おーっと。櫃内様刻くん、見っけ」

「——琴原か」

「おっはー」

「昼だろ」

「寝てる人にはおはようって言うんだよ」

「そこに立つなよ」

「ぱんつが見えるの？」

「影になって邪魔なの」

「ん——ああ。太陽、見てるんだ」

「太陽なんか見れないよ。見てるのは、空」

「空。空ね。かっきーじゃん」

「まあ、ぱんつも見えてるけどな」

「えろー」

笑って言って琴原は、僕に並ぶように、そこに——桜桃院学園東校舎、屋上のタイルの上に——寝転んだ。制服が皺《しわ》になるよ、と注意するほどの暇《ひま》もなく。まあいい、僕の制服じゃないし、夜月の制服でもない、それは琴原の制服だ。所有しているものに関しては、何であれそれなりの自由の行使が許されているもので、少なくとも僕が関与すべき問題とは言えない。琴原は僕の方を見るでもなく、空を見上げている。青空。雲ひとつない、とはいかないが、突き抜けるような青。まぶし過ぎる太陽。見ているだけで気持ちいい。見ているだけで、世界が平和なように思える。見ているだけで、気分が爽《さわ》やかになっていく。そんなこと、ただの錯覚に過ぎない、空が青いのはただ、空気中に埃《ほこり》が舞っているからに過ぎないのだけど。

「いい陽気だね、櫃内」

「確かにそれほど悪くはないな」

「なんで授業サボってんの？」

「きみもね」

「わたしは気分が悪いからね」

「僕は頭に頭痛がするんだ」

「言葉が重なってるよ」

「別に間違ってない。腹に頭痛がするって言ったら、そりゃ間違いだけどな。言葉が重なって悪いっていうなら、当然『人が一人いる』って言葉も使っちゃ駄目なんだろうな」

「屁理屈だって」

「『僕は女子が好きだ』もアウトだな」

「屁理屈だってばさ」

くすくす笑って、琴原は起き上がった。別に、空に興味があって、屋上まで来たわけではないらしい。僕にしたって、別に空を見たくて、授業をサボってまで屋上で寝転んでいるわけじゃない。だからといって、ならば他に目的があるのかと聞かれれば、これといった目的もない。目的がない……そう、今の僕には、あらゆる意味で、目的がない。課題もないし、クリアしなければならない問題もない。こういう状況を、僕は酷くもてあます。なんていうのだろう……試験時間はまだ半分以上残っているのに、もう全ての問いに答え終わってしまったときのような感覚、といえば一般的か。することがないのだ。今の僕にはあまりにも問題がない——妹・夜月のことに関しても……そして、この、琴原りりすのことに、関しても。

「ねー、櫃内」

「何だよ」

「何か、怖くない？」

「そりゃ、僕だって何かは怖いさ」

「いつも通り——先週と、何も変わらない、学校のはずなのにさ。人が一人死んだっていうだけで、全部、景色が変わっちゃった気がするよ」

「景色が変わった？」

「青天の辟易《へきえき》っていう奴？」

「霹靂《へきれき》だ。ま、辟易でもこの場合はあってるかな」

「なんていうかさー……どこで人が死んでもおかしくなくなっちゃったみたいな感じ。あえて言うならだけど。ほら、その柵《さく》でも乗り越えて、ぴょーんって飛び降りたら、死ぬよね」

「…………」

「やっぱり、校舎のてっぺんから飛び降りたら、死ぬんだよね」

「…………」

僕は意図的に沈黙を選んだ。二秒待って、言う。

「琴原は、数沢くんのことを知ってたから、一時的にそう思うだけだよ。僕にはいつも通りの学校にしか見えない。その柵を乗り越えたらなんていうけれど、その柵を乗り越えようという発想が、頭の中にまず思いつかない」

「……そうだね」

微妙な表情だった。女の子の、琴原のそんな表情は、あまり見ていて気分のいいものではない。僕は見かねて、寝ている姿勢から立ち上がり、琴原の正面に立って、「あー」っともう一度間をとってから、口を開く。

「琴原。きみは何が怖いんだ？」

「さあ……わたし、きみと違って頭悪いからね。うまく言葉にはできないよ。でも、そうだね……要約もせずに結論だけを言うなら、わたし……わたしは、死ぬのが怖い」

「死ぬのが怖い？」

「あ……違うな。これは違う。そうじゃない。これはわたしの気持ちじゃない。そうだね……訂正する。わたしは」

琴原は薄く、自嘲気味に笑いながら言った。

「わたしは殺されるのが怖い」

「…………」

死ぬのが怖い。殺されるのが怖い。その両者の間にある違いは、普段考える必要のないほどに薄いものではあるが、一旦考えてしまえばもうどうしようもないほどに、分厚い差だろう。江戸川乱歩を読んだ小学生の頃に、僕はその差を意識した。普通、意識することのないその差異を。ならば、琴原にとって、数沢くんの死は——その読書体験に匹敵するくらいの、意味を持っていたということか。人が殺される。知り合いが殺される。うん、確かに……その事実には、その程度の意味があるだろう。

「でも、きみは殺されないよ」

「どうして？」

「……何が」

「どうしてそんなことが言えるの？」

「だって、きみに殺される理由なんて、ないだろ」

「数沢くんにも、きっとなかったよ。確かに、色々ある子だったし、問題児だったかもしんないけど……だからって、死ななくちゃならないような理由、数沢くんにあったと思う？　ううん……どんな理由があっても、人が殺されていいような理由はないよ」

お利《り》巧《こう》さんな意見だ、と思う。でも、それを愚かと笑うつもりはない。その意見を貫いて生きていければ、その認識だけで生きていければ、それほどすばらしいことはないのだから。

「理由なき、殺人か。ま、確かに理由があったら殺人が許されるってわけじゃないよな。理由も動機も、馬鹿馬鹿しい。それに、どんな些《さ》細《さい》なことであれ、どんなことの原因にもなりうるんだから――」

「だから、わたしだって、理由もなく殺されるかもしれない。ある日突然、唐突のように、理由もなく殺されるかもしれない。そうでしょう？　そうじゃない？　きっと、そうだよ」

「誰に。数沢くんを殺した奴にか？」

「うん。そうだね、そうかもしんない。だって、その犯人にしてみれば、もうこれで一人、人を殺しちゃって、人殺しになっちゃったんだから、殺人犯になっちゃったんだから、あとはもう何人殺したって、気分的には一緒みたいなものでしょう？　一回決壊しちゃったら、もうあとはなし崩しっていうかさ」

「ああ、その通りだろうね。数沢くんを殺した奴が、初めての人殺しだったかどうかは知らないけど、琴原、きみのいうことは、正しいだろう」

「だったら――」

「そして、しかし、だったら琴原、既に一人殺した人間と、まだ誰も殺していない人間との間に、一体どれくらいの差異があるっていうんだ？　人殺しが怖いのなら、どうして人殺しじゃない奴は怖くないなんていえるんだ？　一人殺した人間だって、過去には、まだ誰も殺していない人間だったはずじゃないか。誰にだって初めてがあって、初めてを経験せずに、経験者になることなんてできない。人殺しが怖いっていうのは、人間が怖いっていうのと変わらないよ。殺す奴は何をやっても殺すし、殺さない奴は何をやっても殺さないんだ。一人殺したからって、殺さない奴はやっぱり殺さないし、一人も殺してなかったからって、殺す奴はやっぱり殺すだろう。人を殺す奴も、人を殺さない奴も、変わらないんだよ。殺すのも殺さないのも一緒みたいなもんだ、誰にとっても。琴原、琴原、琴原りりす。心配せずとも、世界はずっと、そういう風だった。僕ときみは、ずっと、そういう仕組みの世界に生きてきた。きみが抱いているのは、琴原、無用の心配なんだよ。世界は今までと何も変わっちゃいない。世界は今までの通りだ。変わったとしたら、きみの立ち位置なんだよ、琴原。きみの認識が変わってしまっただけだ、世界は今までと何も変わっていない。誤解するな、安心しろ。安心すればいい。きみの世界は今まで通りだ。役割を終えた役者が一人、退場しただけに過ぎないよ。そんなことはこれまでにもきっとあっただろうし、これからもきっとある。一つの例だけを取り上げて、感情的になっているだけに過ぎないんだよ」

「………」

「何か?」

「そんな言い方は……酷いと思う」

「酷いかな」

「酷いよ」

「そうかな」

「きみらしくないよ。きみは、数沢くんとは揉《も》めていたらしいけど、でも、だからってそんな言い方は、きみらしくないと思う」

「僕らしい、ね……僕は昔からこんな奴だったと思うけど。昔から、そういうことばかり、きみに言ってきたように思うけどね。シニカルで、どっか遠くにいるみたい。確かいつだったか、これはきみが僕に言った言葉だぜ？」

琴原は苦笑する。

「――わたしはその後に『でも、本当は優しい人』って付け加えたよ」

「『本当は優しい人』ねえ――琴原。『本当』って、なんだと思う？」

「分からない」

「本当っていうのは、嘘じゃないってだけだ。決して真実のことを指しているんじゃない。本当よりも真実味のある嘘ってのが、この世のほとんどを構成しているんだよ」

「構成……」

「僕は欺瞞《ぎまん》でできている」

そう、そういうことだと思う。突き詰めて、煎じて言えば、そういうことに間違いがないんだろうと思う。僕は、僕らはどうしようもないほどに、どうしようもない欺瞞と、ほんのわずかの本当だけでできている。酷く乱暴な構造で、酷くグロい構成だ。

ご愁傷様《しゅうしょうさま》としかいいようがない。僕らしさ。全く外さないところでその表現を適用しようと思えば、悲しいくらいに気分の悪い存在が、この僕だということになってしまうのだろう。

「誰が、殺したんだろうね」

琴原は言う。

「誰が、数沢くん、殺したんだろうね」

「さあね。殺されたって以上、誰かが殺したんだろ。冷たいと思われるかもしれないけど、そう思うよ。さっきの話じゃないけど、僕は数沢くんとは、二度っきゃ会ってないし、それほどいい印象を抱いていたわけじゃない。あまり思い入れはないよ……きみとは違ってね」

「わたしは――」

何か言いさしたところで、琴原は言葉を詰まらせた。少し、つらそうだった。いかんな、と思う。なんだ、これは。これじゃあ、ほとんど八つ当たりだ。八つ当たり、この僕が？　どうしてこの僕が、そんな非生産的な行為に及ばなくてはならないんだ、それも、琴原を相手に。琴原は何も言わない。僕も、何も言えなかった。しばらく、何とも表現しようのないような沈黙が続いた。耐えられないこともなかったが、しかし、僕はともかく琴原の方には、この沈黙はいかさま厳しいものがあるのではないかと思われた。

「——気分、悪いんだろ?」

僕は琴原から離れ、長方形に区切られた屋上の端、先ほど琴原が指差した柵のところまで行って、そこにもたれかかるようにする。

「もう行けよ。この場所は僕の先約だ」

「こんな広い屋上を独り占め?」

「早い者勝ち」

「ちぇーだ」

「気分が悪いんだろ? 保健室行けよ。あそこはよく眠れるぞ。あそこなら、サボってんの見つかっても怒られないしな」

「わたし、保健室嫌ぃ」

琴原は言った。

「へんだ。櫃内、今日はずっとサボるの?」

「午後からは出るよ」

「あっそ。じゃ、ばいにゅーん」

扉が開く音、そして、閉じる音。いつも通りの会話……とは、さすがにいかなかったが、まあ、琴原りりすと櫃内様刻の会話は、平均的には、こんなところだろう。ぼーっと、僕は、遠くに広く広がる景色を見る。田舎街。山間に、中途半端にビル群があって、実に不自然な自然。この景色は、とりあえず、僕の世界の一部、ではあるのだろうと……思う。思うことで、世界の中に取り込んでいる。

「『人を殺す奴も、人を殺さない奴も、変わらない』……か。知った風なことを言ったもんだよ、我ながら随分と素敵だね、櫃内様刻くん。クールで冷静なきみは、一体どこに行ったんだろうな……」

だったら、と、僕は自分に問いたい。殺すのも殺さないのも、何も変わらないのなら——自分以外の誰かが殺されるのと、自分が殺されるのとは、果たして同じなのだろうか? ……自分以外の誰かが殺すのと、自分が殺すのとでは、どれくらい、同じ要素を含んでいるのだろうか、と。同じ要素、似たようなもの。数沢くん——数沢六人の死体が発見されてから、もう一週間が経過しようとしている。一週間、とはいえ、当然のように学園はここしばらくの間休校となっていたわけだが。数沢くんが剣道部の正選手であり、また『七組生』であったことは、この場合あまり関係ないだろう。ただの事故死だったというのならばまだしも、学園内で殺人事件が起きたなんて不祥事があって、尚次の日からまだ普通に授業を続けようなんてほど、桜桃院学園は面の皮が厚くない。ま、休校中も、それに値するだけの自主課題は出ていたのだけれど、ともあれ、今日、本日をもってようやく、授業は再開されることとなった。僕は、早朝に体育館で行われた全校集会(内容は勿論数沢くんのことだ。『死を悼《いた》む』とか、なんとか。校長先生や生徒指導部の先生の他、夜月のクラスの代表者が、何か色々と言っていた。夜月ではなかったのでよく聞いていない)にこそ出席したが、どうにもやる気が出ず、その後はずっと、ここ、学園の屋上で、時間を過ごしていた。何をやっているんだろう……とは、思う。授業をサボるなんて行為、僕にはあまり向いていない。目的があるというならまだしも目的がない、あくまで目的がないというのなら、とりあえず授業に出ればいいんじゃないのか。授業をサボっていいことなんて何一つないというのに。いくらテストでいい点をとったところで、それは心証が悪過ぎる。にもかかわらず、どうして、僕は——一体、何を考えているのだろう。……というのも、考えるまでもないか。多分、琴原と一緒だ。僕はきっと——ああ、認めたくもないが……怖いのだろう。殺されるのが、怖いのだろう。『殺される』。そういう事実が……この世界にあるということを、僕は、数沢くんの死によって、現実として、認識することになってしまった。数沢くんが死んだこと。それ自体は、僕にとって都合がよかった。僕の世界にとって、都合がよかった、それは間違いない。誰かが数沢くんを殺してくれたお陰で、この僕と夜月と数沢くんの間にあったややこしい問題は解決したわけだ。それは……本当に間違いない。そこの認識は正しい。でも……『殺される』。人は死ぬ。殺す、殺される。そうだよ。読書体験に匹敵する、なんて戯言もいいところだ。馬鹿らしい。江戸川乱歩を何冊読んでも、岡本綺堂を何冊読んでも、大下宇陀児を何冊読んでも、推理小説を何冊読んだところで、この実感だけは、自身で体験してみなければ分からないだろう。暴力的でグロテスクなこの場所には――殺す人間と殺される人間が、存在しているということを。殺す人間。殺される人間。『被害者にもなりうるし、加害者にもなりうる』――その認識の先にあるその認識。触らずに済んだら、それに越したことはないのに。『禁忌《きんき》に触れたい年頃』なんて、道化みたいに滑稽《こっけい》で、世間知らずな言葉でしかなかった。『虚構にしか現実を感じられない』なんてとんでもない。小説の枠の中に書かれた暴力やグロテスクなんて、大量殺人なんて戦争なんて強姦《ごうかん》なんて食人なんて裏切りなんて破壊なんて革命なんてテロなんて、近親相姦なんて――所詮はただの文字の羅列だ。現実に現実感を感じられないのは感じる側の不干渉《ふかんしょう》にして不感症でしかなく、現実はいつだってそこにあって、虚構の中にはない。やれやれ、推理小説とやらが、やたらと人殺し、殺人事件ばかりをテーマに据え、足し算や引き算のように、簡単にキャラクターを殺してしまうわけだ。全く、滑稽。絵空事もご都合主義も甚《はなは》だしい。そんなもの、波状のように押し寄せる現実の前には、やはり、文字の羅列以外にはなりえない、仮想現実、仮想体験に過ぎず、仮想であるからこそ、それでよかったことなのだ。お利巧さんな意見だけで生きていけたら——最高なのに。さっき琴原に言った台詞は、この一週間、夜月に向けて言い続けていたものだし、もうほとんど、自分に言い聞かせているようなものだった。もっとも、夜月は、数沢くんの死に対して、こちらが驚くほどに淡白な様子だったのだが。ただ一つ、先ほど琴原が言っていたのと同じ、『誰が殺したのかな』という疑問に関しては、不思議そうにしていたけれど。そう——そうなのだった。数沢くんの死体が発見されてからもう随分経過しているというのに、未だ、犯人は逮捕されていないのだった。マスコミ報道なんかでも、色々とまことしやかな説が囁《ささや》かれているようだが、決定的な結論は、まだ出ていない。ひょっとすれば警察ではもう犯人に目星をつけているのかもしれないが、少なくとも、今はまだ、数沢くんを殺した殺人者は、野放しの状態なのだった。この学校のそばに——自分や、それに夜月のそばに、そんな人間がいるかもしれないと思うと、正直、身震いする。

ああ……そうそう、淡白といえば、琴原も、そうだ。琴原と会うのは、今日の朝の集会のときが久しぶりだったが、それ以前に、休校になっていたときに一度、携帯電話に連絡があった——『ごめん、この間言ったあれ、冗談だから、忘れちゃって』。この間言ったあれ。いわゆる、愛の告白。『学校始まったら、普通に今まで通り、話してね』……だ、そうだ。ふん……ひょっとしたら、今ここに来たのはただの偶然ではなく、授業をサボってる僕を探してきたのかもしれない。もう、そんなこと、どうでもいいのかもしれないけれど、ひょっとしたらどうでもよくないのかもしれないと思うと、どうしても考えてしまう。しかし、考えようが考えまいが、その通話の時点をもってして、僕の抱えていた問題は——夜月のことも、琴原のことも、何の問題もなく……解決してしまったわけだ。夜月のことは数沢くんの死によって、琴原のことは琴原自身の言葉によって。もう、何も問題は残っていない。

なのに……なんなんだろう、この感覚は。

すっきりしない、この感覚は。

1・自分の仕事を他人にやられてしまった感覚。

2・迷っている内に全てが終わった感覚。

3・取り返しのつかない状況を認識した感覚。

4・『死』の無情を認識した、厭世《えんせい》の感覚。

これは……一つの正解を選んで答える種類の問題ではないな。四つの選択肢の内、少なくとも二つ――恐らくは三つ――あるいは、四つのどれもが正解かもしれない。どうしたところで、今の僕の心に傍線が引かれていることだけは、間違いない。ああ、もう、心底吐き気がする。当り散らしたい。非生産性な八つ当たりがしたい。心のどこかが壊れていて、そこから大事な何かが零《こぼ》れ落ちていっているのを黙って見ているような、そんな気分だ。砂をかむよう――というか、砂利でもかんでいるような。やれやれ、普段あれだけ偉そうなことを吹いていてる、櫃内クンとはとても思えない体たらくじゃないか。

考えろ――といったって。

考えることが、既にない。

そのことに、気付いてしまって。

「気分悪いよ……」

昼休みの開始を告げるチャイムの音をきっかけに、僕は、柵から手を離した。潮時か。昼休みになれば、ここには、お弁当を食べようとわんさかやってくる連中（主に女子）がいるからな。ぐっと、伸びをする。ずっと硬いタイルの上で寝転んでいたので、あちこちがめしめしと痛む。まあ、こんなのはどうということもない。僕は若い。それよりも問題は、精神の方だ。琴原には午後からの授業は出ると言ったものの、そのためには余りにも、今の僕は気分が悪い。教室に戻る気にはなれない。気分が悪いときはどうするか？

決まっている。保健室に行くのだ。

「ややあ、本当によく来てくれたね様刻くん。きみの顔を見るのも随分と久しぶりな気がするが、実際あの日からは一週間くらいしか経過していないことを思うと、これはきっと僕の個人的な感傷なのだろうな。しかしまあ考えてもみたまえよ、僕がきみに対して抱いている友情の莫大《ばくだい》な量を。相対的に見て、僕にとって一週間、きみと出会う機会さえも可能性さえも失われるというのは、実際十年以上の間手紙のやり取りもなく離れているのと同じだとは思わないかい？　それに、そうだ、あの日はきみに対して随分と失礼な疑問を呈《てい》していたような気もするし、ひょっとしたらあれできみが気を悪くしていたらどうしようと、そう考えると僕は心配で心配で心配で夜も昼もなかったんだ。気の回し過ぎだと思うかい？　だけど僕のように気の小さな人間はどうしても臆病にならざるを得ないのだよ、特に、大事な友人を目の前にしてはね。嫌われてはいないだろうか、今の言葉で気分を害しはしなかったろうか。さっき言われた言葉の真意はなんなのだろう、あんなことを言ってはいるが本当は僕のことを嫌いになったんじゃないだろうか。きみを傷つけはしなかっただろうか。自分が傷つくことには耐えられてもきみが傷つくことにだけは耐えられない……あはは、こりゃ被害者妄想ならぬ加害者妄想という奴なのかな」

「被害者に……加害者ね」

僕はベッドの端に、病院坂に背を向けるように腰かける。離れた場所に椅子があるのでそこに座りたければそこに座ればいいとも言えるのだが、なんとなく、これくらいの距離で、病院坂と話したい気分だった。病院坂と話したい気分。なんというか……珍しいといえば珍しい気分だ。そういう意味では、やはり、悪い気分だと言えるのかもしれない。僕はやや見返るように、病院坂の全身を眺める。ベッドで半身を起こすようにしている病院坂は、掛け布団《ぶとん》を羽織《はお》っていない。

「……去年も言ったかもしれないけど……きみってブルマー、洒落にならないくらい似合うよな。ジャージ姿より、かなりいい感じだ」

「そうかね？　これはこれで、僕としてはなかなか気恥ずかしいものがあるのだが。ま、どちらかといえばでかでかと取りつけられたゼッケンの方が恥ずかしいかもしれないな。こんな風に名前を書かれていると所有物の気分だよ。こういうのは似合う似合わないにかかわらずね」

「身長の割に脚が長いん……だな。いや、上半身が短い……のか？　どっちもって感じだが……きみ、ちゃんと内臓全部そろってるのか？　服がだぼだぼだからよくわかんないけど、よくみりゃ腰とか細過ぎだろ」

「ふむ。まあ、そうとも言える。生物としては随分バランスの悪い体格だと僕も自覚しているよ」

「まあ、差し引いても、脚は長いし、綺麗だよ」

「触ってみるかい？」

「いや、遠慮しとくよ。言ってみたものの、脚にはそれほど興味はない」

「そうかい。残念」

僕の方に向けてすらりと伸ばしかけたその美脚を、元の位置へと戻す病院坂。実のところ残念なのは僕も同じではあったが、脚に触るくらいならいいんじゃないのかと思わなくもないのだが、だがしかし、やはり病院坂を相手にそういう行為に及ぶのは、生理的に拒絶してしまうものがある。禁忌……という理由はないにしても、なんだか、純粋じゃないような気がしてしまって……いや、僕自身は、そんな純粋な人間ではないのだが。純粋でなければ純情でもない。それはつまり、ただ単に不純だということになるのかもしれないけれど。

「…………」

「…………」

「ん？」

病院坂が首を傾《かし》げる。

「どうして何も言わないんだい？　様刻くん」

「きみこそ。いつものようにべらべらと、こっちに構うことなくまくしたててくれよ、能弁家。僕は黙ってそれを聞いて、たまにつまんねー合いの手をいれてやるからさ」

「——ということは、様刻くん。僕がきみの教科書に残したメッセージを、今日は読んでくれていないということなのかな？」

「ん？　ああ……てめえ、また僕の教科書に落書きしやがったのかよ。今度は何の教科だ？　ああ、今日はね、全校集会のあと、ずっとサボタージュでさ」

「なるほど、となると様刻くん、きみは自分の意志でもってこの保健室に、この僕、病院坂黒猫と会いたいがためにやってきてくれたということだね、これは嬉しい！　喜び、歓喜の歌だ！」

「歓喜の歌ね……で、今日は僕の、命より大事な教科書に、どんな落書きしてくれやがったんだ？」

「ん？　ああ……この喜びの中にもう少し身を置きたいものだがね。それに今となってしまえば、こういう状況になってしまえば、あれにはもう大して意味がなくなってしまったのだが、それでも質問に対しては正直に答えることこそが最大の誠意であることは間違いないだろうので、僕はきみに正直に答えよう。櫃内様刻くん。僕はきみの歴史の教科書にこう書いたのさ——『妹さんのことで大事な話があるので、昼休みに保健室に来たまえ』とね」

「……妹？」

妹——櫃内夜月。僕はその言葉に反応し、思わずベッドから降りて、病院坂に詰め寄るように、その両肩をつかんだ。見れば分かるが触れてみれば更によく分かる、病院坂黒猫、酷く小柄な女だ。

「どういうことだ？　大事な話って……それに、今はもう意味がなくなってしまっているって、どういうことだよ」

「うん。意味はなくなってしまっている。だから安心してくれたまえ。きみに両肩を抱かれるのは悪い気はしないが、できれば別のシチュエーションを望みたいものだね。ま、安心したまえよ。完全に意味はなくしている——というのも、なぜなら、妹さんのことで大事な話があるというのは嘘だからだ」

「は？」

「きみを呼び出すための方便さ。きみはたまに僕からの呼び出しなんて無視してしまうからね、今日はどうしても来てほしかったから、非常の手段として妹さんのことを引き合いに出すことにしたんだ——って、おっと、おっとおっと、怒らないでくれよ。僕はきみのクールさに期待してこそ、真実を話したのだし、僕ほどきみに対して誠意を抱いている人間がいるわけもないことを思えば、僕がそんな手段をとってまできみを呼び出したことにはちゃんとした理由があることくらい、分かってくれるだろう？そのくらいの理性は有しているはずだろう、様刻くんは」

「……確かに——今更、だよな」

病院坂の小さな肩から手を離す。確かに——今更、である。病院坂黒猫のやることにいちいち目くじらを立てていたら、こちらの身が持たない。常識を期待するだけ無闇な話だ、むきになるだけこっちが馬鹿を見る。馬鹿を見たくなければ、それなりの付き合いというものを学んでおくべきなのだ。

「で？　本当の用事は何だよ。あるんだろう？」

「察してくれて感謝するよ。きみは僕なんかよりずっとずっと大人物なんだろうな。及びもつかないよ、心の底からね。話というのは——これは、むしろ相談かな。いや、相談というべきでもない……依頼か。僕は助けを求めているのだよ、様刻くん」

「助け、ねえ……」

どちらかといえば、僕だって今は、助けてほしいような心境なのだけど。とはいえこちらは何から助けて欲しいのかが明瞭でないから、相談のしようもない。僕は対症療法として、この保健室にやってきただけなのだ。

「話というのは数沢六人のことだ」

病院坂は短く区切って言った。

「数沢六人に関する、殺人事件のことだ」

「……奇遇だな。僕もその件でここに来たんだ」

「ほう？」

「もっとも、僕の方は、どうにも曖昧《あいまい》でね。色んな問題が色んな風に、勝手に解決していっちゃってさ——ついているって言えばついているんだろうけど、運がいいといえば運がいいのだろうけれど、どうも気に食わない。なんていえばいいのかな、『それだけ』——選択の余地がなくなってる、レールの上を走っているような印象が、どうにも拭《ぬぐ》えなくてさ」

「ふん。それは妹さんのことかい？」

「まあね。それから、琴原のこと」

「ふうん？ 琴原さんがどうかしたのかい？」

「さてね……さてさて。女心はどうにも分からない。どう考えても論理学じゃなく哲学の領域だな。数沢くんのことにしてもさ……箱彦が勝手に片付けてくれちゃった感があるし、それに……」

それに、その後の夜月のことだって、『予定』という意味の僕の予定からすれば、ほとんど完全に予定外の事態だった。その時点における僕の認識が甘かった、僕が未熟だったとしかいいようがないのだが、だけどそんな風に言ったところで、何がどうなるというわけでもない。いや——本当、なんなんだろうな、この感覚は。少し前まで、こんな風じゃなかった。僕の世界は平和だった、そのはずだ。なんなのだろう。いつからだろう。数沢くんの死を聞かされたそのときからか？ 夜月を抱きしめたあのときからか？ 琴原に告白されたとき？ それとも、それを取り消されたときか。数沢くんの死を聞かされたそのときは、まだ僕は、平静でいられたような気がするんだが……それとも、全てがその、この気分の要因なのか。実際、たまらないな。僕の狭い世界、個人的な世界におけるそのほとんどが、この曖昧な気分の要因だなんて。数少ない例外の一人が……この病院坂だということか。僕は自然、病院坂を見つめた。

「きみの気持ちは分かるよ、様刻くん」

病院坂は言った。

「勿論僕ときみとの間には絶対的な距離、絶対的な障壁がある以上、きみの気持ちを完全に理解できるなんていうことはただの欺瞞に過ぎないのかもしれない。ここでは僕は『僕はきみではないのだからきみの気持ちは分からない』なんてことを言えばいいのかもしれない、それが本当なのかもしれない。だがね、本当のことでも言っていいことと悪いことがあると、僕は思うのだ。そして同様に、たとえ欺瞞であったとしても、言わなくてはいけない欺瞞というものがあるのだと思う。だから僕はこう言うのだ、『きみの気持ちは分かるよ、様刻くん』と。それに、本当のところ、きみの不安が分からないというわけではないのだよ、この僕には。この僕は、その手の不安をずっと抱えて生きてきたようなものなのだからね」

「不安？　この気持ちは不安なのか？」

「ああ、その表現が一番正しい。あるいは『恐怖』と称してもいいかもしれないな……」

「恐怖。殺されるかもしれない、という恐怖か？」

「なんだそりゃ？　そんなのは常識だ、恐怖と呼ぶに値《あたい》はしない。『恐怖』とはね……『自分は世界と関係していないのではないか』という恐怖だよ。世界が自分の関係のないところで進行していく、その恐怖だ。世界に対し——不安になっているんだ」

「……なるほど」

頷いて……見せた。心の内に湧いてきた疑問を、発することもなく。病院坂黒猫。きみは……今までずっと、そんなくだらない疑問を胸に、生きてきたのか、と。こんな益体《やくたい》もない、不安と形容するにも恐怖と形容するにも、あまりにも取るに足らない気持ちを、十何年も抱いてきたのか、と。あまりにも馬鹿馬鹿しい。だけど、この女なら、病院坂なら——そういうことも、ありうる気がした。

「不安は解消されなければならない」

病院坂は、ベッドの上に立ち上がった。いくら小柄とはいえ、ベッドの上に直立されたら、僕からは見上げなければならない形になる。とてもそれは同級生相手に使うような言葉ではないが、そんな様子は、まるで何かの英雄の如き姿勢だった。

「目的意識も、これで僕にはできたな……正直エゴイズムが過ぎてよくないと、後ろめたい、行動に躊躇《ちゅうちょ》するような気持ちがあったのが、これで理論武装は完璧だ。不謹慎だという考えは、これで払拭された。一番大事な友達のために動くことが、間違っているわけもない。ついでに僕が抱いているかすかな不安を削除しておくくらいの手間賃をいただいたところで、罰もあたりはすまい」

「何の話だ?」

「数沢くんが殺された事件についてなんだが、僕にはどうも腑《ふ》に落ちない点が多くてね。納得がいかないとか、理解できないとかじゃなく……つじつまの合わない点、承服できない点が多いのだ。それが、僕を不安にさせる。それを解消したくて、僕は今日、きみを呼んだのだ」

「ふうん……」

解消、ね。そういえば、先週、僕から数沢くんのことを聞き出すために、病院坂は随分と無茶をしていたことを思い出した。今日はそれほど切羽《せっぱ》詰っていないということなのか、それとも学習したということなのか……まあ、それはどちらでもいいんだけれど、しかし『つじつまの合わない点』ときたか。なんだか微妙な物言いだ。

「よっと」

「おっと」

病院坂がベッドから飛び降りる姿勢をとったので、僕は慌《あわ》てて身体をずらす。病院坂は僕の右肩に手を置いて、ひょいっと身軽に着地してみせた。続けてベッドの脇に脱いでいた上履きを履き、つま先をとんとん、と床につく。

「では、行こうか」

「行く? もう昼休みは終わるぜ。どこに行こうってんだ? 午後いっぱい、僕はきみとだらだら話すつもりで来たんだけどな」

「それはとてもとても嬉しい半端《はんぱ》でなく魅惑的なお話だが、機会は今しかないのでね。何の機会かって? そんなこと、決まっているじゃないか、決まっているじゃないか、様刻くん。どうしようもない決定事項だよ、それは。そんなことをいちいち問われていたら、この先が思いやられるな。どちらかといえば、今日に限って言えば、僕は様刻くん、きみに対する質問者に徹しようという心構えだというのに、肝心のきみがそんなことじゃあ、酷く滑稽な質疑応答を、僕らは繰り返すことになってしまうよ。そういうお寒い事態だけは避けなくてはならない、僕はそう思う。しかし、とはいえその質問には答えておいた方がいいだろうから、僕は余計なことを何も言わずに、ただ端的に答えよう。様刻くん、いいかい様刻くん。この時間しか、今日の五時間目しかないのだよ……体育館が、誰にも、どのクラスにも、一年生にも二年生にも三年生にも使われていない時間というのはね。六時間目には一年七組・八組と、三年一組・二組、それぞれの女子が体育の時間で使い始めるし、放課後になればいうまでもなく部活動が始まるからね。もうすぐ県大会が近いから、彼らも必死だよ。だが必死になるのが彼らだけとは限らない、僕も必死になろうと思う。さすがに部活動が終わるまで待ってはいられない、僕はそれでも構わないが様刻くんに迷惑がかかるからね。それならば、もう、次の五時間目、その空白の時間を逃すわけにはいかないんだよ、様刻くん」

「体育館に行くのか？　何をしに？」

「探偵だよ」

病院坂は当たり前のように答えた。そのとき、昼休みの終了を告げるチャイムが鳴る。病院坂はそれを聞いて「ふむ。これで、少なくとも、僕が活動可能になったな」という。確かにその通り、生徒が学園内のあちこちに散らばっている休み時間じゃあ、人ごみの中に混じることのできない病院坂は、保健室に閉じ込められているようなものだ。しかし、相変わらず校医の国府田先生は、いないんだな……。

僕は思い出す。あの先生が、僕と病院坂に向けて告げた言葉。『体育館二階の倉庫から死体が見つかった』。『さっき探してた子。二年の数沢くん。あの頭派手《はで》な子だよ。知らないかな？　なんっつーか「奇妙」な話だけど、殺されてるみたい』。知らないかな、も何も……そのとき正に、僕と病院坂は、その、数沢くんの話をしていたわけで。

「おいおい、何をぼおっとしているんだい？　僕らに許されている時間は有限だ、いかに時間が悠久のあり方だといったところで、残念なことに僕らは生きてしまっているんだからね。さあ行くぞ。しかし様刻くん、言うのが遅れたが、きみ、夏服が思いのほか似合うねえ。惚《ほ》れ直してしまったよ。学生服というのもアレだ、似合う似合わない、やっぱりどうしてもあるからね。きみのような男には、学ランがやはり似合うとは言えないんだろうな」

「ざけんな。それ、要するに『カッターなら学ランよりも少しだけマシ』って言ってるだけじゃねーか」

「そんなひねた受け方をしなくともいいだろう、困った人だな。だが僕はきみのそんなひねくれ具合が大好きさ、様刻くん。ああ、様刻くん、そこの鞄《かばん》を取ってくれるかい？　うん、ありがとう。いわゆる探偵七つ道具が、この中には入っていてね。よしよし、これで準備は万端だ、準備は万端だ。さあ、行くとしようじゃないか、冒険の旅に出るとしようじゃないか、様刻くん。もう愛すべき勤勉の生徒達も、教室に戻った頃だろうからね」

言うが早いか、病院坂は一人、さっさと保健室から出てしまう。いや、だから、病院坂……今、僕が直面している問題は、否《いな》、直面している問題のなさは、ひょっとしたら正にそういうことなのかもしれないのだが。……ふん、なんだっけ——世界に自分が関係ないんじゃないのかという不安、恐怖、だったか？　しかしそんなものは、小学生か、遅くとも中学生の頃までには、己の中で解決しておくべき問題だ。高校三年生になってまで尚、悩むような問題でも、悔《く》やむような問題でも、ありえない。僕は病院坂を追うように、保健室を出た。いいさ、どうせやるべきことなど何もないんだ。茶番に付き合うくらいのことは、してやってもいいだろう。……やるべきことがない、か。目的がない、問題がないというだけで、人生がここまで色あせてしまうなんて、思いもしなかったな。……『お兄ちゃん』『えへへー』『お兄ちゃん、大好きー』『お兄ちゃんは、夜月のこと、好きかな？』『夜月のこと、どのくらい、好きかな』。なるほど——少し、分かった。ならば、どうなのだろう。夜月も、今は、こんな気分なんだろうか。数沢くんの死についても……それから、僕ら兄妹の件に関しても、その条件だけに限って言えば、僕と夜月は同値のはずだ。一週間か。確かに、色々考えるには、それは十分な時間だよな……。何の問題もない、櫃内様刻と櫃内夜月。それとも、問題があってくれた方がよかったのだろうか。やれやれ、苦笑する。破片が見当たらなくなったら『破片《ピース》拾い《メーカー》』も形無しだよな……。レールの上を走っている気分なんていったところで、本当にそのレールがあるのかどうかなんて、誰にも分かりはしないのだ。『レール』だとか『決められた道』だとか——そんなものが本当にあるのなら、世界はここまで粗悪にはできていない。そう思う。

病院坂の背中を追うように、中校舎からの渡り廊下を歩いて、体育館へ。病院坂の言った通り、体育館を使っているクラスはなかった、電気が消えていて、昼間とはいえ、薄暗く、やや不気味な観を醸《かも》し出している。二階へ昇る階段を前に、病院坂は呟《つぶや》いた。

「……よし、頑張るぞ」

そして階段に向けて一歩を踏み出す。……こいつは、この程度の階段を昇るために、いちいち自らに発破をかけなくてはならないのだろうか？　呆れるというか、ちょっと『おいおい』というような気分になったが、階段を半ばまで昇ったところで、どうやらそれは冗談でもおふざけでもなかったことが判明する。

「……はあ……はぁ、はぁ……」

息切れをしながら頑張ってはいたものの、とうとう、踊り場のところで病院坂はへたり込んでしまった。完全に肩で息をしていた。嘘だろ……こいつ、そんなに体力ないのかよ。

「きみ、そんなんで、学園のそばの『天国への階段』とか、どうしてんだよ」

「帰りは……下りだから……」

「だから行きはどうしてんだよ」

「…………」

病院坂は少し言いにくそうにしてから、「クルマで送ってもらっている」と、告げた。なるほど、そういうことか。しかし、いくらなんでもな……保健室登校児とは言っても、病院坂の場合は、別に虚弱体質ってわけでもないだろうに。ああ、それとも、この辺、人間の匂いが濃いからだろうか？　剣道部なんて、匂いの宝庫みたいなもんだからな。僕は「ほれ」と、病院坂に向けて手を差し出した。

「…………？」

「時間、ねーんだろ。つかまれよ」

「……様刻くん。素直に言わせてもらおう」

「なんだよ」

「助かる」

病院坂は僕の手をとって、立ち上がった。表情を見れば、マジで憔悴《しょうすい》してやがる。こんなのでこいつは日常生活がままになるのかどうか、そこはかとなく疑問だ。社会不適合者。なるほど、どちらにせよ、病院坂黒猫は、宿命的にそういうものを背負っているのかもしれない。同情するのも筋違いなので、可哀想だなんて、思えないけれど。病院坂の体力を気遣いながら、ゆっくりと、亀のようなのろいスピードで、時間をかけて階段を昇りきった。

「なんだか優しいねえ」

「僕は妹と乳のでかい女にゃ優しいのさ」

「急に優しくなった気がするよ。妹さんと、何かあったとしか思えないね。僕が知っている限り、以上のことが、ね」

む。まずいな、腐っても病院坂か。夜月とのこと……病院坂に隠しておいた方がいいとは思うが、しかし勘が鋭いこの女のこと、黙っている方が色々腹を探られてまずい、といえなくもない。しかしな、あれほど堅牢に夜月との『近親相姦』について反対していた病院坂のことだ、何を言われるか分かったもんじゃない。ここは一つ、少なくとももうしばらくの間は、『問題なく仲直りをしただけ』で通しておくことにしよう。それが一番だ。どうせ、文脈上大した違いはないし、それにやはり、家族の問題は、家族だけで解決するべきだ。第三者の他人に口を挟まれるような種類の話ではない。僕が沈黙を選ぶと、病院坂は「にやり」と笑ってみせたが、しかし同じように、それについてはもう何も言わず、「うん、もう手を借りなくても大丈夫だ。礼を言わせてもらうよ、様刻くん。この借りはいつか返すからね」と、廊下を先へと歩いていった。トイレ、倉庫が二つ、その先に窓。反対側へ、剣道場への入り口である引き戸。木製のすのこの前に、並べられている靴はない。中に誰もいないということだろう、この二階も、静まり返ったものだ。

ふと見ると、病院坂の姿が消えている。一瞬慌てたが、よく見れば二つある体育倉庫の手前側の扉が半開きになっていた。あそこに入ったらしい。僕も続くかと脚を進め、扉をくぐろうとしたところで、中から出てきた病院坂と鉢合わせになる。

「ん？　どうした？」

「いや、何もなかった」

「あっそ」

言いつつ、病院坂の頭越しに、薄暗い体育倉庫の中に目をやる。特に何の変哲もない体育倉庫だった。見るのは初めてだが、なんとなく抱いている『体育倉庫ってこんな感じ』というイメージそのまんまだ。もう少し個性をアピールしてもいいようにも思えるが、体育倉庫までに個性をもたれては少々世の中世知辛い。やはり、こういうところはステレオタイプの没個性で行ってくれて構わないと思う。

「ここで数沢くんが死んでたわけだ」

「それは不明瞭《ふめいりょう》だね」

「うん？　どうしてだ？　だって――」

「隣かもしれないからだよ、様刻くん」

「あ……、あ、そっか」

体育館二階の倉庫で、としか、僕も病院坂も、聞いていなかった。マスコミでもその件に関しては報道していなかったようだし（報道規制、という奴なのか）、いや、僕はそれほど必死にテレビにかじりついていたわけではないので確かにはいえないけれど、病院坂が『どちらだ』と断言しない以上、それは少なくとも病院坂にとっても、不明なのだろう。

「お得意の保健室情報はどうしたんだ？」

「一週間、休業してたからね」

休業、というその表現がおかしかった。

「国府田先生に訊いてみたんだが、こればっかりは教えてくれなくて。どうやらトップシークレットらしい。それくらい教えてくれないと、これから体育館を使うときに生徒が困惑することになると思うのだが、大人の考えることは分からない、様刻くんは女心は分からないなんていうが、僕には大人の精神の方がずっと理解不能だよ。世代の違いというのは、ある意味決定的だよね。まあ、どちらかにあったことは確かなのだから、どっちでも構わないとはいえるのだが……一応、隣も見てみよう」

病院坂は僕の脇を抜けて、体育倉庫を出、すぐ隣の鉄扉へと向かう。僕もそれを追う。鉄扉は病院坂には少し重いようだったが、手伝うほどのこともなさそうだったので、静観。今度は僕も一緒に中に入るも、やはり、特にどうというほどのこともない、体育倉庫だった。器械体操の用具に、ボール、他、色々……体育倉庫。このどこで、いったい、数沢くんが死んでいたというのだろうか。警察の捜査が入っているということは、少なくともどちらか一方の倉庫、ひょっとすると両方とも、一通り調べられてはいるのだろうが……。死体を囲ったようなチョークの跡とか、見られるかもしれないと少しは期待していたのだが……いかん、不謹慎だな。

「きみは将棋が好きだったよね、様刻くん」

「うん？　何を今更。別に嫌いじゃないって程度で、特に大好きというわけじゃないけどね」

「将棋で、一番強固な陣形がどんなものだか、様刻くんは知っているかい？」

「そんなもん、状況にも相手にもよるんじゃないのか？　防御に適した陣形も攻撃に適した陣形も、それぞれ一長一短あってさ」

「それなら、一番脆弱《ぜいじゃく》な陣形は何かな？」

「それは古い本で読んだことがあるな。相手に向けて王手を宣告した、その瞬間の陣形は、実際は『敵』に対しては一番無防備になっているって。攻撃の瞬間にこそ最大の隙《すき》ができるってことなんだろうな。攻撃こそ最大の防御、だっけか？　その逆の真ってことか。で、それがどうしたんだ？」

「王手をかけた状態……『終わってしまった陣形』とは、誰もが思っている以上に隙だらけだということなのだよ、様刻くん。今のきみは、ひょっとするとそういう状態なのじゃないのかと思ってね」

「……？」

「今のきみは、なんだか完結しているよ」

わけのわからないことを言ったかと思うと、病院坂はまた、僕の脇をすり抜けて、今度は廊下の、来た道を戻っていった。なんなんだ、知ったようなことを……いや、病院坂が知ったようなことをいうのは、今に始まったことではないけれど、それにしても――終わっている。僕の何が終わっているというのだ？　あ、そうか。問題が解決する、問題が完結するというのは――それは、終わり、ということなのか。

ならば今は、終わりの続きか。

「ああ、何ということだ！」

おもむろ、病院坂の叫び声が聞こえた。

「剣道場には鍵がかかっているではないか！」

「…………まあ、そりゃそうだろ」

貴重品があるわけでもないだろうが、一応、剣道部の部室みたいなものなんだからな。桜桃院学園に剣道の授業はないので、剣道場は剣道部の占有で、占有となれば、管理をきちんとしなければならない義務が生じる。責任者は……顧問の教師と、後は、そう、部長である箱彦になるのだろう。

「どうする？　何なら、箱彦を呼んで――」

「迎槻くんは真面目に授業だろう。休み時間まで待つわけにはいかないよ、様刻くん。しかし安心してくれたまえ、こういうときのために、僕はこの鞄を持ってきたのだよ」

「ああ、七つ道具がどうたら言っていたな」

いわゆるピッキングをやらかそうというわけだ。褒《ほ》められた行為ではないが、いやはや、病院坂がそのような技術を所有していたとは知らなかった。やれやれ、いちいち驚かせてくれるぜ、こいつだけは。

「ま、防犯上の知識って意味じゃ、一度見たかったんだ、ピッキングって奴。よし、後学のためだ。僕が許す。やってみせてくれ、くろね子さん」

「えい」

病院坂は取り出した金槌で鍵穴を打った。

「えい。えい。えい。えい。えい」

打った打った打った打った打った。

壊れた。

「見たかね、様刻くん」

「できれば見たくなかった」

「細工は流々だ」

「小細工は無用という感じだった」

「なあに、これで剣道部の迎槻くんも、この程度の鍵では防犯にはならないということが分かってくれることだろう。お互い得なことばかりだよ、いいことづくしだ、様刻くん。さて、中に入ろう。すのこがあるところを見れば、上履きは脱がなくてはならないようだね？　ふむ。さすがにドアは軋《きし》む感じだね……お、なかなか広いじゃないか。いい道場だね」

　まるで悪びれることのない足取りで、板張りの道場の中へと入っていく病院坂だった。こいつ、やることなすこと滅茶苦茶だな……保健室に閉じ込めておくのが、やはり正解なのかもしれないと思った。箱彦が言っていた『あいつ、やばいんだよ』という言葉や、学園中に流れている病院坂黒猫に対する悪評も、あるいはある程度の真実をついているのかもしれない。それでも、この進学校の中において、こいつよりも頭のいい人間はいないというのは、皮肉な事実である。神様ってのがいるとしたら、きっと随分な皮肉屋なのだろう。皮肉……シニカルね。琴原は、ちゃんと授業に出てるのかな。僕も上靴を脱いで、道場の中に脚を踏み入れる。病院坂は神棚の前に行って、何をするでもなく、ぼーっと突っ立っていた。

「何やってんの？」

「神様にお祈りだ。『どうか、調和のとれた世界を』ってね」

「神様は皮肉屋だって、思ってたところだ」

「おいおい、様刻くん。罰が当たるぜ」

「悪口を言われた程度で罰を当てるほど、そこにいる神様って野郎は了見が狭いのかよ」

「美しいというだけで罰を当てるような神様もいるのだよ。それは外国の話だけどね。日本でも、神様と怨霊《おんりょう》は、基本的に似たようなものだろう。怨霊を祭って神様に仕立て上げるようなパターンも、決して少なくはないし、むしろ主流とも言える。別に信仰がないというのなら、様刻くん、とりあえず祈っておいた方がいいと思うぜ、この僕は」

「悪いけど」

僕は、この前ここに来たときと同じ位置に、同じように、体育座りをした。背中を更衣室の戸に任せる。

「神頼みっていうか、そういう他者依存は好きじゃないんだ。僕は人に頼るのも、頼られるのも不得手でね。別の言い方をすれば、脚を引っ張るのも、引っ張られるのも嫌いなんだ。みんなで協力すれば何かが生まれるって考え方も嫌いだ。そりゃ、三人よれば三人分のプラスはあるだろうけど、マイナスもまた三人分だ。結局、何も変わらないよ。それなら一人でやった方が、ずっと能率がいい」

「妹さんはきみに随分依存しているようだけど？」

「家族は例外」

「都合がいいねえ」

「つーか、そのレベルは人として当然だろ」

「人として、ねえ……ま、僕は様刻くんのそういう変態っぷりこそを愛しているのだけれど。まあ、別にそんな話をしにきたんじゃなかったな。この手の話は後日、保健室でのんびりとすることにしよう。とりあえず今僕がきみから聞き出そうとしているのは、数沢くんが殺された事件についてなのだよ、様刻くん。ん？　きみはどうして体育座りをしているんだい？　様刻くん、きみは正座は苦手なのかい？」

「え？」

「こういう場所では普通正座をするものだ」

「あ。そうなのか。ああ、そうだな。そういわれてみれば、そんなもんかもしれないな」

僕は足を組み直して、正座する。正座なんて久し振りだ。いつ以来だろう。ぴんと来ないな……。僕が正座し終わるのを見て病院坂は「それでは」と、こっちに向かって歩いて来、僕から一メートルくらいのところで脚を止め、座っている僕を見下ろすようにする。

「教えてくれるかな。きみは数沢くんに最後に会った人間だ……琴原さんと迎槻くんと一緒にね。何か、新聞報道や学校発表からは外れている事情を知っているかもしれない。あの日、国府田先生から数沢くんの死を聞かされた後、ある程度の話は聞いてはいるが、あの話を、もっと詳しく聞きたいと思うんだ。あのとき話を聞いたときから抱いている『不安』を、僕は、見極めたい」

「って言うか、病院坂……きみ、本気か？」

「本気？　何が」

「アホな推理小説かなんかでもあるまいに、まさかきみ、素人《しろうと》探偵気取って捜査をしようなんて、そんなことを考えてるんじゃあるまいな？」

「ふん」

病院坂はびくともしない態度だった。

「だとしたらなんだというのかね、様刻くん？」

「どうしたらもこうしたらも……そういうのは、警察の人とかに任しておけばいいじゃないか。僕たち、普通の高校生の出る幕じゃない」

「ん？」

「それだよ」

「その辺だよ。自分が世界と無関係ではないのか、という不安の正体は。自分の関わった事件が、他人によって始末される——それは言わば、運命から無視されているようなものだから」

「…………」

「自分のことは、自分でやる」

病院坂は真摯《しんし》さ一杯の声音《こわね》で言う。

「できうる限りはね。そんなのは、幼稚園児でも知っている当たり前のことだ。状況をただあるがままに受け入れるなんてのは、様刻くん、きみがもっとも嫌う行為だったはずではないのかい？　『持てる最大の能力を発揮して最良の選択肢を選び最善の結果を収める』――はずだろう？　僕もその通りだとは思う。調和の取れた世界には、そういうものが必要なのだ。そうでなければ、ここはあたかも壊れた世界だ。破綻《はたん》してはならない。世界は、破綻しては、ならないものなのだ」

「破綻、ね……きみのいうことは分かるんだけど、病院坂。実際問題、警察が必死こいて捜査して分からないものが、ここに来て、それこそアホな推理小説みたいに、ひょーんと解決するなんてこと、ありうると思うのか？」

「やってみなくちゃわからないさ。さすがに僕も、殺人事件の捜査をするのは生まれて初めてだからね。さて、様刻くん。繰り返して、膝《ひざ》を三つにでも四つにでも折って頼もう。あの日、何があったのか、この病院坂黒猫に教えてくれるかな？　なるべく細部まで頼むよ。できればきみ自身の感想も重ねてね」

「……まあ、別に隠すようなことでもないけどさ――一度した話じゃあるし、ね」

「あのときよりもっと詳しくだ。そうでないと困る、同じ話を二度聞かされても時間の無駄なのだ。もっと詳しくつまびらかに、関係ないと思われるところまで細大漏《も》らさず、その近隣の日にあったことを全部残さず僕に教えてくれ」

「分かってるって」

それに、そのことは、警察の人にも随分と根掘り葉掘り、訊かれたし、今更思い出すまでもなく、もう経験とは別の記憶として、思い出せる。僕は病院坂に、先週、あの日、あのときのことを、事細かに、話した。保健室で病院坂と別れ、剣道場で箱彦と数沢くんが打ち合っているのを見て、数沢くんはそこで退場。琴原と合流し、学園を出た。『天国への階段』を下って、バス停のところで箱彦と別れ、琴原と二人きりに。そこで告白を受けたことは、もう病院坂もよく知っているところだ。直後に、向かいのバス停で、その病院坂に会っていたのだから。病院坂は、夜月の後ろについてくる形で、そこのバス停に至ったらしい。その夜月は、一つ前のバスに乗って、一足先に帰宅していた。その後夜月と……と、その後は、秘密。秘密、二人だけの内緒。なんといってもいいけれど、『秘密』とか『内緒』とか言えば、言葉面は綺麗だけど、それは要するに、夜月以外、自分と相手以外の全員を騙す、嘘をつくということに他ならない。僕はそれくらい慣れているけれど、果たして夜月は、夜月としては、その状況に対し、どんな印象なのだろうか。嬉しがるばかりで、どうもそこまで気が回っていないようだけれど、いずれ夜月もその事実に直面するだろう。嘘をつくのは簡単だけれど、嘘をつき続けるというのは、思いの外難しいという事実に。難しいというそれだけではなく――酷く、気分が悪いということを。まあ、そうはいっても、普通、どう考えてもおおっぴらにできるもんじゃないからな……兄と妹が、そういうことになってしまうなんてのは。お互いに気持ちが一致したところで、綺麗にエンドマークが打てれば、小説のようにそこで終わっていれば、それが一番よかったのだろう。だが、僕達は終わりの後も、続けなければならない。何を言ったところで、人生のエンドマークは、死以外にはありえない。数沢くんは、そのエンドマークを他人に打たれてしまったわけだが……それでも、僕のこの、『終わっているのにまだ続いている』感覚は、少なくとも抱いていないのだろうと思うと、わずかなりとも、羨《うらや》ましいと、思わなくもない。

「んー………」

僕の話を聞き終えて、病院坂は少し腕を組み、考え込むような仕草をする。

「なるほど……ふうん」

「何か分かったか？　確か、シャーロック・ホームズってのは、わずかな情報からあてずっぽうでいろんな真実を言い当てるんだろう？」

少し、揶揄《やゆ》するように言ってみた。

「なんだ。ドイル、読んでいるのかい？」

「恐怖小説の方は、結構ね。推理小説の方は、正直、つまらん。探偵がどんな風にすごいかしか書いてねーんだからな」

「ふむ。ドイル本人も、推理作家として評価されるのは嫌いだったらしいがね……しかし様刻くん、もともと推理小説というのは、恐怖小説からの派生なのだよ。その頃は犯罪小説と呼んでいたみたいだがね。『モルグ街の殺人』のポーも、一般的認識では推理作家ではなく恐怖作家だしね」

「江戸川乱歩もそんな感じかな」

「江戸川乱歩は少し話が違うかもしれないな。日本における推理小説の発祥というのは——様刻くん、黒岩涙香は読んでいるかい？」

「短編ならいくつか拾ってると思うぜ。でも、あの人は作家というより翻訳家だろ。外国のもん滅茶苦《めちゃく》茶《ちゃ》に訳して商売してんだから、今やったらそれこそ犯罪だよな」

「寛容な時代だったのだよ。オリジナルが成立しにくいという点では、いつの時代でも同じことだしね……それに、それをいうなら、それこそきみの好きな江戸川乱歩だってそうじゃないか。無論彼らにしてみれば盗作という意識はなく、『パクってやったぜ、ざまぁみろ！』という感じだったのだろうと思うし、弁護の余地はあるよ。現代の常識で語るべきではないのだ。その点から見ても、あの人は推理小説の忠実な紹介者ではあったとは思うがね。でも、一応江戸川乱歩は『本格』の創始者ということになっているんだよ、様刻くん」

「『本格』？　それは本格推理小説のことか？　そん

な馬鹿な。『本格』ってのは、要するに面白みのない推理小説のことを言うんだろ？」

「きみが何をどういう風にとらえようとそれは自由だが、そういうことは余り口にしない方がいいと、僕としては是非《ぜひ》に忠告しておきたいところだね。いや、ほら、『本格』推理小説というのは、ロジックやトリックを重んじるだろう？　だから、時を重ねるにつれ、どうしても古い、古典の小説は、その辺が陳腐になってしまってね。要するに、いまどき江戸川乱歩を読んでも、そこにトリックがあることに気付けないんだよ。かつて『本格』だったものが、時代とともに巌《いわお》となりて、というわけさ。過去の奇抜、現代の常識、だ。トリックだのサプライズだの、そういう目立つ部分が抜けて、綺麗なお約束事のレベルになり、いい意味で単なる恐怖小説として映る。古さと時代、そして歴史。ゆえに、様刻くんのような見方、読み方も生まれるというわけさ。これは『本格』推理に限った問題ではなく、古典文学全てに共通する問題といえるだろうな。いつか誰かがうまいこと言っている、『古典とは、誰もが知っているが、誰も読まない文学のことである』だったかな。『ドン・キホーテ』や『三銃士』、『失われた時を求めて』、いざ読む段になったところで、もうその時点で、どんな話でどんな落ちなのか、僕らはもう知ってしまっているだろう？」

「古典を楽しむのには困難が伴うってことか」

「うん。なかんずく、ワンアイディア的なところのある、『本格』推理小説ではね。古典にもっと親しむべきだという意見はよく言われるものだが、そんなもの、たまには初代ファミコンで遊べと言われているみたいなものだからな。歴史を無視するわけにはいかないからね、たまには外で遊びなさいといわれているのとはわけが違う。いやいやファミコンで遊べっていわれてもそりゃ確かに名作もあるんだろうけれどって感じでさ、その意味では、推理小説が、恐怖小説から派生してしまったことは、よかったのか悪かったのか、痛し痒《かゆ》しと言ったところなのだろうさ。まあ、そうは言っても派生しきっていない、乱暴なくくりではあるが、『スリラー』の部分が、結局大半を占めているわけだけど。『スリラー』と『パズラー』の違いくらい、説明しなくとも分かるだろう？」

「『パズラー』に『スリラー』ね……区別つける必要があるのかどうか、そこんとこは微妙だと思うけれど。大体、両者に明確な区別なんてあるのかよ」

「区別する必要があるかどうかはともかく、その読者を区別する方法はあるよ。何かの役に立つかもしれないし、参考までに、様刻くんにも教えておいてあげようか。この問題に答えてもらえばいいんだ。問題、『光が地球を一周するのに、何秒かかるでしょう』？」

「えっと……一秒の間に七周半するはずだから、一周するには、十五分の二秒かな」

「そう答えるのは『パズラー』読みではなく、『光は地球を一周しない』と答えるのが『パズラー』読みだ」

「ん？　ああ、光は直進するから、か」

「続けて第二問。『まったく同じ形状の球体が二つあり、同じ条件で地面に向けて落とす。片方は軽く、片方は重い。さて、先に地面につくのはどちら？　空気抵抗は考えないものとする』。さて、どうだい？」

「小学生レベルの問題じゃねーか。両方同時につく、だろ？」

「そう答えるのが『パズラー』読みではなく、『重い方が先に地面に接触する』と答えるのが『パズラー』読みだ」

「あん？　なんで。そりゃ分からないな。慣性の法則とか、大無視かよ」

「いやいや、しっかりとした、万有引力の法則に基づいた、簡単な理屈だよ。いずれ暇なときにでも、自分で調べたまえ。ちょっとした面白物理の本になら、大抵載っている。同じ慣性の法則がらみの問題とはいえ、電車の中で飛び跳ねたらどうたらいう、あの問題に比べればまだ建設的でためになる解答が待ってくれているよ。ふふ、電車の中で、別に飛び跳ねる必要はないのにね、靴の裏に吸盤《きゅうばん》でもついていない限りにおいては。それとも様刻くん、自分で考えるのは面倒かい？　ならば、僕も教えるに、やぶさかではないのだが」

「……ま、いいけどな。別に推理小説談義に花を咲かせるつもりはねーよ。それより、病院坂、今ので何か分かったのか？　もう随分時間が経ってしまったように思うけど」

「んー。まあ、その前に」

言って、病院坂は、僕を横に移動させ、更衣室の戸を引いて、中に入っていった。幸いにして鍵はついていなかったらしく、金槌の出番はなかったようだ。更衣室の中に何かがあるというのだろうか？　僕の話に更衣室は出てこなかったように思うけれど。立ち上がって、僕も更衣室の中に入ろうかどうかと迷っている内に、病院坂は顔をしかめて、更衣室から姿を現した。

「たまらないな」

「？　何が」

「臭い」

「ああ。仕方ないよな、そりゃ」

「放置されている防具を身につけてみようと思ったのだが、やめておくことにしよう……都合がいいのか悪いのか、僕に合うサイズの防具はなかったようだしね」

「防具なんてつけてどうするんだよ？」

「ま、実験的思考、かな。思考実験、というわけでもない。別にどうしても実践しなくてはならないことではないさ、気にしなくてもいい。真の目的は他のところにあったのでね、そちらの目的は果たされた。ああ、『その目的とはなんだ』と訊きたそうな顔だが、その質問は後回しにしてくれ。先に前提として、僕は様刻くんに話しておきたいことがあるんだ」

「話しておきたいこと？　それは何だよ」

「前提だよ。この手の問題を考える上での、前提という奴のことだよ、様刻くん。そうだね、さっき『パズラー』の話が出たが、いわゆる『本格』推理小説の中で、一時期もっとももてはやされたテーマといえばだね……きゃんっ！」

台詞《せりふ》の途中で、病院坂が滑《すべ》って転んだ。板張りに、靴下。

「う、う……ううう」

「…………」

痛そうだし。思いっきり、尻《しり》打ってたし。涙ぐんでるし。なかなか、立ち上がらないし。

「う……っ、うううぅ」

「えっと……何か言ってほしい言葉は？」

「……笑えるギャグを一つ頼む」

「家政婦と秘書と執事が、一堂に会しました。そして誰が一番苦労しているか、競い合いました。まず家政婦が一言、『アタシんとこの主人は……』」

「ありがとう、もういい」

「最後まで聞けよ」

病院坂は自力で立ち上がった。自分で自分の、ブルマーの尻をおっかなびっくり撫でている。相当強く打ったようだが、その調子なら、尾骶骨《びていこつ》がどうとか、そういう事態にはなっていないようだ。うーん……まあ、確かに滑りやすいかもしれないけれど、咄嗟《とっさ》に手をつくとか、踏みとどまるとか……こいつには反射神経がないのだろうか。雪がつもってるわけでもないのに何もないところでこけてみせる夜月を、なんとなく思い出させる。

「痛いか？」

「痛くない」

「痛いんだろ？」

「ハイパー痛くない」

「いや、だから痛いんだろ？　一応女の子なんだから、尻は大事にしとけよ。いずれ何に使うかわかんねーんだから、まずは座って少し休憩《きゅうけい》しろ。ああ、座ると逆に痛いのかな……」

「構わない。話を続けよう」

「……ま、きみがいいなら、大丈夫だっていうなら、そりゃそれでいいけど——どうせ僕の尻じゃねーしな。で、何の話だっけ？」

「もてはやされたテーマの話だよ。それはいわゆる『犯人当て』でね。英語では『フーダニット』という。この他、方法当ての『ハウダニット』、動機当ての『ワイダニット』の二種があるが、『パズラー』の看板というなら、僕はフーダニットをあげたいな」

「好きにあげろよ、そんなもん。それがどうした？」

滑って転んだことなどなかったかのように強いて普通に話を進める病院坂は、少しばかり滑稽で、思わず笑ってしまいそうになったものの、やはりそれも躊躇《ためら》われるものがあったので、何とか我慢して、僕も合わせて普通に会話を続ける。

「ただこの『犯人当て』というテーマ自体が内包している問題があってね。なんだか分かるかい？　様刻くん。いくら『パズラー』読みでなかったところで、少なくとも普通人以上には推理小説には触れているきみだ、大体のところ、想像はつくんじゃないのかな？」

「想像つくっつーか、知ってるよ。夜月から聞いたことがある。要するに、犯人を断定する際にどうしても生じてしまう、論理を重んじるがゆえにどうしても生じてしまう、確実性の揺らぎの問題だろ？」

夜月はそれを『操《あやつ》り』問題だとか『後期クイーン問題』だとか言っていたように思う。まあ、何分マニアのする話なので、話半分を更に半分にして聞いていたのだが——推理小説内において、何か犯罪、一つ、大きな犯罪を扱ったとして、当然、犯罪がある以上、そこにはその犯罪の実行犯がいるのだが、その犯罪に手を染めた実行犯の背後に、彼らを操り、犯行を実行せしめた『真の』犯人がいた――と、まあ、そういう構造の推理小説が、結構な数、あるらしく、そのテーマのことを『操り』、マニピュレーションというらしい。で、この構造（ちなみにそれは『トリック』やらとはまた違うらしい）の行き着いてしまった形が『後期クイーン問題』なのだとか、どうだとか。『探偵』という、『謎解き専用装置』を部品として内部に取り込んでしまうという真犯人の企み、エラリー・クイーンとかいう作家が後期作品でよく使用した『構造』だから、こう呼ばれているとか。更にこの議論はあの『ゲーテル問題』に続くらしいけれど、正直のその先は夜月にもよく分かっていないようだった。たかが推理小説を相手にするのに、いささか考え過ぎているような気がしないでもないが、とりあえず、言ってることが分からないでもなかったので、なんとなく記憶に残っている。

「『操り』による確実性の揺らぎ……うまいことというね、様刻くん。そうなのだよ、『犯人当て』における問題はね、色々あるが、最もフェイタルなところがそれだ。たとえば、Aくん、Bくん、Cくん、Dくん、Eくんの五人がいたとして、この中の誰かがFくんを殺した犯人だとしよう。探偵は……きみでもいいな、様刻くんが、Aくんを犯人だと判断したとする。それには十分、信頼に足る根拠があった……が、しかし、Aくんが**B**くんに操られてやったのではないという保証が、この場合、ないのだよね」

「うん……もしAくんが操られていたとするなら、真犯人はBくんということになるからな」

「しかし様刻くん。だが、BくんがCくんに操られていなかったという保証もまた、ないのだよ。更に言うならCくんがDくんに操られていないという保証もないし、DくんがEくんに操られていないという保証もない。更に、この内の誰かに『きみ自身』、そんな風に考えている様刻くんが操られていないという保証も、また、ないのだよ。更に更に、この世界には、この五人しか、たったこの五人しかいないというわけではないだろう。ひょっとするとZさんが、登場もしていないZさんが犯人であるかもしれない可能性を、消去することなど、不可能なんだ。札幌《さっぽろ》で起こったとある殺人事件の犯人が、たとえどんな限定条件のもとであっても、ブラジルに在住のオメガさんが犯人でないとは、限れない。どうしても確率は残ってしまう」

「物理的に不可能だとでもしなければ、か？」

「それだって、『物理的に不可能』と思わされているだけかもしれないだろう？　そう思うように操られていないという保証がどこにある？　そう思わせるようにオメガさんが手配をし、僕らがそれを見抜けていないだけという確率をどうやって消去する？　消去できたところで、それだって、本当かもしれないし、本当じゃないのかもしれない」

「そう言われりゃ、返す言葉はないけどな」

屁理屈の領域、あるいは偏屈の領域だ。

「更に更に、更に言うなら、そもそも、『ワイダニット』の話じゃないが、犯行を起こすからには動機があるだろう？　動機。こんなことをいうと様刻くんは『理由なんていらない。どんなことでも何の原因にもなりうる』なんていうだろうし、基本的には僕もそれには賛成だが、とにかく本人だけはそれを『理由』と思い込んでいる、何かしかがあるからこそ、『犯行』に及ぶわけだ、少なくとも推理小説の枠の中ではね。では、被害者に対し加害者が恨みを抱いていた場合……これは『加害者が被害者に操られて殺人を犯した』といえるのではないか？　ならば、全ての殺人事件における真の真の真の犯人は、被害者本人である、という論理すらも、成り立つわけだ。全ての殺人は自殺だった。ま、自業自得という意味では、そういうパターンもあるのだろうがね」

「参ったよ」

僕は降参の意を示すため、万歳《ばんざい》してみせる。

「で？ 僕の敬愛するくろね子さんは、その問題をどう解決するんだ？ そんなこと言い出したら『犯人当て』なんて絶対に不可能になってしまう。そういうのは、えーっと、なんだっけ、『本格』だか『パズラー』だかにとっちゃ、本当に致命的な問題なんじゃないのか？」

「解決も何も」

病院坂は大げさに肩を竦《すく》めた。

「そんなもん、操られる奴が悪いのだ」

「…………」

うわあ……。

「みな、肝心なところを勘違いしている。犯罪というのは確率の論理ではないのだよ。『謎を解く』なんていうけれどね、その作業は煎《せん》じ詰めれば『犯罪を立証すること』以外の何かではないのだ。推理小説という枠内の話とはいえ、探偵の役割は、求められていることとは、つまりは『犯罪の立証』だろう？ 疑うことこそが本分だ。疑う。ならば勿論、立証責任というものが生じるとは思わないかね？ 様刻くん」

「……ん」

「真犯人に操られるような実行犯はあくまでただの間抜けであり、真犯人に誤導されるような名探偵はただの無能だ。真相がどこにあろうと、それだけのこと。少なくとも法律上、立証できない犯罪は犯罪ではないのだよ。『完全犯罪』なんていうけれどね、これは言葉自体が矛盾《むじゅん》している。完全なる犯罪、かかるものは既に犯罪ではないのだ。AくんがBくんに操られていたとしても——それを立証できないのなら、その『操り』は犯罪ではないし、『操り』なんて行為自体が、そもそも無効化され、なかったことになる」

「…………」

「勘違いしてはならない。探偵の役割は、謎を解くことでも犯人を見つけることでもない。事件を事件として立証することだ。その本分が疑うことだからといってなんでも疑えばいいというものではない、疑う以上、証拠はなくとも、なんらかの根拠が欲しいところなのだ。ふふ、こんなことを言いながらもね、様刻くん。当たり前のことを殊更《ことさら》大げさに言っていると思われるかもしれないが、これが結構あるのだよ、その辺が適当な『パズラー』、『本格』推理小説というのがね」

「ふうん……、ま、小説なんだから、その辺に目くじら立てる必要はないと思うけれどね。うるさ型のおっさんじゃねーんだから。だがしかし、立証しないと犯罪にならないというのは、考えてみれば変な話だよな。立証しようがしまいが、事実は事実としてあるはずなんだから。腑《ふ》に落ちない感は否めない」

「日本の法体系がそうなってるんだ、仕方ないさ」

「だな」

まあ、その言にのっとっていうなら、現行犯でもないのだから僕や病院坂にはそもそも捜査権自体がないし、厳密には『自分のことは自分でする』なんていっても、日本の法律では自力救済は禁止されているのだけれど、そこまで言えば話が進まない。

「で？　随分と論ぶってくれてるけど、きみのその意見は、今回の数沢くんの件にはどのように適用されるんだ？」

「前置きが長かったかな。すまなかったね」

病院坂はそこでまたも「にやり」と笑う。

「ただ、少し言い訳をしておきたくてね。今言ったよう、僕は己の内に内在するこの茫洋《ぼうよう》とした曖昧な気持ちを打破するためにこのような行為に及んでいるわけだが……強《し》いていうならすっきりしたくて今、この場所にいるわけだが……実のところ、既に仮説があってね」

「仮説？」

「ああ」

「仮説って、数沢くんを殺したのが誰かっていう、そういう仮説か？」

「それ以外にはない」

でも、と僕は言葉に詰まる。なんだかさっきから、やけに行動の一つ一つが確信的だとは思ってはいたが、病院坂黒猫、もう、何らかの『仮説』をつかんでいるというのだろうか？　馬鹿な、それこそシャーロック某氏じゃないか。いや、正確に言えば、僕があの日のことを病院坂に話すのは二度目ではあるけれど……そのときから病院坂は『不合理』を感じ取ってはいたらしいけれど……。しかし大体、警察だって、まだ犯人を特定できていないというのに……そういうと病院坂は「さてね」と韜晦《とうかい》するように言う。

「警察が犯人を特定できていないかどうかなんてのは、僕には分からないよ。ひょっとするともう特定できていて、慎重になっているだけかもしれない。そんなことでは僕の優秀性の証明にはならないと思うさ」

「まあ、そりゃ目星くらいつけてると考えるのが妥《だ》当《とう》だとは思うけど……でも、そんな、ちょっと考えて分かる程度の犯人なら、慎重になる必要なんてないじゃないか」

「慎重にもなるさ」

病院坂は意地悪っぽく目を細める。

「犯人が高校生ならね」

「…………」

少年犯罪、か。いや……さほど、的外れなほど的外れな考え方ではない。実際僕だって、この一週間というもの、一度や二度でなく、そういう風に考えた。被害者が高校生で、学校の中で死んだ以上、一番疑わしいのは、同じ学校の教師か、生徒だ。そんなことは考えるまでもない。さすがに、そんなことを露骨に報道するようなマスコミはなかったが、話の流れをそっちに持って行きたがっている気配のようなものは、テレビを見ていても伝わってきていた。

「きみの仮説では……犯人は高校生なのか？」

「と、いうかね。指をさして『犯人だ！』と立証できる相手が、高校生にしかいないという話なのだよ、これは。ん——もうちょっとぶっちゃけていうとだ、様刻くん」

「なんだよ」

「僕は疑う相手を、最初からほとんど決めてかかっていたんだ。数沢くんの死が判明する前、きみに少しだけ疑いをかけたが、あれとはまた違う意味でね……僕は、数沢くんを殺害した容疑者を、六人に絞って考えた」

「六人？」

「まずはきみ、櫃内様刻、その妹、櫃内夜月、剣道部部長の迎槻箱彦、その幼馴染である琴原りりす、それに当の本人である被害者の数沢六人と、この僕、病院坂黒猫。この六人だ」

櫃内様刻、櫃内夜月、迎槻箱彦、琴原りりす、数沢六人、病院坂黒猫——要するに、今回の『事件』における関係者、全員か。正確にいうなら、この中で病院坂黒猫だけがやや枠から外に出ている感が否《いな》めないが、しかし、そこは病院坂自身が自分でリストにいれているのだから、謙虚さと受け取れば、受け入れられなくもない。ふん……数沢くんの死が判明する前でも判明した後でも、僕が筆頭の容疑者であるのは、まあ、それも病院坂的には妥当な考え方であるといえよう。夜月を容疑者リストに入れているのは許せんが。

「ふうん……でも、なんで数沢くん本人が入ってるんだ？　被害者本人なんだろ？　まさかさっきの『全ての殺人事件の真犯人は被害者である』なんて理論を、マジに適応するつもりじゃあないだろうな」

「まあ、そこはとりあえずって奴だよ。関係者全員を疑うのが、探偵行為の第一歩でね。たとえ被害者といえど、その範疇から外すわけにはいかない。実際、被害者がイコールで犯人という推理小説の数も、結構あるんだぜ。きみは知らないかもしれないがね」

「『自殺』ってことか?」

「端的にはね。あるいは、自分の仕掛けに自分で落ちたというような、『事故』。もっとも、報道規制だかなんだか知らないが、数沢くんが『どのように殺されたのか』『死因はなんだったのか』分からない以上、この辺は推測に頼るしかないけれどね。下品な筋の情報では色々言われているが、どれもこれも怪しくてね。頼りないというか……。国府田先生を本気で問い詰めてもいいんだが、しかし、その必要はないだろう」

「と、いうと?」

「だってさ。その国府田先生は、僕ときみに対して、はっきりと宣告したじゃないか。数沢くん、あの頭の派手な子は、『殺されてるみたい』とね。だったら自殺じゃないんだろうし、事故でもなかったんだろう。明らかな『殺人』だったのだと思う」

ふうん。まあ、国府田先生、某有名大学病院出身だって、この間病院坂も言っていたし、その見立ては信じてもいいとは思うけれど。しかし待てよ。その国府田先生の見立てが『絶対に』正しいとは、僕や病院坂の視点からは絶対に言えないし、それに、正しさや確かさの問題以前に、『国府田先生』が何らかの悪意をもって、僕らに、社会に対し、嘘をついているという可能性も……。

「きみの考えていることは大体分かるよ」

「ほう。さすがだね」

「だがね、様刻くん。国府田先生に対する二重の意味での『不信』は、どうにも失礼だと思うよ。そういう風に疑う以上、ちゃんと根拠はあるのだろうね? 彼女を疑うに足るだけの理由は、あるのだろうね?」

「根拠、ね……でも、それをいったら、信じるに足るだけの根拠もないんじゃないのか? 確率的には、半々の五分五分でさ」

「ね？　先に言っておいてよかっただろう？　何を関係のない無駄話をしていたのかと思われたかもしれないけれどね。さて、僕はきみと論を戦わせるにあたって、用意していた台詞を言えばいいだけなのだから、こいつは実際楽なものだ。様刻くん。では、国府田先生が嘘をついていると……彼女が真実を告げていないと、どう立証するのだね？」

「…………」

ちょっと、考える。いや、これもまた、考えるまでもないか。でも、それなら、国府田先生が真実を告げているとどうやって立証――は、しなくていいのだ。立証責任があるのは、疑義を抱いたとき、疑義を抱いた側の責任なのであって、信じる分には無責任で構わない。信じるといっても、何をするわけでもないのだから。子供の言い合いみたいな議論を展開する羽目に陥《おちい》る前に自分で気付けたのはよかったが、しかし、事前に伏線を張っておいて議論に打ち勝とうとは、随分とまた、それこそ推理小説めいた真似《まね》をしてくれるじゃないか。

「別に国府田先生を絡《から》めるまでもない。『数沢くんが自殺した』なんてことは、僕には立証不可能なのさ。多分、きみにも立証不可能だと思う。立証不可能な事件は、起こっていないのと同じだ。そういうことなのだよ。少なくとも犯罪追求のステージにおいては、僕らは推定無罪の法則を貫かなくてはならないのさ。なんだっけ、『疑わしきは罰せず』って奴さ」

「でも、可能性を追求するのは、それはそれだけなら悪いことじゃないだろ。なんていうのか、懐疑論じゃないけれどさ……デカルトだったか？　『物心二元論』のデカルト。疑えるものは全部疑うってのが、探偵だって、きみ、さっきそんなことを言っていなかったかい？」

「関係者の全員を疑うのがセオリー、といっただけのつもりだ。えらくまた、そこまで曲解しないでくれたまえよ、様刻くん。責任についても言及したはずだよ。懐疑論、まあそれも大いに結構。無論、ちゃんとそれを立証できるなら、ね。なあ、様刻くん。きみは幼い頃どんな子供だったかな？　僕は、結構くだらない奴でね……よくいた、ありふれた、個性に欠けてる癖《くせ》に自分だけは個性的だと信じてやまない、自分の才能に万能感を抱いていた、くだらないガキだったよ。その証明がこの台詞だな……『一足す一はどうして二になるんですか？』。僕はそんなことを、先生に訊いて、相手が答えに詰まるのを楽しんだものだ」

「ま、よくいるガキだな」

「けれど、その質問を発するとき、僕は何を考えていたのだろうね？『一足す一が二になる』ことに対して疑いを抱いたというのなら、僕は一体、『一足す一』が、何になれば納得したというんだろうね？　三かな、それとも四かな、五かな、それとも十なのかな？　それとも、代案もない癖に学校で教えてくれることを、疑いも抱かずに疑ってかかったというのかい？　ガキだね、ガキだったね、全く」

「正直、耳に痛い言葉だ」

「はっはっは、心当たりがあるって感じだね、様刻くん。誰にだって若気の至《いた》りってのはあるものさ。その恥を踏み台に、どこまで駆け上れるかという話でね。まあ、難しく考えることはない。シンプルな話だ。疑ったときは立証しなければならない、ただそれだけの話だ。証明ってのは、『犯人当て』ってのは、そういうものだろう？　さて、とりあえず、これで数沢くんは容疑者リストから外してしまってもいいわけだ。立証のしようがないんだからね。可能性としては残るが、どうにもこの場合は、証拠の不在だね。証拠もなければ根拠もない。疑問を呈するためには疑う理由がない。『どうして疑うのか』という質問に、『言いがかりだから』としか答えられないのだから」

「逆に言えば」

僕は自分の理解を咀嚼《そしやく》するように、言う。

「他の可能性を立証しちまえば、その可能性については、それでいいってわけか」

「呑み込みが早いね。真実は常に一つ。一つが真実なら、他は虚偽、なんて簡単にいうわけにはいかないが、だから『それでいい』というより『それでいいにする』という、一種の迂回《うかい》、一種の妥協だな。交渉ともいう。立証できないものは、真実ではないし、そんなものはそもそもなかった、か。……なんて、一口に『立証』といったところで、なかなか思うようにはいかないけれどね。何せ、情報が少な過ぎる。推理するには材料が足りな過ぎる」

「僕が今散々話してやったろうが」

「まあ、ね……しかしあれだな、様刻くん。僕は今、自分も含めて六人の容疑者を挙げたが、自分の知っている人間を疑うというのは、なかなか気分が悪いな。自分が下種《げす》な人間になったような錯覚がある」

「錯覚ならいーけどな。探偵趣味なんて、そもそも下種なもんだろ。どうしてそんなことをやろうとしてんだか、まだ訊いてなかったっけ?」

「言ったはずだよ。『不安を解消するため』とね。僕は不安定なきみが好きだけれど、この一週間に何があったか知らないが、完結したきみはどうも度を過ぎているようだし、そして——僕自身の不安も、解消できるしね」

「不安と恐怖、か。その解消?」

「その解消。曖昧性の削除、だよ」

まあ、真実を知りたいからとか、謎《パズル》を解きたいからとか、そういう答えよりは、大分マシってところかな。似たようなものといえば似たようなものかもしれないが、似ているということは、違うということと同義でもある。

「で? 数沢くんの自殺が立証できないっていっても、立証できないのは、他の連中にしたって同じじゃないのか? 僕は自分が数沢くんを殺した犯人でないことは知っているけれど、きみから見ればその保証はない、だから容疑者圏内に入る、うん、それはいい。だけど、じゃあだったら、どうやって僕が犯人だと証明するって話だろ？　僕だけじゃない、病院坂、きみ自身も、不本意ながら夜月も、箱彦も、琴原も。立証なんて無理だろ、どう考えても。僕の話だけでは情報だか材料だか足りないってのは、確かにその通りなのだろうし。警察だってまだ『立証』はできてないってことは確実なんだし……大体、容疑者をその六人に絞るのって、根拠があることなのか？　そもそも容疑者は高校生ってさっき言ったのも、確実性という意味では、そう疑う根拠が……」

「高校生だから、六人を疑ったわけじゃない。単純に関係者だから疑ってるだけだよ。僕の仮説がそうだからとか、そういう問題じゃないんだ。最初の時点では、僕には何の仮説もなかった。ただ、曖昧な、『なんだか変だな』という気持ちがあったばかりでね。だが、事件を考えるにあたって……ねえ、様刻くん。もしもここで僕が、本当の目的は、様刻くん、妹さん、迎槻くん、琴原さん……関係者である君たち四人を、容疑者から外すことだったといったら、信じてくれるかな？　立証することが目的なのではなく、少なくともこの僕には、立証できないということを確認したかったと、そういう僕の言葉を、きみは、疑うことなく、信じてくれるだろうかな？」

「馬鹿」

「いわれると思ったよ」

「いわれるまでもねーって意味の『馬鹿』だ。それに、いわせてんじゃねーよ。僕はきみを、そこまで非人情な奴だとは思ってないさ。とんでもねー奴だとは思ってるけどな」

「その言葉だけで、僕は救われたよ」

病院坂は言った。普段とは少し違う感じの、気の入った、真剣な表情だった。

「様刻くん。僕の仮説を聞いてもらえるかな」

「…………」

「聞いてもらった上で、判断して欲しい。僕に――犯罪が立証できているのか、どうか」

「……さっき更衣室に入っていった、真の目的って奴も、聞かせてもらえるんならな。実のところ、僕はそれが気になって仕方ないんだ」

「ああ――それは、別にどうでもいいんだよ。期待を持たせてしまったかな。意味深なことを言ってしまって悪かったね。そりゃただの確認作業であって……剣道の防具って奴と、それに、ルールブックを見たかっただけなんだ。防具が着られればそれにこしたことはなかったが、ま、それは欲張りすぎというものだ」

「防具……ルールブック？」

「うん。剣道の防具はあれで手入れが大変だから、普通持ち帰りちゃんとしなくちゃならないのだけれど、昔の先輩やらが放置していった古いものが絶対にあると踏んでいたし、それに、更衣室の中には剣道のルールブックみたいのが放置されているだろうとも予想していてね。ルールブックに関しては、もしなくても、そのときは図書室にいけばそれでよかったんだから、構わないけど」

「分からないな。剣道の防具やらルールやらが、今回のケースに何か関係あるってのか？」

「ルールというか、規則の方かな。まあ、一般教養の範囲内だとは思うが、一応、念のために確認しておきたくてね。そして確認の結果、僕の仮説は補強された」

「補強ね……つまり、僕に確認してほしいなんていってるけど、本当のところきみは、病院坂、もうその仮説ってのは、自分自身じゃ、ほとんど立証されたものだと思ってるわけだ」

「まあ、そういうことかもしれないね」

「誰が犯人で、どういう動機で、それに基づいてどういう方法を使ったのかも、ちゃんと分かってるわけだ」

「ああ。多分、僕は客観的な評価が欲しいだけだ」

「じゃ、言えよ。もう授業時間も、四分の三が終わってるぜ。いい加減、焦《じ》らし過ぎだ。僕は気の長い方ではあるけれど、特に呑気《のんき》ってわけじゃないんだからさ」

「失礼。では言葉にするよ。結論から言おう、様刻くん。僕はこう考えている、数沢六人を殺した犯人は——」

——と。

さすがに固唾《かたず》を呑んで、僕は病院坂の言葉の続きを待ったが……しかし、幾ら待っても、次の言葉は、病院坂の口から、出てこなかった。きみきみそれはいくらなんでも勿体《もったい》つけ過ぎだろう、間を持たせばいいってものじゃないぞ、タイミングってものがあるだろう、と、少し僕は気色《けしき》ばんで文句を言おうとしたが、しかし、病院坂の顔を見た途端、僕はぎょっとして、それどころではなくなってしまう。


病院坂の顔が、比喩《ひゆ》ではなく、ほとんどそのままの意味で、真っ青になっていたのだ。下手な漫画みたいに、青ざめる、正にその通り。一週間前に見た灰色の顔色ほどでないにしろ、さっきまでの態度が僕の目の錯覚だったかのような、豹変ぶりだった。まるで一時停止のように、病院坂は固まってしまっている。病人のごとき、死人のような顔で。

「お、おい——」

僕は思わず病院坂につかみかかりそうになったが、病院坂はふいっと、それを躱《かわ》し、僕に背《せ》を向けた。ゆらりとした、意思があるとは思えない避け方だった。柳《やなぎ》のようというか、僕が近づいたから、反射的に避けただけ、のような。

「おい、おい、病院坂——」

「分からない、い、い」

ぼそり、と病院坂は、どこへ向けてでもなく、呟くように言った。

「分からない。分、か、ら、な、い。分、か、ら、な、い」

「……え？」

　分からないって……えっと、それはもう、この文脈上、間違いようもなしに間違いなく……犯人が分からないって――そういう意味か？　なんだ、そりゃ。そんなもの、こっちの方が面食らってしまう。それに、今正にその事実に気付いたみたいな言い方をされても、僕は今の時点では、ただの聞き手であって――

「分からない。分からない。分からない。分からない。分からない。分からない分からない分からない分からないわからないわからないわからないわからないわからないわからないわからないわからないわからないわからないわからないわからないわからないわからない……………………………………」

　病院坂はぶつぶつとそう続けながら、覚束ない足取りで、ふらふらと、唐突に、剣道場から外に出て行く。鞄が、肩からずり落ちた。って、おい。おいおい、どこへ行こうというんだ？　僕はとりあえず病院坂が落としたまま、振り向かれもしない鞄を拾い上げ、後を追って剣道場を出る。ああ、開けっ放しにして……って、鍵、病院坂が壊しちまってるじゃないか。改めて考えて、どうするんだよこれ。仕方がない、後で箱彦に、僕の方から事情を話して謝っておこう。本当、どうして病院坂の尻拭いをこの僕がしなくちゃならないのだか。一体僕は今何をやっているのだろう。不安を解消してくれるとか病院坂は言っていたけれど、全然状況は改善されていない。やはり自分のことは自分でやらなければならないのだろう、奇《く》しくもついさっき病院坂が言った通りに。持てる最大の能力を発揮して、最良の選択肢を選び、最善の結果を収める。……いやしかし、それはまだ『終わっていない』状況の話だよな。結果の後。結果の後に、僕は、僕らは、一体何をどうすればいいんだろう。ゴールテープの後でも走り続けているなんて、ただの道化もはなはだしい。上履きを履いて、病院坂を追う。追うと言っても病院坂は別に走っているわけでも駆けているわけでもない、すぐに追いついた。

「おーい、病院坂」

「…………」

「くろね子さん？」

「…………」

「ぽわぽよブルマー」

「…………」

聞こえちゃいない。暖簾《のれん》に話しかけているが如《ごと》き有様《ありさま》だった。寂《さび》しくなってくる。しかし、足取りこそは覚束ないが、どうやら病院坂には確たる目的地があるらしく、どこに行こうかと迷っているような様子はない。体育館から、来た道、渡り廊下を戻り、中校舎に。うん、ひょっとして保健室に帰るつもりなのか？　ああ、そうだな、休み時間になってからじゃあ、もう病院坂は動けないから、ある程度余裕を見て保健室に戻っておかないといけないわけだ。しかしそれならそうと一言くらい僕に言ってくれても……と、病院坂は、しかし、中校舎に入っても、保健室の方向へは向かわなかった。そのまま、廊下を伝って、どうやら、東校舎へと向かっているようだった。東校舎……？　三年の教室棟。でも、まだ授業中だというのに、こんなところに来てどうするんだ？　見つかったら厄介《やっかい》だぞ。それに、なんだかブルマー姿の女が、一人ふらふらと、校舎内を徘徊《はいかい》しているというこの図は（しかもその後ろに一人の男がついて回っているという豪華特典ありだ）、いかさま気まずいものがないだろうか。まあ、病院坂の事情については、教師の皆さんもちゃんと理解しているだろうからいいとしても、僕の方は言い訳のしようがない——と、病院坂は階段を昇る。階段？　さっきの、体育館でのことを思い出す。わずかあれだけの運動でへたりこんでしまった病院坂。僕は身構える。前向きにへたれこむならまだしも、階段、後ろ向きに倒れたらかなり危険だ。それに今の足取りでは……と、すわ、身構えたものの、しかし、病院坂は、ふらふらと、どうということもなく、階段を昇っていく。中途で体力が尽きそうな様子もない。っていうか、体力とか、そういうのとは別の基準で階段を昇っているような……何かに、まるで誘導されているかのような、引っ張られているかのような、病院坂の様子だった。なんか……不気味だ。勿論《もちろん》、こんな病院坂を見るのは、初めてだった。いや、単に、こんな病院坂を見るほどに、僕と病院坂は、深い付き合いはなかったということなのだろうか……考えてみれば、僕はこいつのことを、あまり知らない。制服姿だって先週初めて見たのだし、病院坂があんなにいい乳《ちち》していることも知らなかった。知ってしまえば意識してしまうものだが……それでよく、さっきみたいな格好《かっこう》つけたことが言えたものだ。……しかし、そういうことはさておき、本当、病院坂、どこへ向かうつもりだ？　いざ謎解きを始めようという段になってぎりぎり、剣道場以外にも調べたい場所ができたってことだろうか。

二階……三階……四階。

って、もうこの上には屋上しかないぞ？　先刻まで僕が、今日の午前中のほとんどを無駄に費やしていた場所。琴原と、久し振りに言葉を交わした場所。琴原——琴原りりす。夜月のことはともかく、そっちの方は、別に病院坂に相談してみても、いいかもしれないと思っていたんだけどな……女心を理解できるのは、やはり女だろう、という意味では。ま、そんな単純なものではないから、『おんなごころ』というんだろうけれどね。不安、恐怖。自分は世界と関係ないのかもしれない、という不安。自分自分は殺されるかもしれない、という恐怖。それぞれ、病院坂黒猫、琴原りりすから口にされた台詞だが、案外、この二つは似通った要素を含んでいるのかもしれない。病院坂は琴原の意見を鼻で笑ったし、琴原の方だって病院坂のいうような抽象的なことに理解は示さないだろうが……ん、そういえば、あいつ、保健室が嫌いだとか、どうだとか言ってたな。それってひょっとして……病院坂がいるから、なのかな？　箱彦が警戒しているってことは、当然琴原も、病院坂にいい印象を抱いているわけではないのだろうし……。まあ、仲良くなれそうな、相性のよさそうな二人ではないよな。なんにしても、世界から『きみは関係ないから』なんて宣告されるのは、普通に考えて、もう不安とかいうより、喜劇にしかならないだろう。琴原の言葉の方が現実的であるのは、否めない。世界が怖い。人殺しが怖い。どちらの方が、怖いのかなんて——そんなの、とりあえず客観的に言えばの話ではあるが。正解がどれとか、間違いがどことか、そういうステージの話ではないな。

屋上に出た。

相変わらず病院坂はぼーっとした足取りで、くるりと、その屋上を……否、広がる青空を、空を、見渡す。見渡したかと思うと、また、歩みだす。屋上の端の柵に向けて。風景を見に来たってわけでもないだろうが、……時間がなくなったから、謎解きは別の、人が来ない場所でやろう……って腹でも、ないんだろうな。病院坂は、柵のところまでたどり着いて、一瞬の間もおかず、流れるような動作で、実に簡単に、実に当たり前のように、ひょいっと、手足をかけ、その柵を乗り越えた。

乗り越えたっ!?

「う、うおおおっ!?」

あまりに唐突だったため、僕の反応は一瞬遅れとなった。こういう場合一瞬の遅れはもうそれだけで致命的だが、しかし今回に限って、それはいい方へ働いた。僕はきわめて理性的、何事にあたっても理性を喪失したことがない。夜月の件に関しては、確かに多少理性がずれてしまうこともあるが、しかしそれは修正の必要がない誤差の範囲内だ。だから、僕はこのとき、生まれて初めて、冷静さを、完全な意味で失ったと、そういえるのかもしれない。そうでなければ、僕は病院坂を捉えようとする一連の動作の中に、どうしても『柵を乗り越える』という動きを組み込んでしまっていただろうから。実際に僕が取ったやり方は、理性以外の、衝動にも近い何かの感情にとりつかれて取った行動は、柵の隙間に腕を通して、落下中の病院坂の腕をつかむという滅茶苦茶なものだった。酷く見通しの悪い冴《さ》えないやり方で、ちょっと目測を誤っただけで、自分の手の先が鉄柵にぶつかり、しょぼい突き指をするだけの結果に終わってしまうような、そんないい加減なやり方ではあったけれど、とにかく、僕の右手は、病院坂の左手首をつかむことに成功した。細い、信じられないくらいに細い、手首だった。無論、それだけでは止まらない。ほとんどスライディングみたいな勢いで僕は駆《か》けたのだ、制動をかけられるわけもない、頭と、それから右肩を、しこたま鉄柵にぶつけてしまう。そのあまりの衝撃に、思わず右手を離してしまいそうになるが——いや、そんなことにはならない。僕は、病院坂の手首を引きちぎらんばかりに、強く、全霊を込めて、握り締めていた。

「ぐ、ううう……」

歯を食いしばる、程度では足りない。つかめたらそれでいいというわけではないのだ、病院坂は現在、完全に宙ぶらりんの状態である。高さは四階分。一階一階に結構な高さがある、脚から落ちたらどうとかいう高度では、最早《もはや》ない。そして、人間一人、片手で支えるのには、限界がある。この前、肩にかついだことがある病院坂の身体、片手で吊り下げることくらいはなんとかできるが、しかしそれに耐え続けられるかどうかとなれば、それは完全に筋力を度外視した、無理な相談とでもいう他なかった。

病院坂を見る。

病院坂も、僕を見ていた。

なんだか、それは、縋《すが》るような、救いをもとめているかのような、弱気な、哀《あわ》れを誘う、そんな瞳《ひとみ》だった。ある意味——この状況にはふさわしいとも言えるそんな瞳で、しかし病院坂は、全《まった》くそぐわないことを言う。

「離してくれ、様刻くん」

しばらくぶりに、僕に向けての言葉だった。

「後生だよ」

「……って——おいこら、病院坂、意味わかんねぇよ！　なんでいきなり飛び降り自殺なんだ⁉　く、とりあえず、きみも、そっち側の、手ェ——」

僕は左腕を、同じく柵の隙間から伸ばし、病院坂の左手首を両手で支えようとするが……しかし、届かなかった。片側に完全に拠《よ》る形で柵に突っ込んだため、右腕は肩《かた》のところまでがっちりと、鉄柵に食われてしまっている。それで腕を限界にまで伸ばしてるんだから、遠回りになる左手は、十年かけても届かないってわけか……けど、それは、病院坂がちょいと右手を上に上げてくれたら、それで解決する問題なのに、しかし、病院坂はみじろぎもしない。無論、反対に、僕の手を振り解こうと暴れることもしない。どうせ、今の状態が続けば、僕が疲労から手を離すことは、誰の目にも明らかなのだ。無駄な労力を徹底的に省《はぶ》く、『死ぬ』というその行為に対してすら、適当な態度だった。確かに、ものぐさな人間にとっちゃ、飛び降りと飛び込みは、適当な自殺法ではあるけれど——

「なんだよなんだよ！　どうしてこういうことになってんだ⁉　きみともあろうものが脈絡のないことをするんじゃない！」

「僕には分からないんだ」

「分からない？　分からないのは僕の方——」

何とか会話が成立するところまで来たので、僕は怒《ど》鳴《な》るように言う。ああ、畜生、誰か気付けよ、さっさと！　この下はどうなってるんだ、窓から病院坂の脚が見えたりはしないのか？　ああ、四階の窓の高さ的に無理なのか……じゃあ、中校舎にいる奴、それか、運動場からなら、角度的には……誰かたまには空を見上げろ！　窓際の奴、余所見《よそみ》しろ！　腕が、もう既にかなりきつい。こんなの、あと一分も持たないぜ……それに、僕がいくら頑張っても、病院坂がその気になれば、いつでも……

「僕には分からない」

病院坂が壊れているかのように繰り返す。

「僕には分からない」

「だから、分からないって……さっき言ってた『犯人当て』って奴のことか？　だったらそんなのどうでもいいよ！　僕はそんなの知りたいとは思わない！　きみ、そんなことで、こんなこと——」

「僕は」

病院坂は言った。

「分からないことがあるのなら死んだ方がマシだ」

「…………」

当たり前のように吐《は》き出された癖に、信じられないくらいにぞっとするような、病的な言葉だった。

「ぴょ、病院坂……」

「——きみは、どうして平気だというんだい？　きみだって、本当はたまらないはずだ。世界が……分からないことがあるというのに、何の問題もなく、進行していくんだぞ。それは、世界に『無関係』を言い渡されているようなものじゃないか。矛盾を容認しろ、誤謬《ごびゅう》を見逃せと言われているような……いや、そもそもそんなことを言われもしない。優しくもないし、厳しくもない。どういうことなんだい？　僕には……分からない」

「…………」

「僕は、分からないことが、嫌いだ」

さっき、保健室で——僕は、あの疑問を、言葉にしておくべきだったのだ。病院坂黒猫。病院坂黒猫が、今まで、本当に、あんなくだらない疑問を胸に抱いたまま——生きてきていたのかどうか。何という……世界に対する、愛憎。ある意味子供のようだともいえるが、しかし、そうではない。僕は、あまりにも、病院坂のことを知らな過ぎた。少しでも知っておけば、ここまでの事態は、事前に防げたことだろう。その癖、友達面《づら》して……厚顔無恥《こうがんむち》もはなはだしい。

「分からないことが嫌いだが、もっと嫌いなのが、その分からないことから逃げることなんだ、様刻くん。敗北よりも逃亡の方が、僕の魂《たましい》は、より深く死ぬ」

病院坂は気だるそうに続けた。

「だから、僕は、ここで死ぬ」

「し、し、し、し――」

「死ななくてもいいだろう、か？　けれどね、様刻くん……人生というのは、もともと不安と恐怖の巣窟なのだよ？　どこで何がどうなっているのか分からない、何が起こるかわからない。みんな、そんな人生を、適当にやりくりしているんだろうが……僕には無理なんだ。僕は、そこまで鈍《にぶ》くなれない。僕はとても、おどおどしている。分からないものは怖い。正体の知れないものを見れば不安になる。背後に何かがいる感覚はどうしても駄目だ。相手の気持ちが分からないと嫌になる。知らない事実に出会うと、恐れを抱く。未知のものに遭遇したときわくわくするという気持ちが、僕にはどうしても理解できない。理解できないから、また怖い。矛盾が怖い。誤謬が怖い。間違いが怖い。真実以外の全てが怖い。『世界』に嫌われているんじゃないかと思うと……それが、怖い」

「は、て、て、て――」

「こんなわからないことがあるのなら、僕はもう生きていたくない」

「そ、そん、そん――」

そんな考え方は、あまりにも独《ひと》りよがりだ。独善的、といってもいい。まるで、自分のことしか考えていないじゃないか。嫌になったから、死ぬ？　酷く、自分勝手過ぎる。それは、もう、自分以外の全ての人間に対しての、侮蔑《ぶべつ》といってもいい。そんな考え方は、世界を見捨てている。確かに、それは、問題に対しての逃げじゃない。確かに、確かに、確かに——それは分かる。それは、問題に対する、一番冴えた、シンプルな優れた解答法ではあるのだ。最大の能力を最良の選択肢に行使し、最善の結果。まるで、それなら字面通りだ。大したものだ、完全に立証できている、完璧なる答えだ。でも、でも、だからって……

「だからって、病院坂——」

「無駄だよ、様刻くん」

病院坂は淡々と、空っぽの言葉で言う。

「きみには、僕が間違ってはいないことが、分かっているはずだ。これが、もっともソフィスティケートされた解答であると、ちゃんと伝わったはずだよ。きみの不安定さを是正してあげられなかったのは、友人として少し残念ではあるが……まあ、自分のことさえちゃんとできない僕には、過ぎた高望みだったのかな。しかし僕と違って、きみにはまだ希望がある。僕のようなことにならないよう、精々気をつけてくれたまえ」

「で、でも——」

「赤ちゃんみたいなことを言わないでくれ。……あはは、こんなことなら、ちゃんとおっぱい、触らしておいてあげればよかったかな？　そろそろ力尽きる頃だろうから、もうそれも無理だけど……最後に手を握ってくれたのがきみであったことを、僕は神様に感謝しながら、お先に失礼させてもらうよ」

的確な反論が、何も出てこない。と、言うか……反論するに足るだけの根拠を、病院坂の言う通り、僕は何も、持ち合わせていないのだ。病院坂の論理を心のどこかで認めてしまっているこの僕には——反論する、権利がない。病院坂の前に立ちふさがる、その資格がない。問題に向かって、ちゃんと前向きに対峙している、命を賭してまで対峙している者を前に何かをいうには、僕は、これまでにあまりにも、たくさんの問題と相対し過ぎてきた。病院坂に対して、『自分勝手過ぎる』とか、『そういう考え方は他の人間に対して失礼だ』なんていっても、その言葉はすかすかのそれにしかならないのだ。世界を見捨てているといっても、先に見捨てたのは世界の方だ。ちっとも、説得力というものがない。分からないことが嫌い。ずっと……それだけを思って、病院坂はここまで来たのか。なんて、人生だ。付き合いきれたもんじゃない。くそ、こんなことなら、どんな気分が悪くても、ちゃんと授業をサボらず、保健室になんか行くんじゃなかった。まさかこんなことになるなんて。ごきん、と、生々しい、痛々しい音がした。病院坂の、肩か肘《ひじ》か、どちらかが脱《だっ》臼《きゅう》した、音だった。

「……痛いなあ」

病院坂は、うっすらと、気味の悪い笑みを浮かべて、そう言った。

「人生は痛みの連続だな」

「…………」

「痛いよ、様刻くん。僕はとても痛い。間断ない、痛くて痛くてたまらない。僕はこの痛みには我慢ならない。人生なんて、そもそもが他に例をみないほどの行き詰まりなんだよ……恥も外聞もなく泣きたくなってしまうほどにね。世界は綻《ほころ》びから滅《ほろ》びに至る道でできている。様刻くん、きみの肩だって、いつまでも無事とは限らないよ？　きみのような男が、僕なんかのために身体を張る必要はないのだよ」

なんだかんだいいつつ、今回のことは、病院坂黒猫お得意の、気まぐれのおふざけみたいなものだと、思っていた。僕達『関係者』の容疑を晴らすため、というのも、そりゃ、感覚としてはあったかもしれないが、退屈な学校生活に花を添える、そういう感覚で、探偵活動に乗り出したのだと、僕はどこかで、そんなことを考えていた。不謹慎だと、そう思う気持ちも、大きかった。『不安の解消』なんて、相変わらずのレトリック、言葉遊びみたいなものだと、僕を連れ出すための方便だろうと思っていた。いつか夜月の部屋で読んだ小説に出てきた名探偵が、得意げに謎を解いて喜んでいた、あれに類するところが、病院坂の今回の行動基盤なのだろうと、僕はたかをくっていた。『根はいい奴なんだけど、困った奴だな』程度の、その程度の認識だった。でも、違った。『不安の解消』。それは、むしろ病院坂自身のためだったのだ。こいつにとっては——自分の人生に、生命に、直接かかわってしまうことだったんだ。助けを求めているというあの言葉は——衒《てら》いでも韜晦でも、なんでもなかったんだ。いつもそうだ、こいつは、平気な顔で、本音を吐く。

思いもしなかった。

命がけで生きている人間がいるなんて。

「く、う、ぅうぅうう——」

筋肉が、ぶちぶちぶち、と切れていくような、そんな錯覚があった。さすがに切れやしないだろうが、しかしそれでも、少なくとも完全に腕が伸び切ってしまっている。畜生。大体、僕はそれほど、図抜けて腕力があるってわけじゃないのだ。近頃の運動不足は否めないし……。それでも僕は、渾身《こんしん》というよりもう根性で、病院坂の手首を離さないが、それが、正しいことなのかどうか、わからない。わからない。ああ、僕にもわからないさ。僕は間違っているのかもしれない。こんなことは、少しも『本当のこと』ではないのかもしれない。握力がなくなっていく感覚。命がけで戦っている戦士に向かって『命を大事に』なんて、そんな白々《しらじら》しい言葉をいうべきでないことも、『戦いなんて、争いなんてばかばかしい』ということの無意味さも、僕には分かってしまっている。僕自身がそういう生き方を心がけてきたのだ。今の病院坂の姿は、いうならば、僕の根源を極端な形で表現したそのものであって、もし僕が病院坂の立場だったら『関係ない癖に邪魔するな』ということは間違いない。僕は、自分で間違いだと理解している行為を、苦痛に耐えてまで続けている。まるで能力を使わず、間違った選択をして、どんな結果に至るのか。でも、それでも、僕がこの手を離すってことは、そりゃ、つまり――

「いい加減にしてくれよ」

病院坂は、いい加減苛立《いらだ》ったように言った。

「その手を離してくれと、何度言ったらわかるんだ。きみの肩にこれ以上負担をかけるのは忍びないんだ。様刻くん、もしもきみが、僕に少しでも友情を感じてくれているというのなら――」

「ふ――ふざけんな！　きみは――きみは、きみは、僕にきみを殺せと言うのか⁉　僕に人殺しになれっていうのか⁉　きみは今、僕に『殺してくれ』って頼んでんだぞ、それこそ分かってんのか！」

僕は――叫んだ。

悲鳴だった。

「…………」

「この手を離すっていうのは、そういうことだ！　きみは僕を友達を殺した男にするつもりかよ！　友情だって、とぼけんな！　自分の腕を大事に、友達を見捨てた野郎が櫃内様刻だと、我慢できるかそんなもん！　見殺しにするだけでも耐えられないってのに、直接、僕を原因にして、きみは死ぬつもりなのか⁉　最後に手ェ握ってくれてどうとか言ってたけどなあ、相手が死のうってのに、何もできず手ェ握ってるしかねえ奴はどうなるんだよ！　きみが死んだあと、僕はどうすればいいんだ⁉」

「…………」

あっけにとられたような、病院坂の顔。ああ、そりゃさぞかし珍しい見世物だろうよ。こんなことを言うのは初めてだ、こんなことを思うことすら、初めてだ。こんなに取り乱すのは初めてだ。違ったはずだ。僕は、クールな男だったはずだ。自殺する人間が増えている、なんてニュースを見ては、死にたい奴は死ねばいい、何故《なぜ》邪魔をするのか、なんて、そんなヒネた感想を述べる奴だったはずだ。自殺に関してだけじゃない、数沢くんの死を聞いたときだって、まるで取り乱しもしなかった。近場で人が死ぬのは初めてだったので、多少気分が高揚《こうよう》した程度で、頭の中では、夜月との問題について、考えていたじゃないか。さてこれからどうしようか、なんて考えていたじゃないか。常に理性的であり、論理的で、哲学も感情も、そんなものは、僕を取り乱さすには全然ちっぽけで、取るにたらないものだったはずだ。

「様刻くん——」

「うるせえ、そんなに死にたきゃ勝手に死ねばいいだろうが！　とめやしねえよ、面倒な！　きみなんかどうなっても知るもんか！　だけどな、これだけは憶えとけよ、これだけは忘れるな、あの世に行っても繰り返せ！　きみがもしも死んだなら、どんなときにどんな形で死んだところで、僕はもう、きみのことを、悲しいときにしか思い出さないぞ！　悲しいことがあったときは、いつでも病院坂黒猫のことを思い出す！　きみは、そんなんでいいのかよ！　きみは、ぼくにとってそんな存在で、いいのかよ！」

「…………」

「どうした！　何とか言ってみろ！　得意のおしゃべりで、この僕を言いくるめてみろよ！　簡単なもんだろうが！」

「……………………」

しかし病院坂は、僕には応えず、す、と、静かに俯いて……、眼下に広がる、遥《はる》か遠い地上を、眺めるようにして——

「くす」

——と、笑った。

「は、ははははは……あはははははははは！」

「……？」

その、狂的な笑い方に、僕は、思わず身構える。

「ああ、なるほどね……そりゃそうだ！　確かに、それはよくなかったな、様刻くん！　それは、最悪だ、最悪だ最悪だ最悪だ、僕にとってはとんでもないほどばかばかしさに満ちた、未曾有《みぞう》なほどに最悪の事態じゃないか！　な、なんておかしいんだ、実に片腹痛い、最高のセンスじゃないか、神様の道化だな！　よりにもよってきみに、友達に向かって友達殺しの罪を背負えなんて——なんて茶番だろうな！」

「お、おい……病院坂？」

わけのわからないことをぶつぶつ口にする病院坂に、僕は恐る恐る、声をかける。さっきまでの、高ぶった気分が一気に冷めていく。『不安の解消』がどうとか言うよりも、こいつ、ひょっとして、とっくの昔におかしくなってしまってるんじゃ……神経症とか、人ごみが苦手とか、そういうレベルではなく——というような、別の種類の『不安』が僕の心に湧《わ》いてきた。だとしたら、もうそれは、客観的な観念で、僕の出る幕などではなく……

「何をしているんだい？　様刻くん」

切り替わったようにさっぱりと、病院坂はいった。もう、さっきまでの、どちらの態度でもない……それは、僕のよく知る、病院坂黒猫の、態度だった。にんまりとして、小狡《こずる》そうな、小賢しそうな、意地悪そうな——常に、楽しげな、表情で。

「そろそろ、引き上げてくれないかな？　今まで巧妙に隠していたものの、実は僕は、高所恐怖症なのだよ」

「——へっ」

僕は……苦笑した。

「いろんなもんが怖いんだね、病院坂さんは」

「臆病なのさ。ちなみに一番怖いのは、様刻くんからの愛の告白かな」

「言ってろ、バーカ」

……って、軽口を、交わしているのは、別にいいのだけれど……とりあえず、生じた問題を、どうやら片付けられたらしいことは、最善かどうかはしらないが、とにかく次善を収められたこと自体は、喜ばしいことなのかもしれないけれど……でも、その、もう、僕の右腕には、全然力が入らないのだけれど。引き上げるといっても、今から左手を補佐に回しても、そんなのじゃ全然間に合わないし、ただでさえ腕力に欠けてそうなのに、その上片方の肩を脱臼している病院坂が、僕の腕をよじ登ってなどこれるわけもないし……

「ふう、参ったね」

病院坂は大仰《おおぎょう》にため息をついた。

「とりあえずこの場は、大事な友人であるこの僕を心配するあまりに、頭に血が上って気が顛倒《てんとう》してしまっていたことにしておいてあげるよ、様刻くん。こんな程度できみの頭脳レベルを判断したりはしないから、安心してくれたまえ。さっきの啖呵《たんか》は、うん、それなりに、僕の心の傷《いた》んだところに、じわっと染みてきたことだしね、まるっきりこの仮説も間違いというわけではないだろう。ああ、ちゃんと応えておくと、僕もきみのことが大好きだよ。その証拠として、これから僕は、嬉しいことがあったとき、いつでも様刻くんのことを思い出そう。それで、今回のことを、許してもらえるかな。迷惑かけたね、ごめんなさい。それじゃあ様刻くん、さっさとスラックスのポケットから携帯電話を取り出して、迎槻くんでも琴原くんでも、選り取りみどり好きな人に助けを求めたまえ」

好きなものを好きなままでいるのは、これは意外と難易度の高い『技術』だろうと、僕は思う。昔好きだったもので、今もなお好きなものなんて、一体どれほどあるだろうか。たとえば僕は中学生の頃、本を読むのが、いい古された表現でいえば『死んでもいいほど』好きだった。本を読み死にたいと思った。理想の死に様は、布団の中で本を読んでるときに地震が起きて、崩れてきた本棚の中の江戸川乱歩全集に押しつぶされることだと、半ば本気で、ほとんど本気で、そう思っていた。本自体は小学生の頃から読んでいたものの、中学生のときそれは自他ともに認めるほどに常軌を逸していた。僕はこのまま本を読みまくる本読み人生を送るのだろうと、確信していた。けれど、今は、昔ほど、もう本を読んでいない。本を読んで感動することも、少なくなってしまった。この間夜月から借りた本で得た感動は、本当に久し振りだったのだ。世に出ている本のレベルが下がっただの、文壇に才能がいなくなっただの、そんなことをいうつもりはない。要するに……僕は、本を好きであることに、慣れてしまったのだろう。『未知のものに遭遇したときわくわく』する感覚、それを病院坂は恐怖と言ったが、それは『スリル』という観念から理解すれば、よく分かる。パターンが読めてしまったら、どんなに好きでも、それは脳内だけのちょっとした処理で済んでしまう、そういうものになってしまう。病院坂が剣道場でぶっていた『パズラー』論ではないが、同じものばかりでは飽きてしまい、予定調和のお約束と化す。人間は刺激を求める。刺激を、刺激を、もっと刺激を。夜月は今、読書に嵌《はま》っている。本人は、一生本を読み続けるつもりだろう。でも、それが、果たしていつまで続くものだろうか。新しいものを更に新しいものをと貪欲に求める精神には、小説のように、所詮は枠の外から出られないものでは、対応に限界があるのではないだろうか。無論、この話には逆もある。昔は嫌いだったものが、今では好きに、そこまで言わなくても、存外平気になってしまうことだってある、それも頻繁《ひんぱん》に。『嫌い』に慣れてしまう、ということ。好きが嫌いに転じ、嫌いが好きに転じ、あるいは、どうでもいいものが素敵に見えたり、素敵に感じていたはずが、酷くつまらなく見えたり。人間が記憶や経験を積み重ねて『自分』を構成していく作りになっている以上、ある種やむなし、むべなるかなという話であるが、しかしそんな中、好き嫌いが平気に揺らぐそんな中、昔から、ずっと昔から、憶えている限りの昔から、好きであり続けている『何か』があれば……それは、きっと、輝《かがや》ける何かではないだろうか。

病院坂は、救急車で運ばれていった。肩の脱臼程度なら自分で治《なお》せると奴は言い張っていたが、先日あんな事件があったばかりだし、病院坂黒猫は特殊な事情を抱えている生徒だ、無理もない。僕の方は、脱臼こそしていなかったものの、鉄柵に挟まった形の肩から出血していて、保健室行き。国府田先生に死ぬほど怒られた。僕が悪いわけでもないのに、散々怒られた。人命救助という褒められてしかるべき行為に及んだ僕に対し、それはあんまりな扱いだと思ったが（どうやら授業をサボっていたことが悪印象だったらしい）、詳しい事情を話すわけにもいかないので、甘んじて受けた。結局、『授業をサボって保健室から病院坂さんを連れ出して屋上で妄想《もうそう》バレーボールやってたら落ちそうになった』奴だということに、僕はなった。ま、友達を殺した奴にならなければ、それであとは、どうでもいいんだけど。多分ね。

肩にも他の部位にも、ずっと継続し、拡散するような質の悪いタイプの痛みはなかったが、とりあえず大事をとって（とは名目で、実際のところは教師陣からの事実上『軟禁』として）、僕は保健室のベッドの上で六時間目の時間を過ごしていた。五つあるベッドの内、最初は一番端のベッドで寝転んでいたのだが、国府田先生がいなくなってから気が変わって、真ん中の、普段病院坂が占有しているベッドへと移動した。うつ伏せに寝る。やっべ。病院坂の匂いとか分かる自分がいるし。ちょっと今日は、あいつとかかわり過ぎたかな……いや、ちょっとどころでなく——うわ、あんな感情的になってた自分、マジで恥ずかしい。感情、激昂、夜月のときとは違って……本当に計算なく、なんていうか——格好悪い。羞恥《しゅうち》というより、屈辱。今更のように赤面して、僕は枕に顔をうずめて、時間を過ごした。取り返しのつかないことをしてしまったような気分だ。おいおい、僕、どんなこと言ってたよ？　思い出したくない……いっそ、眠ってしまえたらと思う。今まで、後から考えれば『間違えた』ことはたくさんあったが、その際に間違っているかもしれないと思いながらも、その選択肢を選んでしまうなんて——しかも、それ自体について、あまり後悔していないなんて——ああ、本当に、眠ってしまいたい。しかし、よく考えたら、今日学校にいる間、ほとんど寝てばっかりだよな……。僕は三年寝太郎か？

「何やってんだお前」

放課後、六時間目のチャイムが鳴ってほとんど直後、箱彦が保健室にやってきた。

「おう。見舞いにきたのか」

「笑いにきたんだよ。お前は平穏な学園生活を一日として送らないつもりなのか？　しかもそこ、病院坂のベッドじゃねーのかよ。んなトコで寝てんじゃねーよ」

「いいじゃん。汚いもんみたいに言うなよ」

「そういうわけじゃねーけどよ……」

「琴原は？」

「掃除当番」

「ふうん……」

「んだよ。気になるのか？」

「気になるっつーか……」

ふと、疑問。琴原が僕に告白したこと——それに続いて、その告白を取り消したこと、それについて、箱彦はどこまで、どの程度知っているのだろう。知っていても不自然じゃないとは思うが、知っているべきだというほど、積極的に可能性を肯定できない。少なくとも、立証できるかどうかでいえば、立証はできないな……どちらにせよ、箱彦から切り出してくるのでもない限り、こちらからは触れない方がいいかもしれない。ん……いや、ちょっと待てよ。この問題に関しちゃ、そういうわけには、いかないんじゃないのかな……だって、箱彦にしろ、琴原にしろ——そうだ。その態度は、問題からの、逃げになってしまうんじゃないのか。敗北ではなく、逃走。病院坂の言葉を、思い出す。さっき、その延長で、彼女がどんなことになってしまったのかも。うん……そうだよな。そうだ、僕は、そういう奴じゃなく——もっと、ちゃんと、ああいう風に、問題と、向かい合える奴だったはずだ。少なくとも、目の前に、問題が問題として、存在さえしていてくれれば。そうか……案外、解答は、この辺にあるのかもしれないな。

「まあ、気になるの——かな」

「ふうん。でも、別に俺とりりす、ずっとセットなわけじゃねーし。むしろチョイスな関係でな、俺に聞かれても困る。俺はりりすの秘書じゃねーんだから」

「だろうね。で、それなら、お前は？　こんなところに来てる場合なのか？　男の見舞いなんてつまんねーぞ。あんなことがあって一週間もお休みしてたんだ、これから部活動で大忙《いそが》しだろ」

「いやあ、暇でたまらんよ。あんなことがあったからこそ、顧問命令で、自粛だ」

「いいのかよ。大会、近いんだろ？」

「それどころじゃねーよ。何せもろにピンポイント、正選手が死んじまったんだから。当事者としちゃ、他の部みたいに今日から気持ちを切り替えて、とはいかねーやな。しばらくは稽古どころじゃねーって感じだ。ひょっとしたら、大会は出場辞退かもしんねーな。三年の正選手にゃ、可哀想な話だが、ま、仕方ねーっちゃ仕方ねーんだろうぜ、こういうのって」

「お前も三年の正選手だろ」

「俺は一年ときから試合にゃ出てたから」

「そっか……あ、ごめん、箱彦」

「んだよ」

「剣道部室の鍵、ぶっ壊しちゃった」

「んだと?」

「今日一日、サボってるときに、なんとなく剣道場が見たくなってね。やっ、ちゃっ、た」

箱彦は露骨に顔を顰《しか》めた。

「可愛く言っても許すかよ。なんだなんだ、探偵ごっこって奴か? 様刻らしくもねーな」

「そういうんじゃないよ。ただの感傷《かんしょう》……数沢くんとも色々あったし、祈ってみてもいいかなってさ。じゃ、箱彦、今日はもう帰宅か? 自粛ってんなら、自主練習も自粛なんだろうし」

「まあね……」

「じゃ、久々に、お前ん家行ってもいーか?」

「ん?」

ちょっと驚いたような箱彦。

「どういう話の流れだ? そりゃ」

「ちっと今、家帰りたくねー心境なんだよ」

「何? 妹と喧嘩《けんか》でもしたの?」

「馬鹿め。妹とはいつも、らぶらぶさ」

嘯《うそぶ》いてみせるが、しかし、病院坂と起こした先ほどの騒動は、当然夜月のところにも届いているだろうし、家に帰ればそのことについて問い詰められるのは必定だ。だからここは少し余裕を置き、その問題に対する何らかの解答を立てておきたいというのが本音だった。それに、その夜月の問題を片付ける前に、片付ける前提として、済ませておかなければならないあれこれがあるし、そう、試験用紙が配られたとき、一番最初に考えなければならないのは、どの問題から先に解くのか、その順番だ。問題に対する解答は、一つずつ、順番に順番に、慎重《しんちょう》に慎重に、片付けなければならない。全体を俯瞰《ふかん》し、個別に撃破、基本である。問題に対する解答……ああ、久し振りに、なんか、いい感じだな、それ……。

「ま、別に形式ばってってわけじゃねーんだが、箱彦、お前に聞きたいことと、話したいことと、そこそこ色々あって」

「へえ……そりゃ、丁度《ちょうど》いいわ」

箱彦はそんなことを言った。

「俺も、お前に話とかあったし」

「ふうん。奇遇……だな」

「ここで済ませてもよかったんだが……ま、下手に込み入ったらアレだしな。どうせ俺ん家親遅いし、久々に遊びに来いよ。何もねーけど、法律に触れる飲み物くらいなら出せるぜ」

「オッケー」

「本当は道場もあるんだが、そっちも自粛ってことにしとくわ。気が乗らねーちゃ、気が乗らないし。しかし、様刻、お前はいいのか？　あれだけの騒ぎを起こしたんだ、職員室とか生活指導室とか、呼び出されたりしてねーの？」

「全然」

というのは嘘で四時に生活指導室にいかなければならないことになっているが、もうここまでやってしまったのだから、そんなもの行こうが行くまいが同じである。数沢くんのことで先生達もぴりぴりしていたところだろうし、今日の件で、僕が今まで二年と数ヵ月かけて積み立ててきた色んなイメージががた崩れになってしまったことは、間違いないだろうし、こうなってしまえば、もうなるようになれ、だ。どうなったところで、最善の結果からは程遠い、似たような位置に落ち着くことだろう。どうせ元々そこまでいいイメージを抱かれていたわけでもない、その辺は問題ないさ。

「そっか。じゃ、行こうぜ」

「応《おう》よ」

ベッドから降りて上履きを履く。鞄は……あ、教室に置きっぱなしだ。いいや、学生証は定期入れに入れてポケットに入ってるし、このまま帰ってしまおう。あ、駄目だ駄目だ……今日は弁当を食べていない。季節もそろそろいい季節だ、一日放置するだけでも相当危険だろう。結局、僕は箱彦には先にゲートのところまで行ってもらって、教室まで戻って鞄を取ってくることにした。琴原が掃除当番だと言っていたので、ひょっとしたら遭遇することがあるかもしれないと心構えをしておいたが、それは、杞《き》憂《ゆう》だった。いいことなのか、悪いことなのか。ふん……どちらにしても、やはり、いつまでも、こんな関係でいいわけがない、な……。そうだ、病院坂が——気付かせてくれた。病院坂が、教えてくれた。僕らの前から、問題がなくなったりするなんて、ありえないということを。

人生は分からないことだらけだ。

分からないことは、問題なのだ。

女心が分からないなんて——そんな簡単な言葉で逃げてはいけない。選択肢を選べ。持てる最大の能力を発揮しろ、常に前に進め。終わりなどない、完結などない。僕は、まだ、終わってない。終わっても、またすぐ始まる。少なくとも、それが、僕にとって生きているということで……『わからない』なんていうときは、そうだ、やっぱりそれはエンドマークで、死ぬしかないような、そんなときになってしまうのだろう。ありがとう、病院坂。少なくともきみは……僕に関してだけは、不安の解消に、成功してくれたようだ。恐怖の方に関しては、いまいち、微妙なところがあるが……そっちの方は、自分でやろう。最初から、それは自分のことなのだ。友達任せにはできない。胸を押さえる。思わず、笑みがこぼれてしまう。何だろうな……やっぱり、そんなことを言っても、さっきのことは恥ずかしいし、格好悪いと思うし、思い出すだけで顔から火を噴《ふ》きそうだけど……とりあえず、それでも、なんていうか——いい、気分だ。そうだよ。僕は昔から——ずっと昔から、問題を解いてばかりきたんだ。難解な問題に取り囲まれたときこそが、僕の一番格好いい瞬間なのだ。だからこそ、問題がなくなったとか、終わったとか、そんな幻想を抱いちゃいけなかったんだ。鰓《えら》のない魚だ、止まるわけにはいかないのだ。僕は泳ぎ続けねばならない。夜月のことだって——まだ、全然完結なんてしていない。お互いの気持ちを確認したところで、大変なのは、むしろ、これからなのだから。

箱彦と合流し、ゲートをくぐって外に出て、『天国への階段』をずっと下り、バス停が見えてくるが、そこは素通り。そこからだらだらとした、やや勾配《こうばい》の緩《ゆる》い坂道を更に下って、たどり着く住宅街の中に、箱彦の家はある。二階建ての、まあ中流階級の平均的家屋って感じだ。そういえば箱彦の両親は何をやっている人達なのだろう。友達の親のことなんて、そう気にしたりもしないから、意識しなかったし、とりたてて聞こうとも思わないが。前に遊びに来たときも留守にされていて、まだ会ったことはない。うちの両親と同じ、時間に不安定な仕事をされているのかもしれないな。箱彦が玄関を開けるのを待って、靴を脱いで、すぐに見える階段を昇って一番近いドアが、箱彦の部屋への入り口である。正当な評価としては整理整頓されていない、散らかった感じのスペースではあるのだが、しかしこの箱彦の部屋、ただでさえ結構な面積がある上に、家具自体が少ないので、かなり広く見える。『整理の職人』夜月は、あの八畳半を相当うまく活用しているようだが、しかしもの自体がないというこの場合には、どうしても敵いっこない。そもそも、この部屋には本棚がないのだ。その事実は、初めて訪ねてきたときの僕にとっては、結構な衝撃だった。唯一、この部屋において目立つ、異彩を放っている家具といえば、冷蔵庫くらいか……。箱彦は鞄を置くよりも先にその冷蔵庫を開けて、ビールの缶を二本取り出し、一本を僕に向けて、「ほれよ」と投げてきた。僕は片手でそれを受け止める。

「発泡酒か。日本酒とかねーの?」

「ねえよ。俺は安上がりの男でね」

「泡《ポップ》でいーなら炭酸でいいだろ」

「んだ? そっちが好みか?」

「僕は昔っから、妹と飲み物に関しては、甘い奴なんだよ」

とか言いつつ、乾杯。アルコール分は、久し振りだった。箱彦は無愛想な机の前にあるこれまた無愛想な椅子に腰掛ける。僕はその正面に、座布団もクッションもなく直接フローリングの床に腰を下ろし、胡坐をかいた。「くっくっく」と、箱彦が笑う。僕も、なんとなく、自然、微笑を浮かべた。

「で、どうしたよ」

「いや……実際、どうしたってほどじゃ、ねーんだけどな……うん、まだ、今の段階では、全然どうしたってわけじゃねーんだが——箱彦。これは僕が言ってるんじゃなくて一般論として、誰のことを指してるってわけじゃなくて——女の子って、面倒くさいよな」

「……なんだ。知らなかったのか？ 賢い賢い櫝内くんらしくもねーな。それとも、様刻も、意外と女性経験の方には乏《とぼ》しくてってわけ？」

「中学んときはそれなりに。でも、高校生になってからは、あんまりね……」

「妹さんの監視の目がきつくなったんだよな？」

「それもあるかな」

「お。認めるのかよ」

「はは。でも、別にいーんだよ。僕、元々、そういうの、どうも綺麗事めいてて、どうも絵空事めいてて、苦手だったしな。中学んときだって、こっちから言い寄ったことはなかったし」

「中学ね……俺と会う前だな。じゃ、お前、小学校のときは？ つーか、初めてのちゅーとか、いつよ」

「おっさんみたいなこと訊くなよ」

「興味はあるね。お前みたいなお澄《す》ましさんが、いつ頃からそういう方面に目覚めたのかっつーのは」

「初めてのちゅーは、小学四年生」

言いながら、僕は床に散らばっている、数冊の文庫本を見やる。遠くのはよく見えないけれど、近場のは……時代小説ばっかりだ。なんか、お約束といえばお約束、わかりやすいといえばわかりやすいけれど……僕にゃ、あんまり縁のない世界なんだよな。歴史小説や捕り物帳なら、結構数を読んではいるんだけれど。

「小四？　すげーな」

「いや、あまりいい思い出ではない」

「なんで？」

「相手が担任の先生だったんだ」

「別にいーじゃねーか」

「二十四歳で、めちゃくちゃ美人だったんだ」

「ますますいーじゃねーか」

「男だったんだよ」

「………………」

　箱彦は沈黙した。『マジ？』みたいな顔をしてくれているが、残念ながらマジである。騒ぎ立てれば問題にもできただろうが、既に僕は、夜月の件があって転校してきた身だったので、またぞろというわけにも行かず、その問題については、別の方法論をもって、解決へと臨んだ。うまく解決できていなければトラウマになっていても全然おかしくない事態だったので、思い出すだけで、ちょっとばかしおぞけが走る。でもまあ、あの人、美人さんだったことだけは確かだからな……今頃、どこで何をしているのやら。まだ教師を続けているのだとすれば、小学生の皆さん、ご愁傷様である。僕は唇とペッティングだけで済んだが、中には最後までやられちゃった子もいるという話だったし。

「……お気の毒。悪いこと訊いたな」

「いや、別にいいんだけど……でも、気持ち悪いくらいキスがうまかったんだよな、あの先生……その後口直しにと、クラス中の女子相手に行為に及んだけど、やっぱ駄目だわ。大人って何があるか知れたもんじゃねーから怖いよな。おいおい、箱彦、僕の話ばっか聞いてんじゃねーよ。箱彦は？　どうなんだ？　そっち関係。剣道部の部長といえば、やっぱそれなりにもてるんじゃないのか？」

「女の子に嫌われる体育会系ベスト1だぞ」

「あ……臭《にお》うから」

いつかの琴原の話と、今日の病院坂の、更衣室に入っての感想を思い出した。

「箱彦は——」

いい頃合かと見て、僕は切り出す。

「琴原のこと、好きじゃねーの？」

「……ん」

箱彦は空になったビールの缶を、ゴミ箱に捨てた。ゴミ箱が三つあるところを見ると、ちゃんと分《ぶん》別《べつ》回収しているようだった。そう、箱彦は、見ての通り、分別《ふんべつ》のある男なのだ。病院坂や琴原とは違い、こうして正面から向かえば、ちゃんと応えてくれるだろう。箱彦は、しかし、それでも少しの間黙って、考えているというよりは躊躇しているかのように首をひねって、立ち上がり冷蔵庫にいって、二本目のビールをあけて、椅子に戻ってき、そして、僕を見た。

「あいつは、家族みてーなもんだ。つーか、まあ、家族かな。小っちゃい頃から、ずっと一緒に剣道やってきたんだし」

「家族ね……」

僕にとっての夜月はきみにとっての箱彦と、似たようなものじゃないのか——みたいなことを、琴原に言ったことを思い出す。あいつから告白を受けたのは、その直後だった。ふうん……琴原が箱彦に対していっていたことと、ほとんど、同じか。そんなものなのだろうかと、僕は疑問を抱いた。そんな簡単に——割り切れるものなのだろうか。嘘ではないのかもしれないが——本当のことは、もっと別にないのだろうか。

「あいつに告《こく》られたんだろ？」

箱彦は言った。

「知ってるよ」

「知ってんのか」

「まーね」

「琴原の気持ちについては、箱彦、いつ頃から、知ってたんだ？」

「前々から感づいてはいたよ。俺ァ勘《かん》はいいんでね。去年のいつ頃だったからか変な風に色気づいてたし、いきなり志望大変えてるしな、怪し過ぎだってーの。ただ、あいつの口から直接聞いたのは、ついこの間だよ。数沢のことで、お前が琴原に絶交を言い渡した、その直後だ」

「絶交を言い渡した覚えはないよ」

ま……確かに、本人にしてみりゃ同じだろうが。

「それに、そのときの問題は、数沢くんにあったわけじゃなく、妹の方だ。その時点じゃ、数沢くんのかの字も、僕は知らなかった」

「へ……だから、俺はいつも言ってんだよ。様刻、お前もいつまでも、兄の兄による妹のための交響曲、奏でてる場合じゃねーんだってな。甘やかしってのは、甘やかされる方も甘やかす方も、大概、人生棒に振っちまうもんなんだから」

「僕は今でも自分の判断が間違っていたとは思わないよ。でも——ちょっと、琴原に対してやったことは、軽率だったとは、思う。お前の計らいで、あいつと仲直りできたとき、わかったもんだよ、そういうのは」

「ふうん……でも」

箱彦は少し言いにくそうにした。僕は頷く。

「ああ。付き合うっていうのは、何か違うと思う」

「だろうな。それは、妹さんは関係なく、か？」

「関係なく——は、ないんだろうけど」

僕は少し間をあけてから、言う。

「うん、箱彦。僕はきみの言う通り、どうしようもなくシスコン野郎らしくってね。救いようがないって意味じゃ、救いようがないんだろう。でもね……それは、あんまり主要な要因じゃなくて、それを理由にしてしまえば、それはただの言い訳になっちゃって、僕は妹を言い訳に使いたくはないから——だから。やっぱり、琴原って、僕にとって、友達、だと思うんだよね。箱彦にとって、琴原が家族である

「ように」

「…………」

「箱彦。でもさ、家族ってのは、突き詰めれば恋人の延長線上だろう？　だったら、恋人ってのは、友達の延長線上って解釈で、いいんだろうか。僕にはそんなこと――」

病院坂黒猫。

「――分からないよ」

「……ごちゃごちゃ考え過ぎって気もするけどな。でも、ま、いい加減な気持ちで考えるよりは、マシなのかもしんねーか。数沢なんて、その辺、かなりちゃらんぽらんだったからな。お前そんななんで将来どうするんだよって具合にさ」

「将来、か。将来、ね。……たとえばの話、お前は、琴原と僕が付き合うって、どう思うよ」

「なんか気持ち悪いかな。正直」

くっくっく、と笑う箱彦。

「どうしたよ。今日は随分《ずいぶん》ぶっちゃけるじゃん」ん――……？」

「酒に酔うって方でもねーだろ」

「あー……」

「それに、聞いてみりゃ、随分マジで、琴原のこととか、考えてくれてるみたいじゃん。どったのよ？　お前、妹のこと以外は、どうでもいい奴じゃなかったのか？　妹のためなら、俺とかりりすとかなんか、どうでもいいって感じだったじゃねーかよ。伝わってんぜ、ちゃんと、そういうのは、態度でな。冷たいってわけじゃなく、お前が本心から俺らと仲良くしてくれてんのはよくわかんだけど、妹のためなら、俺らとなんか切れちゃっても仕方ないって、そんな風にな、頭ん中で数字で計算できちまってる、つーか、妹より大事なもんを作らないように気をつけてるっつーか、よ。なのに、今はまた随分と歩み寄ってきてんじゃん。今日だって病院坂を助けたり、俺ん家に来たいなんて言い出したりよ。どうしたんだ？」

「お前ん家に来るのは初めてじゃないだろ」

「俺が誘った一回しか、来なかったじゃねーか。そこまでぶっちゃけるってことは、少しはお前も俺のこと、友達と思ってくれたってことと解釈してもいいのかい？」

「…………」

また病院坂みたいなことを言うな。

「余裕ができた、ってとこかな」

「余裕？」

「うん……妹から、他を見る、余裕」

「ふうん」

箱彦はよくわからなそうな感じだった。まあ、さすがにこればっかりは、そこまでぶっちゃけるわけにはいかないしな。でも――確かに実際、その通り。でも、それに付け加えて言うなら、数沢くんの死に触れて、琴原言うところの『恐怖』を知ったところも無関係ではないし、それに加えての、それこそ、相関係的に、『病院坂を助けた』そのこと――もまた、深く関係している。問題の問題に対する、問題の、問題。完結する問題はない。そして、その問題を、解かなくてはならないということ。それが、命がけで生きるということ――命がけで人生を生きる、戦士。

「でもさ、箱彦」

「なんだよ」

「本当の相談はここからなんだけど」

「だから、なんだよ」

「僕、病院坂のこと、好きかもしれない」

箱彦がビールの缶を落とした。中身はまだ残っていたらしく、フローリングにしゅわしゅわと、泡《ポップ》が広がっていく。しかし、箱彦はそんなこと気にもとめず、信じられないものを見るような目で、僕を見ていた。気恥ずかしいものもあって、僕は「ちぇっ」と舌打ちする。

「ん、じゃあ、なくて、だな……そうだな。このままだと、僕は、病院坂のことを好きになってしまいそうだ、って感じかな」

「………」

「あいつが気になってしょうがない。妹以外の女がこんなに気になるのは久し振りだよ。危なっかしくてほっとけねえっつーのか……でも、全然頼りないのに、それなのに、なんか敬意を抱かされるっつーのか……そういう感覚、分かるか？」

「いや……俺には」

口ごもる風の箱彦に、構わず僕は続ける。

「今は別に、ただの友達だって認識なんだよ。でもさ……このまま、今みたいな関係が続いたら、まずいな。ちょっとしたことで、あいつに対して、どきどきしかねない。息切れしてるときに保健室に行ったら、その動悸《どうき》で、あいつに恋愛感情を抱いてしまいかねない。今、僕、そういう状況にいるんだよ」

「………」

認識――病院坂黒猫、あの小生意気な社会不適合者に対する認識が変わった――否、変わったというほどではない、少々ずれたのは、多分、あいつが、将来のことについて意外と真剣に考えていたのを聞いた、あのときだと思う。あのときだ。だけどそのときの気持ちは、あくまで、友人に対する敬意であって、その認識から外には外れていたわけではない。なのに、今、僕がいる、この、頼りない、心許ない状況は――

「いや、錯覚だとは分かっちゃいるんだ。あいつ自身、『暴力も恋愛も、同じ感情から生じる錯覚だ』なんて、すかしたこと抜かしてたしな。今日、保健室に行くまでは、全然そんなこと、思っちゃいなかったんだし。今日は、あいつと一緒に、生きるか死ぬかの体験をしたからな。何だっけ？　映画とかでよくある台詞じゃんよ。危機的状況を共に過ごした男女は恋愛に陥りやすいって奴。崩れかけた吊り橋の上での出会いってか。でも、そんなことをいうなら、愛なんてのは、家族愛を除けば、大抵が錯覚みたいなもんだろ？　錯覚、思い込み、状況に甘んじた、取捨選択の結果。琴原が僕のことを好きだっていうのも、そう、友達として馬が合ったから、その『延長線上』、レールの上ってことだろ？でも、そもそも、あるかないかでいえば、そんなレール、誰も用意してくれてないんだから。皆がよく通る平均的なレールっていうのなら、それはレールなんかじゃなく、獣道《けものみち》ってことだろ？　決められたレールの上の人生なんて、ないんだよ。決められた線路なんてどこにもない、どこにもないんだ。錯覚なんだよ、みんな。でも——自身がその錯覚の中にいるのなら、その錯覚は、『本当のこと』になるんじゃないのかな？　決して間違っていない、本当のことになるんじゃないのかな」

「……ちょっと待ってろ」

おもむろに箱彦は席を立って、足早に部屋から出て行った。多分、床にこぼれたビールを拭くためのタオルでもを取りにいったのだろう。なんとなく手持ち無沙汰になって、僕はぐるりと部屋を見渡す、といっても、見渡すほどのものが、この部屋にはないが。将棋盤とかないのかな……前来たとき、足つきの奴で、箱彦と一戦交えたような気がするのだが。パスのルールを導入しようとしたら、箱彦、怒ったなあ。その辺厳格なんだよね、箱彦。でも、将棋盤、少なくともこの部屋にあったわけじゃあ、なさそうだ。立ち上がって、あちこちに散乱している本を一冊一冊、確認して回る。かつて本の虫だったときの名残《なごり》なのだろうが、人の家に来ると、何度目でもやっぱついつい、その人の読んでいる本を確認してしまうな。ふん、やっぱり、時代小説ばっかりか……そうだな、こういうのに手を出してみるのも、悪くないのかもしれないな……やっぱ、基本は池波かな？　病院坂の言葉に従えば、こういうのは古い順から時系列順に読んでいった方が楽しめるのだろうな。最近のものを先に読んでしまうと、古いものが楽しくなくなってしまうから。ん、とふと、毛並みの違う一冊に目がとまる。それは、剣道のルールブックだった。『簡単に分かる!』とか、そういう奴ではなく、かなり専門的なタイプのルールブック。そういや、病院坂は、あの更衣室に、ルールブックを見るために入ったとか言っていたか、言っていなかったか……しかし、数沢くんの死と、剣道のルールと、本当に、何の関係があるというのだろう? それは、確かに数沢くんは剣道部員ではあるけれど、事件の解決にルールが役立つとは思えないのだけれど。あ、いや……この場合使う単語は『解決』ではなく、『立証』か。だけど……立証ね。だが、捜査機関でもない高校生が、あそこまで限られた情報で、立証できるかどうかというのは、果たしてどうなのだろうか? 立証は無理だと思う……まあ、できたところで、精々疑いを、可能性に対する疑いをかけることくらいだろう。疑問を、呈《てい》するくらいだろう。根拠もなく、疑問を呈するだけだろう。だが、病院坂は、それをよしとはしない。その論旨は、僕を納得させるに十分足るものだった。不思議、だと思うことが、目の前の問題を理解できないということが、世の中には確実にある。けれど——不思議だからといって、その疑問を口にすることが、美学であるわけでは、決してないのだ。分からないなら、喋《しゃべ》るな。分からないなら、黙っていろ。そういうことなのだ。物事を理解できない人間に発言権は与えられない。訊くは一時の恥、訊かぬは一生の恥というが、そんなものはどっちも一生の恥である。分からない、なんて、そんなみっともないことをいうときは、死ぬときしかない……それを、病院坂は、身をもって教えてくれた。そんな病院坂に対して抱くこの気持ちは——もう、既に、友情を、超越していると思う。全くな……なんでこんなことになったんだろう。でも、偽らざる、誤魔化しのない、本当の気持ちだ。

どこで何を間違えたのか。

あいつが可愛くて仕方ない。

あいつが愛おしくて、仕方ない。

禁忌——そう、それはやはり、禁忌のような気持ちだった。夜月になんて言えばいいんだよ、そんなの。琴原とのことは、もう夜月にはおおざっぱなところは伝えているが、病院坂のことに関しては、存在自体、関係自体、夜月には、一切喋っていないのだから——論理的な説明なんて、できるわけもない。

1・直接家に帰る。

2・箱彦の家に寄る。

二番を選んだのは——そのためだ。

「お待た」

予想通り、タオルを持って、箱彦が現れた。しかし箱彦は寡黙《かもく》に、こぼしたビールを拭《ふ》くのみで、なかなか何かを言おうとしなかった。拭き終わって、そのタオルをもって、また部屋から消えていく。戻ってくるまで、数分が経過した。箱彦は座って、ふう、とため息をつき、机の引き出しをあけて、煙草《たばこ》の箱を取り出した。駱駝《らくだ》の奴だ。

「吸っていいか?」

「いいのかよ。スポーツマン」

「実は俺は不良だったんだ」

「だっせー」

「で、どうなんだよ」

「好きにするさ。ここはお前の部屋で、それはお前の煙草で、直接被害をこうむるのはお前の肺だ。副流煙ごときでやられるほど、僕の肺はヤワじゃない」

「どーも」

さっき落としたビールの缶を、そのまま灰皿に用意してから、箱彦は、同じく引き出しから取り出したブックマッチで、煙草の先に火をつけた。

「なぁに。こいつも、国民の義務って奴さ。こいつの半分以上は、税金でできてんだからな。未成年だからって親に甘えてるほど坊やじゃねーよ。義を見てせざるは勇なきなり、老人福祉のためとなりゃあ、俺の肺くらい、安いもんさ」

「粋だねえ」

「お前の言うことは分からないじゃないけど」

　箱彦は、煙を大きく吐いて、言った。

「病院坂はやめとけ」

「…………」

「あいつは、やばい」

「……言うと思ってたよ」

「誤解するなよ。別に、りりすのことがあるからじゃねえよ。俺は別に、りりすとお前を、無理矢理くっつけようとは思わないし、そりゃ確かに、俺の立場からだと、どうしてもりりすの味方になっちまうけど、こういうのはそれとは無関係だよ。様刻とりりすが付き合ったら気持ち悪いなりに面白いとは思うけど、無理強《じ》いしようとは思わない。お前がりりすを振った結果、りりすとお前との間が気まずくなって、ひょっとしたら俺とお前の関係も気まずくなっちまうかもしれないけれど、それはそれで仕方のない、避けようのない困りごとだと、思う。お前が妹を優先するのと、それは多分、同じでな。俺はそんな中でも、ちゃんとうまくやってみせるさ。その程度のトラブル、人間を十七年もやってりゃ、いくらでもあるんだからさ。りりすのことは無関係に、お前みたいな野郎が誰かを好きだって自分から言ってくれたんだ、俺だって、基本的に、応援してやりたいとは思うけど……でも、病院坂だけはまずいんだ」

　箱彦は、なんだか、必死に僕を説得しようとしているようだった。態度のあちこちから、『焦《あせ》り』のようなものが感じ取れる。一体、なんだというのだろう。病院坂のことは、今までも箱彦から散々忠告のようなものを受けてきたけれど、しかし、それとはまた、一線を画したような、そんな文脈。

「僕だって……あいつのやばさ、つーか、特殊さってのは、知ってるさ。今日も、大分、それを経験させてもらったし。でも、僕はそういうのも含めて――」

「そうじゃねーんだよ」

箱彦は苛立ったように語気を荒げて言う。

「お前は、知らないんだよ。多分な」

「…………」

「そうじゃねーんだ。そういうんじゃねーんだ。お前は知らないんだよ。知ってりゃ、そんなこといえないよ。知ってりゃ、そんなこといえるもんかってんだ」

「曖昧な言い方をするな……そりゃ、色々悪い噂は聞いてるよ。悪い噂はね。それに、お前や琴原は、小学校から桜桃院生としてずっと病院坂のことを知ってるから、色々あるんだろうさ。でも、そういうんじゃなく、そういう過去を乗り越えた現在としてある病院坂を、僕は――」

「流れてない噂が、やばいんだよ。俺が偏見やら体面やらでこんなことを言う奴だと思うか？　生粋の桜桃院生だって、病院坂について、本当のことはなかなか知らない。流れてる『悪い噂』なんて、その余波みたいなもんでな。……気分悪いから、あんま言いたいことじゃねーんだけどな。でも、何もかもを逆から見てるような、煮ても焼いても食えないような黒猫にゃあ、首んところに鈴つけるしかねーだろうよ」

箱彦は僕から目を逸らした。

「お前が今日寝てたベッドで、病院坂がいつも、何やってるか、知ってるか？」

「何って――」

「売春行為」

汚らわしいものを吐き捨てるような言い方だった。全く予想してなかっただけに、その露骨な言葉に、僕は、思考も身体も、固まった。停止した。箱彦のいった言葉の意味が、にわかには理解できない。聞き間違いかと思う。冗談かと思う。しかし、箱彦がそんな冗談をいう奴でないことも、いい加減な噂に基づいて他人のことを、よりにもよってそんな風にいう奴でないことも、僕は、十分に知っていた。だからこそ、僕はそれを理解できた上でも、何も反駁《はんばく》することはできなかった。箱彦は、まだ税金分くらい残っている煙草を、缶に押し付けてねじり消す。

「数沢なんてまるで問題にならないくらいの問題児なんだよ、あいつは。何したら幾ら、どーしたら何万円、五千円ならどこまで。そういう料金システムも、知りたいなら教えてやってもいいけどよ……中学んときから、あいつはずっと、そんなことやってんだ。何でもアリでな。ああ、複数人のプレイだけはＮＧなのかな。あいつ、人間恐怖だから」

「保健室でか？　でも、そんな――」

いや。中学生のときにどうだったかは知らないが、少なくとも今現在の校医である国府田先生は、ほとんど、席を外しっぱなしで、保健室にいるのは病院坂ばかりだ。それに、この僕だって、いつもいつも、放課後や昼休みに、病院坂に会いにいくわけではない。もしも病院坂がそれを僕に隠そうとしていたのなら――隠し切ることは、あいつにとって、そう難しくはないだろう。突然の来訪にさえ気をつければいいのだし、僕という人間を理解していれば、いつどういうときにやってくるかを予想し切ることも、不可能ではない。僕に会いそうなときだけ、行為を控えればいいだけ……。それに、そう考えれば、そう考えるしかないほどに、納得のいく点があるのだ。あいつは――病院坂黒猫は桜桃院学園の内部事情について詳し過ぎる。保健室は職員室の次に情報が集まりやすい場所だなんて言っていたが、それではもう説明がつかないほどに、あいつは学園内の事情について、知り過ぎている。もしも――もしも、あいつのそういうシステムが、生徒内だけでなく職員室にも食い込んでいるのだとすれば……そこに、説明がつく。説明がついてしまう。それに……、この僕、櫃内様刻と、あいつ、病院坂黒猫の、そう短くもない付き合いの、最初の場面、あいつとの出会いのきっかけ、そこに、何の心当たりもないかといえば、病院坂が僕に、最初、どんな風に声をかけたのかを思い出せば……でも――

「でも、箱彦。そんなの……そんなのは、お前はそうだっていうけれど、そんな噂自体が流れていないのは、病院坂がうまくやってるってことだとしても――お前のその言葉を、どうやって立証するんだよ。言うだけなら、そんなもの、いくらでも言えるじゃないか」

「…………」

「そういうことに関しちゃ、推定無罪であたるべきだろう。違うか？　立証できない限り、それはただの疑いでしかない。疑うだけの根拠はあるのか？　根拠がなければただの言いがかりだ。『カラスは何で黒いの？』とか言ってる小学生と同レベルじゃないか。お前がいい加減なことを言ってるなんて、ちっとも思わないけれど、だけどだからって、それはあんまりに――」

「立証も何もな」

引きつったような苦笑いだった。

「実際に俺は、中学んときに、何回も、あいつに世話になってるからな」

「……ひゅう」

「俺の初めてのちゅーは、病院坂が相手だったりするしな。はは、ぱっと見じゃわかんねーけど、あいつ、結構胸あんだぜ。俺が知ってる料金システムってのも、そのときのもんさ。中学生にしちゃあ結構大枚はたいたもんだけど、今は、もう少し値段が上がってんじゃねーのかな？　育ってるし、腕だってあがってるだろうしな」

自嘲――というより、もう、激しい痛みをこらえているような表情の、箱彦だった。

「りりすと、そんときゃマジで喧嘩してよ。まあ、中学生だしな……潔癖《けっぺき》な奴は、かなり潔癖な年頃じゃねーか。俺はガキだったし、馬鹿だったと、今じゃ思ってるし。りりすは、お陰で、病院坂のこと、かなり嫌ってるみたいだけど。話題に出しただけでもキレるからな」

『わたし、保健室嫌い』。……やっぱ、あれは、そういうことか。ああ——なんだか、喪失感。自分の知らないところで、世界が進行していた感じ。世界が、自分に関係なかった、自分と世界がつながっていなかったような、そんな感じ。箱彦のことも、琴原のことも、病院坂のことも、何も知らなかった、ということ。そういうことなら——いつも、そうなのだ。僕はいつもいつだってそうなのだ。夜月のことだって、妹の夜月のことだって、あのまま、気付かずにいる可能性も、かなり高かったのだし。

「病院坂は、別に口止めなんかしないんだ」

箱彦は、薄ら笑いのまま、続けた。

「うまくやってる、うまく立ち回ってる、うまく隠してる、そういうわけじゃないんだ。知ってる奴はかなりの数にのぼるだろうし、学園中の噂になっても全然おかしくないんだ。でも、実際、ことにあった奴は、知った奴は、何も言えなくなっちまう。思い出したくねーぜ、それこそトラウマだ。なんか……『奪われる』って風でな。俺はあのとき、たぶん、心の中の大切な何かを、盗まれた。確かに、哲学者なんてとんでもねー。あいつは——そういう奴なんだよ」

「……盗まれた、か」

その言葉の意味を、反芻する。色んな解釈のできそうな言葉ではある。単純に、逆に秘密を——病院坂言うところの『情報』を聞き出された、ということかもしれない。けれど、もっと、もっともっと、深い意味がありそうな、僕ではまだ届かないくらいの、深い意味がありそうな、そんな予感がした。

「お前は、かなり、例外だと思う。病院坂にとってもそうだし、人間としても、ちゃんと地に脚ついて、変に妹が絡まない限り、ちゃんと理性的にできる、かなり例外的な奴だと思う」

箱彦は僕の目をしっかりと見て、言った。

「でも、例外だからこそ、危ない」

「………」

「貞操観念の問題じゃない。お前みたいな純なのが、一番ころっとやられるんだよ。病院坂にとって、お前はもっとも狩りやすい獲物だ。お前にとって一番大切なものとは何だ？」

「……妹」

「それ——もう、半分くらい、奪われてんじゃねーのかよ」

その言葉は、鋭利な刃物のように、僕の心に、ざっくりと深く、突き刺さった。そんなことはない、とは思う。病院坂と夜月なら、僕は迷うことなく夜月を選択する。それが最良の選択肢であると、確信できる。でも、しかし……これからもずっと、そうであると言えるのか？　今の時点、まだ僕は病院坂を好きになっていない。これから好きになるかもというだけだ。ならば、もう1ステージ先に進んだところで、まだなお、最良の選択肢が、同じものであると——胸を張って言えるのだろうか？　どちらにしても、それは次善の選択肢に、成り下がってしまってはいないだろうか？

『夜月のこと、ずっと、一番大切にしててね』

一番大切なもの。

好きなものを好きでい続けること。

夜月と両天秤《てんびん》にかけられるような存在は——

「お前は、それでも病院坂と、うまく距離を取ってたみたいだから、俺は何も言わなかったけど……そんなことを言い出したんなら、たとえ恥《はじ》を晒《さら》してでも、俺はお前を止めなくちゃならないよ。こんなことというの、本当に気分悪いんだ。でも、俺は、お前に、言わなくちゃならない。だってさ、様刻。俺は——そのせいで、りりすとは、家族になるっきゃ、他になかったんだからさ」

「……それが、本音か」

それが——箱彦にとっての『本当のこと』か。全く、真実って奴は、いつもくだらなくて、最低で、気分が悪くて、どうしようもなくて、救えなくて、どろどろしてて、つかみどころがなくて、屑のように汚らわしくて——泣きたくなる。解答がそのまま問題につながっているような試験は、最悪の不良品だ。世界は問題だらけで、しかも、僕らの周囲にある問題は、消えることも絶えることもないその問題は、いつだって、卑近で、わずらわしいものばかりだ。もっと高尚な問題で悩みたいと思っても、近いところには、卑近で身近な、最近の問題しかないのだった。家族のこと、友達のこと、恋愛のこと、友情のこと、学校のこと。なんて、狭い、世界だろう。そして、そんな狭い世界でも、僕の思いのままにはならない。そこは僕の世界のはずなのに、でもその世界でも、僕は全然神様なんかにはなれないのだ。

「……わり。もう帰るわ」

「ん……そっか」

「ああ。そろそろ帰らないと、妹が心配するし」

「ああ……なあ、様刻」

「分かってるよ」

「……」

「分かってるよ、箱彦」

僕は言った。

「ありがとう。今日、箱彦と話せて、よかったよ」

帰り道、琴原の携帯電話に電話した。出たのは留守録サービスだった。メッセージを残さずに、そのまま切った。着信記録は残るだろう。かけ直してくるとは思えないが。余計な寄り道をせず、バスに乗って電車に乗って乗り換えて、自宅最寄り駅から、歩いて、家に帰る。僕の家族はそういうところ潔癖なので、駅の売店で買ったガムで口の中のアルコール臭を消すことは、勿論忘れない。

「あ、あ、あああー、お兄ちゃんー」

玄関を開けて中に入ると同時に、待ち構えていたかのごとく、夜月がきゃうーんっと飛び出してきた。迷いなく一直線に、僕に抱きついてくる。これが、多分、一週間前から、僕達兄妹の間で、一番変化したポイントだろう。僕が夜月を抱きしめるときも、夜月が僕に抱きつくときも、今まではどちらにしても、取り決めがあったわけでもなく後ろからのことが主だったのに、一週間前、あのときから、僕らは、正面からばかり抱き合うようになった。それは、どちらからそうしようと言い出したわけでもなく、ごく自然に、ごく自然なりゆきとして、そういうことになった。多分、それは説明がつくものではなく、ただ単純に、そういうものなのだろうと思う。ステージの変化が、もっともわかりやすいところで現れたというだけなのだ。

「お兄ちゃんー。お帰りなさい、かな」

「ただいま」

「なんだか遅かったたね。久し振りな感じ。夜月、ちょっぴし待ちくたびれちゃったかなー」

抱きついたままで、夜月がいう。僕は後ろ手で玄関の鍵をかけながら、「悪かったね」と、謝った。確かに、少し間を置くにしても、箱彦の家で、少々予定外に時間を食ったところがある。

「何分、職員室に呼び出しを食らっていてね。知ってるだろ？　今日の騒動」

「にゃい？　何の話かな？」

おっと、藪蛇《やぶへび》だったか？　いや、あれだけの騒ぎになったんだ、今の時点で知ってようが知っていまいが、どうせすぐに知ることになる。ならば、ここは自分から正直に申告しておくのが正解というところだろう。まあ、ならばその辺はあとでじっくり話すことにして、僕はとりあえず「夜月、晩御飯にしようか」と、関係ない場所に話をもっていった。

「うんー。今日は夜月が作ったんだよー」

「あれ？　お父さん、早いんじゃなかったのか？」

「帰ってきて、すぐ出かけちゃったかな。急用だってー。お母さんは、さっき電話あったけど、今日は帰れそうもないって言ってたかな」

「ふうん」

「だから、今日は久し振りにお兄ちゃんと二人っきりかなー」

照れたような笑顔で頬を染め、夜月はぱたぱたと、リビングの方へと走っていった。なんか、いきいきしてるよな、と思わせる。そうだな。夜月にとっては——問題の解決というのは、そういうことなのだろう。幸せな奴だと思い、羨ましいとも、思う。危ういとも思う。僕と病院坂とは、違う意味で、危ない意味を含んでいる。問題がないのではなく、問題があることに気付いていない。目がいっていないようなものなのだから。そっか——その意味じゃ、『完結している』『終わりの続き』って言葉は、そのまま今の夜月に適用できるのかもしれない。

「お兄ちゃん、何してるのかな？　玄関に立ってると玄関に立ってる変な人みたいだよ」

「あ、悪い。着替えてから行くよ」

制服を脱ぎながら階段を昇って、自分の部屋で着替える。学生服の夏服を脱いで、タンクトップの黒シャツとハーフパンツへ。それからリビングにおりていくと、もうテーブルの上には料理が並んでいた。カレーライスだった。夜月の料理技術のレベルとバリエーションは、まあこんなものであって、そこは愛嬌《あいきょう》があって可愛いといえるだろう。

「手を合わしてくださいー」

「いただきます、と」

スプーンでルーとライスをかき混ぜながら、「そういえば、夜月」と、僕は、気になっていた、というか、懸念していたことを、夜月に問う。

「数沢くんがいなくなって今日が初めての授業だったけど、クラスはどうだった？」

「んー」

夜月は少し返事に迷う。

「いつも通り、だったかな」

「そんなもんか」

「七組は、みんな勉強第一だから」

「なるほどね」

無干渉放任主義の進学校。裏側にどんなことがあるかはともかく――それは本当にともかく――表向きには、そんな感じか。

「もう、警察の人とかは来ないのか？」

「うん。最初の日だけだったかな。でも、そんなこといわれても、夜月は何も知らなかったし。……もう意地悪されなくなったのは嬉しいけど、でも、数沢くん、少し、可哀想かな。犯人さん、早く捕まったらいいのにね」

「その内つかまるだろ。完全犯罪なんて――」

完全犯罪。完全に立証できない犯罪。

「――そうそう、成立するもんでもないさ。フーダニットだかハウダニットだかワイダニットだか、知らないけどさ」

「あ。お兄ちゃんからそんな言葉を聞くとは思わなかったかな。お兄ちゃん、そういうパズラーな本格ミステリなんて、全然好きじゃないと思ってた。アンチミステリは結構読んでたみたいだけど」

「アンチミステリ……聞いたことあるな」

「うん。日本にも結構本格ミステリってあるんだけどねー、歴史に残るような名作は、ほとんどアンチミステリなのかな。風土かな」

「『パズラー』ってのは、外国で流行ったもんなんだったっけか？　えーと、なんだっけ、『後期クイーン問題』の人」

「うん。その人、ミステリ界のエニグマって、友達とは呼んでるかな」

「謎《エニグマ》？」

通じないなあ。音楽じゃないとして、どのエニグマだろう。

「夜月――ここでクエスチョンです」

「にゃい？　えとえと」

「『まったく同じ形状の球体が二つあり、同じ条件で地面に向けて落とす。片方は軽く、片方は重い。

さて、先に地面につくのはどちら？　空気抵抗は考えないものとする』」

「えとえと」

夜月は可愛く目を瞑り、少し考える。

「重い方かな」

「どうして？」

「だって、球体の方にも、地面、つまりは地球を引き寄せる重力があるでしょ？　重力は、質量の重い方が強いから、厳密には、重い方が地面に先につくってことかな」

「あ――納得」

「？　知ってて出した問題じゃないのかな？」

「いや、いやいや……」

そうだな。聞いてみれば、つくづく簡単な問題だ。やれやれ、自分で分からないことを人に訊くな、とは、なるほど、よく言ったものだ。

「それがどうしたの？」

「別に。でも、今の結果から察するに、夜月、『パズラー』っての、結構好きなんじゃないのか？　古典とか読んでたりする？　じゃあ、夜月、数沢くんを殺した犯人が誰だとか、そういうの、分からない？　推理小説が好きな奴は、こういうとき、推理するもんなんだろ？」

「夜月、小説は読むだけの人だから」

夜月はぱたぱた手を振った。

「そういうのはやりません」

「あっそ……」

なんて、ま、現実的な話。踊る阿呆に見る阿呆なんて言ったたって、嬉しげに恥を晒すよりは、見てるだけの方がよっぽどマシだってのは、それなりに筋の通った一般論。

「まあ……何か、トリックがありそうな話でもないしな……こういう話は、推理小説向きじゃないのかもしれないな」

「あ、でもね、お兄ちゃん、推理小説の世界には ね、『トリックよりもロジック』って言葉もあるんだよ」

「へえ……世界、ねえ」

『詐術《トリック》よりも論理《ロジック》』と来たもんだ、色々な言葉がある。病院坂ならそれに続けて、『論理《ロジック》よりも言葉《リリック》だよ』なんて、ひねくれたことを言いそうなものだけれど。マニアってのはやっぱりよく分からない。ミステリなんて言って普通の人が想像するのは、やっぱり夜の九時からやってるテレビドラマかクイズ番組なのだから。

「少なくとも、『論理が美しい』て言われるのは、夜月、よく分かるよ。夜月もよく、そんなこと思うもん」

「まあねえ……確かにフェルマーの法則の解法なんて見たときにゃ、ぞくぞくきたよな。『え? え、え、嘘……、マジで?』みたいな感じで。まさかあれを解ける奴がいるなんて思いもしなかったぜ。いや、半分くらいしか理解できなかったけど、その半分で十分って感じだ」

「でも、そういうのもね、ちょっと、かな。最近はちょっと、食傷気味かな」

夜月はやや不満げに言った。どんな本であれ、やたらと賞賛したがる夜月にしては、それは珍しいことだった。あるいは夜月の読書遍歴も、既に、もう一段階上のところまで至ったのかもしれない。初心者はやたら褒めたがる、中級者は意見を保留する、自称上級者となれば、やたらけなしたがる。ま、何事もそういうものだけど、夜月がそういうステージに上るのって、なんだか、兄としては寂しいものがあるかもしれないな。

「論理を組み入れ過ぎてね、『そんなの、分かるわけないじゃない』ってレベルにまでなる、ほとんど病的な推理小説が、多くなってね」

「そりゃ……仕方ねーんじゃないか? 大抵のことは古典の小説がやってて、そういうのを、乗り越えるためには、より複雑に、猥雑《わいざつ》にしなくちゃ、読者も読んでて刺激がないだろ。肥大化、過剰化は、どんなジャンルでも行き着く先ではあるさ」

「でも、解答を分からなくするために問題を分かりにくくするなんて、本末転倒じゃないのかなー。やっぱり、それは学校でやる試験問題みたいな話になっちゃうけれど、問題を作成する人は、六割の人が、解けるような仕組みにしとかなくちゃ面白くないんじゃないのかな。六十点が取れるテスト、平均点が六十点のテスト。お兄ちゃんは、そう思わないかな?」

「まあ、そうかもしれないね……難解過ぎる問題は、そもそも解く気がなくなっちゃうってことがあるからね——僕はそんなことはないけど」

言いながら、僕は、今回の件を——頭の片隅で、少し、考えてみた。数沢くんを殺した犯人……数沢くんを殺した犯人を、立証できるのか、否か。関係者、数沢六人、病院坂黒猫、琴原りりす、迎槻箱彦、櫃内様刻、一応、櫃内夜月、この中に。だが……昼間も話したよう、数沢くんが自殺したかどうかなど、それは立証できるわけもない。病院坂はどうだろう。僕が保健室を出て行った後、着替えて、続くように保健室を出、箱彦にしばかれた末に体育館を飛び出した数沢くんと会って、殺した——のだとしても、そんなこと、立証する術がない。大体、そうだとしたら、『分からない』ことに絶望し、死を選ぼうなんて無茶はしないだろう。琴原と箱彦は数沢くんと別れたあと、ずっと僕と一緒にいたし、そして僕は、自分が犯人でないことを知っている。夜月は……ああ、考えたくもないな……でも、一応……七時まで、委員会に出ていた、はず。それは、委員会に出ていた連中に聞けば分かることだしな。そんな嘘をつく理由があるとも思えないし——夜月の性格から委員会を理由もなくサボるなんてありえない、仮に委員会が少し早めに終わったのだとして、その後、体育館を飛び出した数沢くんを殺したのだとして——バス停での病院坂の証言を考えると、時間的にかなり無理がある、というより不可能に近い気がするが、そうだとして——やはり、そんなことは立証のしようがない。僕らには限られた情報しかないのだ。数沢くんの死亡推定時刻すら、僕らは知らないのだ。なんとなく夜ではないだろうかとあたりはつけられるのだが、しかし発見まで一晩あるのだから、よく考えれば早朝だという可能性も、あるにはあるわけだ。その場合数沢くんが一晩何をしていたのかという理由がまるで不明だが、その可能性は、どうしても消去できない。病院坂とはその辺のことを話す機会はなかったが——とにかく、この一事からも分かるように、僕らは警察ではないのだ、警察ではない僕らが事件を解決しようと思えば、情報は自然、限られたものになってしまう。ひょっとすると、警察は僕が知っている以上の情報を握っているのかもしれない、病院坂もその可能性を匂わしてはいたものの、しかし、そんなのは——僕の知る、世界のその外の話だ。僕は、僕の世界のことしか、語れない。そういうことなのだ。そして、

もっとも、これは『僕が』という意味で、もっとも分からない、理解できないのは——この六人の内、誰にしたって、数沢くんを殺さなければならないほどの、積極的な動機を持ち合わせていないということだ。『フーダニット』と『ハウダニット』をクリアできたとしても、最後の一つだけは、どうやっても解せない。一番可能性があるのは、あの日、病院坂が言っていたよう、『夜月を守る』という『目的』をもっていたこの僕かもしれないが、やはり僕は犯人ではないのだし、何も殺そうとは思わない。そんなのは当たり前のことだった。夜月自身は、数沢くんに恨みを向けていたとは思えないし……琴原も箱彦も、そういう点では……確かに僕はどんなことでもどんなことの動機にもなりうるとは思うけど……犯人だけは『動機』として認識している何がしかがあるはずだと、病院坂が言っていたあの意見は、正しい。いや待てよ。殺人は殺人でも、過失の殺人ということも、ありえるといえばありえるのかもしれ

ないな。過失――事故。それなら、動機はいらないのか……？　殺人よりはそっちの方がありそうなものだし。いずれにせよ、六人の内に犯人がいたとしても、立証は、僕が持つ情報からは、不可能、という、そういう結論しか出しようがない。あ、でも、病院坂も言っていたじゃないか。そもそも、僕達を容疑者から外すことが、出発点だったと。なら、それでいいんじゃないのか？　僕達の中に犯人はいない。それで解決、ということになれば……

「……から、夜月は、今は、本格っていうよりは、この前お兄ちゃんに貸してあげた本みたいな、ああいうのが、好きかな。ミステリミステリよりも、ミステリ・エンターテインメントっていうのかな」

「ん？　あ、ああ」

いかん、ぼーっとしてた。夜月が楽しそうに話をしているのにぼーっとするなんて最低だ。優先順位は絶対のものとして、守らなければ。少なくとも、その優先順位が、はっきりとしている内は。……しかし、病院坂のクイズも、思いの他アテにならないな。

「そういえばね、ほら、珍しくお兄ちゃんがベタ褒めしてた方の本、あの超能力ホラーの作者の、新しい短編が、今日発売の雑誌に載ってたんだよ。今日、本屋さんで見かけたの。お小遣い持ってなかったから、買えなかったけど、さわりだけ、立ち読みしてきたかな」

「ふうん。どんな話だった？」

「主人公が自転車事故にあって、主人公と自転車の人格が入れ替わっちゃう、みたいなお話」

「キレてんなー。粗筋だけでわくわくしちまうじゃないか。懐かしい感覚だよ、こういうの。昔はどんな本でもこうだったんだけどなぁ……」

「本当、あの作者の人、頭の中とか、どうなってるのかな。あの人に限らず、小説家の人って、何考えて、物語書けるんだろうね」

「ふん。小説の場合は、考えるっつーよりも、思いつくって感じだろうとは想像はできるんだけど、具体的にはどうなってるかってのは、不明瞭ではあるよな……でも、僕は小説は好きだけど、小説家ってのは、どうも好きになれなくてね。正確に言えば、小説家の中に好きじゃない奴が多いってことだけど……」

「作者なんてパソコンの周辺機器、だったっけ？　でもお兄ちゃん、作者の人がいないと、作品はできないんじゃないのかな。何事にしてもさ」

「まあ、理屈じゃそうだけどさ……後書きみたいな甘えた文章にしても何にしても、ごちゃごちゃ御託を抜かす芸術家ってのは、どうも好きになれないさ、生理的に。作家は書くのが仕事だろ？　語り出したら終わりだよ。プロなんだから、芸術家《アーティスト》よりも職人《プロフェッショナル》であるべきだと、僕は思うんだよ。『今回の作品は面白かったでしょうか』って、プロの書く作品が面白くなきゃ、ただの詐欺じゃねえか。『今回は自信作です』とかいって、やたら自分のすごいところを説明したがる小説家も嫌いだ。プロなんだから、そんなの当然だってーの」

「むー」

「昔さ、僕が数だけこなすように本読んでた頃に、『僕は一週間あれば一作品書けます』なんてでかいこと吹いてる新人作家がいてな。二、三作くらいとんとんとリズムよく出した後、一週間どころか、もう四年くらい経つけど、完全に音沙汰なしさ。どいつもこいつも勘違いしてやがる。素人ばかりだ、一冊二冊と本を出せば小説家ってわけじゃない。テクニックやスピードを自慢してる内はアマチュアなんだよ。裏返しゃ、そんなもんはアマチュアの内に磨いとけってことだな。ごちゃごちゃ喋るプロはプロじゃない。単純にパワーある小説を書くこと以外に、どんな看板がいるもんかってんだ」

「手厳しいよー。娯楽なんだから、書く方も読む方も、もっと楽しくやればいいんじゃないのかな」

困ったように言う夜月に、僕は笑った。

「そういう意見を、夜月に言って欲しかったんだ」

「?」

「可愛いな、夜月は」

身を乗り出して、頭をよしよしと撫でてやった。くすぐったそうに身をよじる夜月。ああ、……ああ、『問題がある』とか『問題がない』とか、『問題が終わった』とか、なんだかんだ、そんな色んな御託を言っても、やっぱり僕にとって、夜月は、大事な妹なんだな、と、実感できる。一番大切なもの。こうしてある今が、まるで奇跡のような、でも、こうなることが、あらかじめわかっていたかのような不思議な感覚。禁忌であろうと、外道であろうと。逆に言えば、それは、ひょっとしたら、それこそが、世界に受け入れられている、何かとつながっている感覚なのかもしれない。『不安の解消』。やっぱりそういうのは、不安の原因そのものにあたってみないことには、叶わない望みなのかもしれない。この夜月よりも——病院坂のことを、好きになるなんて未来が、果たして、ありうるのだろうかどうか、僕には予想もつかない。箱彦の忠告を、どうとらえたものなのだろう。一番大切なもの……一番、大切な、存在。我慢しきれない人間が失敗する——何事も、タイミングが大事。そういうことなのだとしても、『将来』『未来』を言葉としてとらえれば、結局、それは、未知との遭遇に他ならない。心の中に、一抹の不安がある。それは、引っかかりの、ようなもの。でも、そんなものは——この徹底した安心感の前では、完全に形無しだ。たとえ、この安心感から一度でも離れてしまえばそれがまほろばと消える、瞬間的な蜃気楼《しんきろう》なのだとしても。そうだ。あの日、あの晩、本当に救われたのは——曖昧にしてきた兄妹関係に一つの意味で解答を出したあの際、それは夜月のための決断ではあったけれど——あの日、あの晩。本当に救われていたのは、夜月じゃなく、僕の方だったのかも、しれないな。僕の人生の目的は——究極のところ、夜月しか、いないんだ。

目的を果たした癖にごちゃごちゃ文句を言うなんて――罰が当たる。夜月が幸せで笑ってられるなら、僕はもう何だっていいんだ。

「も、もー。お兄ちゃん、何するのかなー」

「頭、撫でられるの、嫌い？」

「ん？　んーん。もっと触って欲しいかな」

「はは……」

僕は、力なく笑った。見方によれば、それは、自嘲の笑みになったかもしれないが、とにかく、思いもしないのに、自然に、笑った。

「僕って……本当に、夜月のことが好きなんだな」

「え？　えとえと」

「動揺しない」

「で、でもでも。普通にそんなこと言われても、夜月、びっくりしちゃうよ。と、突然何を言うのかな、お兄ちゃん？」

「告白。愛の告白」

「にゃ、にゃー」

「あはは」

僕は夜月の頭から手を離した。立ち上がって、夜月の椅子の後ろに周り、今回は普通りに、後ろから、夜月を抱きしめた。夜月も、されるがままだった。軽く夜月の頬にキスをする。「にゃー」と夜月は恥ずかしげに笑った。僕は夜月の首に回していた手を解き、そのままその手を、夜月の上半身をなぞるようにしながら、頬にキスを繰り返しつつ、スカートのホックにまでおろす。ホックは、ぱちん、と、簡単に外れた。続けて親指と人差し指で、ジッパーをつまむ。

「お兄ちゃん、な、何してるかなーさりげなく」

僕の行為にさすがに抗議の声をあげる夜月。

「んー……別に。なんていうか、ほら、夜月が、スカート脱ぎたそうな顔してたから」

「そんな変な顔してないよー」

「夜月がスカートを脱いで、僕に脚を触って欲しそうな顔してたから」

「そ、そんな具体的な顔してないよー」

「じゃあ、そんな顔して」

僕は構わず、そのままジッパーをおろしきる。夜月が椅子に座っているので、具体的な変化は何もない。チャックの隙間から、色の薄い太ももが少し覗いただけだ。

「僕は夜月にそういう顔、して欲しい」

「う、うー」

夜月は口を尖らせて、ぶんぶんと首を振った。単純に嫌がっているのだか照れ隠しなのか何なのか。僕はあえて、それ以上は何もせず、それ以上は何も言わず、ただ、待った。どんなことを言っても、やはり僕はこれまで、夜月を甘やかし過ぎていた。それは認めざるを得ない。これまではそれでもよかったかもしれないが、これからは、そういうわけにもいかないだろう。自分で決断することを、もっと覚えさせなければならないと思う。僕が夜月を導くのではなく——二人で、並んで歩くように、しなければならないと、そう思う。僕は夜月を守る、夜月を何より大事にしたいけれど——夜月にもまた、強くあって欲しいと、思うから。

「わ、わかったよう——……」

やがて、夜月は言った。

「お兄ちゃんの、言う通りだから——」

「何が?」

「何がって……」

「はっきりと、自分で言いなさい」

「……す、スカートを脱いで、お兄ちゃんにいっぱい、触って欲しいですー」

「よくできました。花マル」

「も、もうっ! じゃあスカート脱ぐから、あっち向いてて欲しいかなっ!」

この場合、向こうを向いていようがなんだろうが、どこを向いていようが、結果的には何も変わらないと思うのだが、しかしそれを指摘するのもばかばかしくも野暮だろうので、僕は「はいはい」と頷いて、夜月から手を解き、キッチンの方を向く。夜月が椅子から立ち上がる音。少し、大分間が空いてから、衣擦れの音。その後、再び、また無音。「う、ううう－」と、夜月の、唸っているのか何なのか、よく分からないような声があってから、また、沈黙。このままでは埒があかないと判断し、僕は少しおどけた調子で、「もーいーかい？」と、問うた。そうすることで、ようやく、「も、もういいかなー」と、夜月が言った。

「……見ーつけた」

椅子のそばに、こっちを向いて立っていた夜月は、必死でシャツの裾を両手で伸ばして、下着が見えないようにと頑張っていた。下着くらい今まで数え切れないほど見ているというのに（というか、種類を選ぶのに付き合ったこともあるというのに）、その辺はおかしな心理だ。まあ、そのおかしな心理と似たようなものを、今の僕が全く抱いていないかといえば、その辺は複雑な問題になってしまうけれど……『問題』ね。「じ、じろじろ見ないで欲しいかなー」という夜月の台詞に、僕は少し笑う。そんな格好をして、言うような台詞ではない。このまま、下着も脱ぐように要求するとか、シャツをたくしあげるよう要求するとかも思いついたが、なんかそこまで行けば変態一歩手前という気がしないでもないので、とりあえずそれはまたの楽しみにするとして、今回は当初の目的を達しておくことにした。

「見て欲しくないなら、見ないけど」

「にゃー……。お兄ちゃんに見て欲しい、です」

「見て、それから、何だっけ？」

「さ、触って欲しい、かなー」

その言葉に、僕は返事をしないまま、夜月の足元にひざまずくようにして、右足と左足、両方まとめて、太ももの辺りに、抱きついた。脚を触っているというよりは、それは、頬擦りしているかのような形だった。なんだか倒錯しているようで、その倒錯感がまた、心のどこかを刺激する。そんなに肉がついているわけでもないのに、ふかふかと柔らかく、何だか、離れる気になれなかった。……まるで、代償行為だ、と思う。本来の目的に至ることを漠然と避けるために、敢えて道を逸れ、倒錯してみせる、理にかなっていないようで非常に合理的な行為。満足を不満で満たす、その理屈。否——あるいはこれは、階段を踏んでいるのだろうか。僕達兄妹にとっての、階段。一歩ずつ、一歩ずつ、一段ずつ、一段ずつ、進んでいる——ということだろうか。今までの分を、まとめて。ならば、この分では、代償行為どころか、最後の一線を越えてしまうまで——そう、時間は必要ないのかもしれない。この、一週間。完結した——終わってしまった——というのには、そういう意味でも、一応の、ロスタイムが、そこにはあるわけだ。終わっているのに続いている——と表現するには、ほんの少しだけ、錯覚のような刹那のような、隙がある。終わり、なんて、やはり、ない。問題は、いつまでも、問題。代償行為で埋めている——隙。どうやら直接的な性行為には抵抗がまだ残るようだが、あるいは、夜月は、本当のところ、それを望んでいるのかもしれない、と思う。そこは、絶対に越えてはならない禁忌の一線だろうがしかし、子供を作らなければそれでいいというのなら、きっちりと避妊をすればそれでいいだけの話ではないのか。みんなそうやっている。何が違うというのだろう？　今だって、夜月が一体何を望んでいるのか——何かを望んでいるのだとして、僕はどこまで、それに応えられるものなのだろうか——応えるべきなのだろうか。

「夜月」

「な、何かな？」

「すごい気持ちいい」

「あ、そ、そうなんだー」

「夜月は？」

「よくわかんないかなー」

「そっか。……だったら、なんか、悪いな。こういうの。僕ばっかり、いい感じで」

「あ、えとえと、そんなことないよー。お兄ちゃんがいい感じなら、夜月もとってもいい感じだよ。ていうか、そんなこと、お兄ちゃんは、気にしなくてもいいんじゃないのかな。夜月は、いつだって、お兄ちゃんには無料ご奉仕だもん」

「………………」

僕は、黙って、夜月の太ももに、舌を這わせた。

「ひゃうんっ⁉」と夜月は驚いたようで、そのまま膝が崩れそうになったが、なんとかこらえたようだった。それを確認してから、僕はじっくりと、太ももに、舌を這わせ続ける。汗の味、だろうか。両腕で夜月の脚を固定しているが、その先の手で、指で、その裏側を愛撫する方法も、この辺で見つけた。「にゃ、は、うう、にゃぎ、も、もう、やめ、やめやめ、やんっ！」などと、夜月の反応が面白かったので、色々と試してみる。脚の付け根あたり、その裏側ら辺をやんわりと触ったときの反応が、一番面白かった。

「なあ。夜月」

「何かな？」

「売春行為について、どう思う？」

「………………？」

怪訝《けげん》そうな表情で、夜月は口を尖らせる。どうして突然そんな質問が来るのか、理解できないという顔だ。そりゃそうだ、質問者である僕自身、どうしてこのタイミングでこんな問いを切り出したのか、謎である。だけど、逆に、このタイミングでないと訊けない、訊いてはいけないような疑問である気もする。どうせ、どんなタイミングをもってでも、夜月相手にこの疑問は、どんな場合でも不自然といえば、その通りなのだから。無論、疑問である以上、僕の中に、確たる、確たるような、解答みたいなものはあるが——夜月の意見も、聞いてみたかった。

夜月はしばらく沈黙して考えた末に、言った。

「よくわからないけど……場合にもよるとは思うけ

ど、でも、いけないことなんじゃ、ないのかな」

「でも、別に、誰かを傷つけているわけじゃない。本と一緒だ、買い手がいて、売り手がいる、それだけだ、市場は成立している。被害者はどこにもいない。被害者不在の行為なんだ。これで、どうして悪いことだって言えるんだ？」

「んー。だってさ。法律、破ってるんだし」

夜月は、考えながら喋っているように、たどたどしく言葉をつなげる。あるいはそれは、純な夜月が、話のテーマがテーマだけに、考えていることを言葉に変換しにくいだけなのかもしれない。

「法律に決められてることを破ったら、駄目なんじゃないのかな。みんなで決めたことなんだから」

「うん……まあ、そうだな」

人を殺して何故《なぜ》いけないのか？　その質問に対してもっとも冴えた解答とは、実は案外簡単で、人を殺すことが罪なのではなく、人を殺してはいけないというルールを破ったことが罪なのだ、と答えることである。どうしてそんな法律が決まっているのか、と尚訊くような奴は、もう駄目だ。それは、自分に分からないことを他人に訊いているだけだから。しかし、夜月。そんなことを言ったら――僕とお前との関係も、実際のところ、かなり微妙になってくるのではないかと、思うけれど。こんな話、兄に脚に抱きつかれて、妹の脚に抱きついた姿勢で、交わすべきではない。そうだな。実際のところ、僕は、そういうので、他人をどうこう言える立場には、もういないのだった。

「でも、みんなで決めたなんて言っても、法律なんて大昔に決められたもんだからな。決まっちゃって、なかなか変えられなくて、だから、時代の速度が速くなると、どうしても後手後手に回っちゃってるところがあるしな。国や文化によって違うような不確かなものだし、それに、いくら法律を改正したところで、所詮は人間の決めたことで、絶対じゃないと思うぜ」

「でも、神様は何も決めてくれないよ」

「だね」

「お兄ちゃん。どうしてそんなこと訊くのかな?」

「え? ああ、それは――」

「ひょっとして、今日、何か、あったのかな?」

夜月が、意外なところで鋭いところを見せ、そのタイミングの悪さに僕が一瞬言葉に詰まったそのときに――僕にとっては、それはもう救いとしか思えなかったが、テーブルの上に置いておいた、僕の携帯電話が鳴った。「ん?」と夜月が気付いて、携帯電話を手にとって、着信番号を見る。

「お兄ちゃん。公衆電話からかな」

「ふうん? 誰だろ」

「さあ。出たら分かるんじゃないかな。じゃ、夜月はその辺、お片づけするかなー」

夜月は僕に、鳴りっぱなしの携帯電話を手渡して、生じた隙間から脚を抜き出し、カレー皿に手を伸ばす。「悪い。あとで手伝うから」とだけ言って、リビングを出て、さて出たものか迷う。公衆電話からってのが、微妙な。悪戯《いたずら》だったら嫌だなあ。あ、でも、さっき電話をした、琴原かもしれないし。携帯電話には電池切れって奴があるからな……ってことは、まだあいつ、家に帰ってないのかな? いや、自宅の、家族との共用の固定電話を使いたがらないって奴も、割といるし……。考えつつも、とりあえず、出ておくことにした。階段をのぼって、自分の部屋にたどり着いてから、受信ボタンを押す。

「やあやあ!」

病院坂の声だった。

「元気かい! 様刻くん!」

「……僕がどうかはともかくとしても、きみが元気そうで何よりだよ。もう退院したのかい?」

「退院も何も、はなから入院してもいないさ。まあ、これは病院の公衆電話なんだが。今から帰るところなのさ。いやいや、様刻くんには迷惑をかけてしまったからね、あの後のごたごたでうやむやになってしまったが、ここは一つ、もう一回だけ、きみに謝罪をしておこうと思ってね。もう一回も何も、百回二百回と謝ったところで本当は全然足りないんだが、しかし同じことで何度も謝られるのも鬱陶《うっとう》しい話だろう、これ以上きみの気分を害するのはまずいことだと思う、だからここは一回だけだ。悪かったね、様刻くん。……ごめんね？」

「いーよ、別に。気にすんな」

「そういってくれるとは思ってはいたがね。しかし、これは勝手な話だが、僕の印象が悪くなっていないか、それが心配だよ。きみが僕のことを軽蔑《けいべつ》して二度と保健室に来てくれないんじゃないかと思うと、どうもね」

「だから、別に――」

箱彦の言葉が――また、脳裏を過《よ》ぎる。と、いうか、あれらの言葉、単語は、なんだか、僕の骨身に刻み込まれているような感じだ。それだけ、箱彦の言葉に気迫が、魂《たましい》があったということなのかもしれないし、あるいは、僕が病院坂に、それだけの思い入れがあったということなのかもしれない。

「――別に、きみがどーゆー風な奴だったからって、それでどうなるってわけじゃねーだろ。僕は、きみが病院坂黒猫でありさえすれば、それでいいさ。驚かされはしたが、ま、そんなもんだ。僕をあまり軽く見るなって、いつも言ってんだろ？　僕はあらゆる問題を解決する男だぜ。僕ときみは今まで通り変わりばえもないつまらない友達同士だ。それで、安心なんだろう？」

「有難いね。ところで――」

そして、病院坂はおもむろに、話題を変えた。

「――話は、いいところで途中だったよね」

「……話？」

「数沢くんを殺した犯人の話だ」

「…………」

僕は、咄嗟には反応できなかった。

「……分かったのか？」

「ああ。分かった。今度こそ、完璧に」

病院坂はあっさりと肯定した。自信たっぷりな口調だった。完全に……問題を、解いてしまった者の、口調だった。電話の向こうで、どんな表情を浮かべているのか、見てきたように想像できる。

「……でも、どうして、いつ、なんで——」

「まあ聞きたまえ、様刻くん」

「で、でも——病院坂……」

ここで——迂闊にも、ここで、初めて、僕は思い至った。病院坂が昼間、剣道場で言っていた言葉——僕達に容疑をかけた際、最初は全員を容疑者から外すつもりだった——と。過去形で、言ったこと、の意味に。櫃内様刻、櫃内夜月、病院坂黒猫、迎槻箱彦、琴原りりす、数沢六人——

「ちょっと待て、少し黙ってくれ、病院坂——」

「犯人といえば通常一人を想像することが多いが、今回の場合は二人だ」

病院坂は待たなかったし、黙らなかった。

「迎槻箱彦、琴原りりす。この二人が、犯人だ」

かいとう編

　殺す側も殺される側も等しく人間だ。世界が意志を持っていると感じたことは？　世界が生物のように、何らかの確固たる秩序を持って、構成されているのだとしたら？　だとしたら、その場合、世界の所有者が、いなくなることになる。だって、寄り集まった集合体として世界があるのではなく、世界に主体性があるのだとすれば、僕は、その中の一部でしかなくなり、『僕の世界』なんて概念は、偽《いつわ》りの仮初めでしかなくなる。それに、きっと、世界の中で『目的を達成する』なんて行為も、空《むな》しい、あってもなくても同じようなものに、成り下がってしまうことだろう。大きさに、それほどの差異がある。最大の能力で最良の選択肢で最善の結果を収めて

も、それがどうしたという、矮小な話で済んでしまうことだろう。でも——とはいえ、そもそも目的を達成するという行為、それ自体に、どれくらいの価値があるのかと正面から訊かれれば、それは確かに、正確な解答が難しいものがあるかもしれない——世界のあり方がどうあったところで。たとえば小説家になりたい人間がいるとする。彼または彼女は、きっと、その夢、目標に向けて、努力することだろう。原稿を書いて、賞だか何だかに投稿するだろう。編集者に直接、持ち込みをするかもしれない。とにかく、努力するだろう。真摯《しんし》のつもりで、真剣のつもりで、努力するだろう。時には挫折もある。精魂込めて血道をあげて書いた文章が、誰の琴《きん》線《せん》にも触れないようなこともあるかもしれない。適当に書き散らした作品を親兄弟友人知人に褒められて、勘違いをするかもしれない。先行作品の影響から抜けられず苦しむかもしれないし、リスペクトとパロディの区別がつかないままに己の才能を確信

し、参考文献を丸写しするような、見当違いな方向に進んでしまうかもしれない。あるいは自分で考えたオリジナルを、とっくの昔に先人が実践していて、ひどくがっかりするかもしれない。大物にばかり憧《あこが》れるあまり、中身も伴っていない癖に態度だけは大物をなぞり、周囲の人間に辟易《へきえき》されるかもしれない。なにかを目指しているというそれだけで満足してしまい、成長を止めてしまうことだってあるだろう。けれど、そうやって、挫折と間違いと勘違いと幻滅とを繰り返した結果、彼または彼女は、小説家になりました。夢が、叶《かな》いました。だが——だがそれが、一体、なんだというのだ。夢が叶っても、それは夢が叶ったというだけだ。目標を達成したって、それは目標を達成したというだけだ。それは、それだけでは、それだけでしかない。『それだけ』。何も変わりはしない、代わり映えはない。今まで行ってきた苦労や努力の甲斐あってなんていっても、苦労や努力などというものは、達成されてしまえば忘却してしまうものである。それらが形として残るのは目的を成し遂げれなかったときだけで、結果を出した際は『こんなものかなあ』と首を傾げ、虚《うつ》ろのみが後へと残る。結果が大事だとか結果が全てだとか言うけれど、じゃあ結果の後はどうなるんだよ、という話だ。結果のその後、終わりの続きには、一体何がどうなるというのだ。問題を解いたあとはどうなるんだ。満点をとった次はどうするんだ。百点を取った次は、どの問題を解けばいい？希望が全て叶ってしまえば、そのあとには、もう希望はなく、つまりそれは、絶望、死に至る病なのか——目標を達成することは、エントロピーの法則に基づくただの消化行為でしかないのか。井の中の蛙《かわず》が大海に出たところで、そんな広い世界を知ったところで、海水の中で蛙は溺《おぼ》れ死ぬだけじゃないのか。夢とか目標とかは、この世界の中で、ただ世界を進行させるためだけの、エネルギーの移り変わりに過ぎない、意志の欠けた行為なのかもしれない。

僕が、たとえば僕が、目の前にある問題を、次々と解いていっても、そんな行為はどこにもつながらず、ただ、なんていうか……小さな『作業』を、世界にとってもどうでもいいような『作業』を、一人、こなしているだけで、糸の切れた凧《たこ》みたいなものだとしたら、そんなのは、ぐにゃぐにゃで、つかみようもないってことに、なってしまわないか？

……ただ、この問題……この『問題』は、このような問題の立て方は、僕に言わせりゃ、馬鹿馬鹿しい、阿呆のそれでしかない。言いがかりに近い、いちゃもんをつけているのに等しい、そんなのは、『東京ドームって東京ドーム何個分？』という質問くらい阿呆だ。

勘違いするな。

そんな深い考えがあって、やってるんじゃない。僕には思想もなければ主張もない。心の中には、守るべき何かも、育てるべき何かも、そんなものはない。目の前に問題があるから、解くだけだ。目の前に問題があることが、我慢ならない。世界のためじゃない、自分のためじゃない。きみのためじゃない、僕のためじゃない。目の前に羽虫が飛んでれば、誰だって振り払う。それが獅子でも鬼でも同じことだ、何も変わらない。分からないことがあるくらいなら、死んでいい。分からないことから逃げるくらいなら、死んでいい。曖昧や不合理や矛盾や誤魔化しや、あやふやや不自然や無意味やごり押しや、そういう一切合切《いっさいがっさい》が、全て、僕らの敵だ。僕達は魚だ。世界という大海で泳がなければ呼吸もできない、脆弱《ぜいじゃく》な魚だ。僕達は戦士だ。世界という戦場で戦わなければ生きてもいけない、矮小な戦士だ。

嘲笑《あざわら》え。

「……何か用っすか？」

翌日、僕は夜月を起こさずに、朝早く、いつもよりも尚早く、一人で桜桃院学園に向かった。両親ともに留守なので、夜月には、残念ながら、遅刻してもらうことにする。その辺のフォローはちゃんと考えているので問題ない。それよりも、これからの時間に、夜月に学園内にいてもらう方が、僕にとっては問題だった。たとえ二年の教室にいたところで、近くに夜月がいると思うと――僕はどうしても、躊躇してしまうだろうから。『天国への階段』を昇って学園に到着し、自分の教室の、琴原の机の中の教科書に、メッセージを残した。これは病院坂黒猫の真似だった。自分がやられるのはたまらなく嫌だったが、一度くらい、人にやってみたいと思っていたのだ。そして僕は、更に階段を昇って、屋上で待つことにした。昨日病院坂が騒ぎを起こしたばかりなので、そこは施錠《せじよう》されているかと思っていたが、開放されたままだった。この学園には危機管理意識というものがないのだろうか。まあいい。持ってきた金槌《かなづち》を使わなくて済んだのなら、それでいい。

「わたくし、教科書にあんな下手クソな字で落書きされる心当たりなんて、全然ねーっすけど」

琴原りりすは、そんな言葉とは裏腹に、もう全てを覚悟しているかのような、悟ったような苦笑いの表情で、屋上に現れた。僕は、昨日と同じに、タイルの上に、寝転んでいた。琴原は、扉《とびら》の近くにいて、僕のそばまで寄ってこない。少なくとも、この角度じゃ、とてもスカートの中身は覗《のぞ》けまい。ちらりと、目だけで、琴原の全身を、眺める。ああ――今まで、本当に、気付かなかったな。こいつ――結構、可愛いじゃん。

「あはは。屋上に呼び出すって、結構、ステレオタイプでアナクロで、見え透いてるって感じなんだけど、櫃内サマ」

「うん」

僕は頷いた。

「愛の告白をしようと思ってね」

「あっそ」

琴原はへらへらと笑ったままだ。

「嫌な冗談だよね、それ。すっげー嫌。性格わる。櫃内ってそんな嫌な奴だったっけ?」

「……別に冗談じゃねーさ」

「他に切り出し方ってものがあるんじゃない？」

「酷いと思う？」

「さあね。もう、わたし、そういうの、駄目」

「………………」

「訊かれても、答えられないよ」

琴原はちらり、と鉄柵の方を見た。飛び降りるつもりかな、と一瞬、危惧《きぐ》した。いや、それはしないだろう。少なくとも、僕との話が終わるまでは、しないはずだ。そして、僕との話が終わってもそんなことをしないよう、僕は会話を運ばなくてはならない。僕は立ち上がって、琴原に向いた。

「そっか。じゃあ、もう質問しない」

「うん。助かる」

「じゃ、確認だけするよ」

「どーぞ」

「数沢くんを、殺したね？」

「……んー」

琴原は、ちょっとだけ、返事に躊躇した。躊躇したが、それは本当にちょっとだけで、すぐに「うん」と頷いた。見ている側にはもうどうしようもないような首肯だった。

「はーい。わたしが数沢くんを殺しました。反省してます、ごめんなさい」

「まあ……多分、直接手を下したのは、箱彦の方なんだろうけれど、さ」

「あ、違う違う」

琴原は初めて慌てたように、一歩だけ僕に寄ってきた。そこで気付いて、その一歩を、すぐに元に還す。僕に必要以上に近づくことを、必要以上に恐れているかのようだった。恐れ。恐れ、恐れ。恐怖。不安。そういうもの。そう、きっと、今の琴原は、全てのものが、怖くなっている。全てに対し、殺されるのではないかと、恐怖を抱いている。殺してしまった人間にとって、そういうことがありうると、自分の手でもって証明してしまった人間にとって、もうそれは、リアルな恐怖で、酷く至極現実的な問題だ。その問題を解決するだけの法は、今の琴原には、ない。

「殺したのはわたし。琴原りりすが、殺したの。まあ、それも、事故みたいなもんで、殺すつもりなんか全然なかったんだけど、でもそれって言い訳だよね、うん。でもね、箱彦は、本当は関係なくて、箱彦は、単純に、手伝ってくれたの。わたしが無理言って手伝わせたの」

「ふうん……」

「だから箱彦のこと、責めないであげてね」

箱彦に訊いたら逆のことをいいそうだな、と思った。どちらにしても人殺しの犯人のいうことだ、信用できない。でも、そんなことを言っても仕方がない。それは、どうにも言いようがない。そんな話をしたくて、呼び出したわけではない。

「正直、ほっとしたよ」

そんなことを言って、琴原は、自分で、声を立てて笑った。

「あれ、こんな台詞、ドラマでよくある? あはは、何か自分で言ってるし、馬鹿みたい。でもね……本当、ほっとしたよ。肩の荷が下りた気分。旅行が終わって、おうちに帰ってきた気分。やっぱり、家が一番だよね。わたし、このまま、ずっと、こういう気持ちを抱えたまま、生きていくのかなーって思ってたから。でも、自首なんてできないしね。共犯者がいるとつらいっす」

「だろーね」

「櫃内なら、見抜いてくれると思ってたよ」

「ふうん……それはそれは」

それは、期待に応えられず、失礼。

「わたしね——本当に、ビビっちゃってね。おかしいよね、笑っちゃうよね。わたし、自分なら、ああいう状況になっても、ちゃんと、うまくやれると思ってたのにね。根性あると思ってたもん、うん。でも、思ってるのと実際にやるのとでは、全然違うよねー。思い込み、思い上がり。今思えば、箱彦に手伝ってもらうべきじゃなかった、よねぇ。悪かったな、巻き込んじゃって」

「あいつは、巻き込まれたなんて思っちゃないだろ。きみが、巻き込まれたなんて思っちゃないようにね」

「…………」

「そういうのは、格好いいと思うよ。僕は、とても、そうはいかない。足を引っ張られるのも、足を引っ張るのも、嫌いでね」

「一匹狼だ」

「そんな感じ」

「ロンリーウルフ」

「英語でいうな」

「でも——優しいんだよね」

「だから——勝手な幻想を押し付けるなよ。それこそ思い込みだ。僕は優しくなんてない。これっぽっちも、毛ほどもね。僕が琴原と箱彦の立場だったら、違う解答を選んだだろう。僕はきみ達とは違うんだ。ただし——どちらが正解ってわけにもならないんだろうな、そういうの……正解が一つではない問題か。一番、厄介な、下手すりゃただの出題者のミスだっつー、そんな問題だ。不愉快だよなあ、琴原。僕はこういう問題が一番不愉快だよ。解けても解けなくても、どっちにしろ不愉快だ」

「…………」

「僕のため、だったんだろう？　あんな、よくわからないような、ややこしい真似をしたのは」

「……ん」

言いにくそうだったが、言いにくいというそれだけで、それはいい。あるいは訊くまでもないことだったかもしれないが、余計なことだったかもしれないが、それでも、ここだけは、勝手かもしれないけれど、確認せずにはいられなかった。そんな人間が、僕のそばに、僕の世界にいてくれていることを、確認せずには、いられなかった。

「そーだけど、えーっと、櫃内は気にしなくていいよ。だって、ほら、なんつーか、わたしらが勝手にやったことだし」

「ああ、そうだな。気にする気はないよ」

ぼくはなるだけ、冷たく言った。強いて、冷たく聞こえるように言った。

「僕が頼んだわけじゃないし。やって欲しいと願ったわけでもないし。それに、事故だろうがなんだろうが、殺しちゃ駄目だよ。殺したら、全部おしまいだ。だから、僕は、きみに感謝しない。きみ達に感謝しない。申し訳ない気分にも、なるつもりはない。僕はきみ達のことを、気にしない」

「うん。そうしてくれると、嬉しい」

「でも、琴原。きみ、そればっかしだな」

僕は言う。

「『気にしないで』とか『忘れて』とか、さ……僕の記憶を何だと思ってるんだい？　僕の脳はフロッピーディスクじゃないんだぜ。そうそう簡単にフォーマットできるもんかよ。そっちについては、あまりに身勝手だとは思わないのか？」

「ん……ああ、告白、したときのことだね」

琴原は気まずげに目を逸らす。

「あれはねー、うん、あとで箱彦に怒られたねー。『そんなことをしたら、様刻は絶対に勘付く』ってさ。でもね……あの機会を逃したら、もう、絶対に、機会はないだろうなーって思って。感極まって、ていうのかな。もう、あのときから、わたし、怖くて怖くて、仕方なかったんだよ。平然とした顔で、きみに嘘をついて、嘘で笑って、嘘で仲直りしてるのが、とてもつらかった。でも、暴走だったよ。慌てて取り消したけど、あれは手遅れだったってことなのかな。手遅れっていうなら、全部手遅れだったたか。思いつきでものを言わせてもらえればだけどね」

「……嘘をつくのは簡単だ。嘘をつき続けるのが、難しいんだよ。好きなものを、好きでい続けるのが難しいのと同じでね。それは、そういうものなんだ」

「名言だね。うん……そうなんだよね。なんていうかね、みんなに嘘をつかなくちゃいけなくって……家族にも友達にも、大好きなきみにも、嘘をつかなくちゃいけなくって、嘘をついてるのに笑わなくちゃいけなくって、嘘をついてるのに笑いかけてもらえたりして、それって、世界に対して嘘をついてるみたいな、そんな感じでね。そんな感じ。自分は、誰にも、受け入れてもらえないんだなって、そんな感想でしたとさ」

不安と、恐怖。恐怖と、不安。

「人を殺すっていうのは、そういうことだよ。知った風なことを言わせてもらえりゃね。そんな気持ちが、一生、なくならないんだ」

「うん……だから、櫃内も」

琴原は、区切って、言った。

「わたしのことなんか、気にしないで。この前言ったことも、忘れて。わたしなんて、なかったことにして。きみの人生から、わたしを、いなかったことにして」

「……きみは――」

いなかったことにする。それはつまり、どんなときにも――悲しいときにも嬉しいときにもどんなときにも、琴原のことを思い出せなくなるということ。

「わたしは、ぜーんぶ冗談だから。わたしなんて冗談だから。だから、もう、わたしのことは、気にしないで」

さっぱりとした笑顔で、何の悔いもなさそうにそんなことをいう琴原に対して――へっ、と、僕は鼻で笑ってみせた。せせら笑うような、嫌な笑い方になったはずだ。

「やだね」

そして言う。

「気にしないなんて無理だ。だって、僕はきみが好きになってしまったから」

「……何それ？」

「愛の告白」

「……ふうん」

怪訝そうではあったものの、大して驚いた風もなかった。予想していたのかもしれない。箱彦なら予想していてもおかしくはないだろうが、しかし、琴原は、どうだろう……予想はしてなかったと、思う。多分、ならば、もうこういう状況くらいでは、この程度の状況くらいでは、どうにもならないようなところに、今、琴原りりすはいるのだろう。もう、それくらいに——琴原は、完結して、終わりの続きをやっているってことなのか。

「きみのことが好きだ。僕と付き合って欲しい」

「平凡な言葉」

「ときめく言葉が欲しかった？」

「そりゃもう、女の子ですから」

「うるせえ。どきどきしたきゃ運動場走ってこい」

「酷ッ！」

「きみが人を殺したことなんか気にしない。そんなことはどうでもいい。数沢くんのことはもう死んでしまった。人殺しはよくないことだとは思うけど、それはもう仕方のないことだ。済んでしまったことは、仕方がない。後悔なんて何の意味もない。大事なのは、今ある状況で、どんな風に何を選択するか、だ。どこかにつながっている道の内、何を解決するか。過去の問題ではなく、現在の問題を、どう解決するかだ。最良の選択肢を選ぶことだ」

僕は琴原に近付いた。

「琴原りりす。ここから先はもう僕には皆目見当つかない範囲だけれど、果たして、きみは、どういう選択するんだろうね——」

「わ、わわっと」

琴原は逃げた。抱きしめようとした僕の両手は空振りした。同じだけの距離を取ったところで、琴原は僕に背を向けて、顔を見せないようにした。更に追いかけて無理矢理抱きしめてやろうかと思ったが、琴原は夜月とは違う、接触すればいいってものではないだろう。琴原にとって、この距離が一番いいというのなら、それでいい。顔を見せたくないってのなら、回り込んで肩を抱いたりはしない。どんな顔をしているのかも、あえて考えない。赤面しているかもとか、泣いているかもとか、そういうことは考えない。このままで会話を続けよう。

「落ち着いて話をしましょう、『破片拾い』くん」

「応《おう》。冷静沈着は僕の必殺技だ、『肉の名前』さん」

「わたしと付き合いたいって?」

「うむ」

「前言ったときは、返事もくれなかったのに?」

「あのときは、まだ好きじゃなかった」

「今は、わたしのこと、好きだって?」

「うむ」

「妹さんの次に、でしょ?」

「妹さんとは別に、だ」

「なんで、そういうことになったの?」

「恋愛感情に理由はない」

「わたし、人殺しだよ」

「殺しても殺さなくても、きみはきみだ」

「付き合うって、どういうこと?」

「色んなことを、一緒にする」

「具体的には?」

「恥ずかしくって口にできないようなことをする」

「……えろー」

「えろいこともする」

「わたし、色々と初めてだから、めんどいよ?」

「僕は大抵経験者だから、リードする」

「……でも、わたし、見ての通り、胸ないよ?」

「我慢する」

「…………」

「本当は譲れないところなんだけどね」

琴原は、ここで、身体ごと、僕の方を振り向いた。なんだか、苦虫を噛《か》み潰《つぶ》したような、怒っているのか悲しんでいるのか笑っているのか泣いているのか、微妙な表情で、片目を瞑《つむ》って、しかしそれだけは確かに、憎々《にくにく》しげに僕を睨んできた。そこには、もう、さっきまでのような、悟りきってどこかに到達してしまっていたような、悟りきってなにかが完結してしまっていたような、そんな気配は微塵《みじん》もない。僕がよく見る、普通で当たり前の、琴原りりすだった。

「きみねえ。そういうことというけどね。わたし、胸はないけど、でも、肩甲骨《けんこうこつ》、すっげーよ？」

「うん？　肩甲骨？　ふむ、それは今まで十何年間、僕が注目したこともないようなポイントだな」

「見くびってもらっちゃー困りますわね。一度触ってみりゃ、もう櫃内なんて、きっとわたしの虜《とりこ》だね。肩甲骨奴隷に成り下がっちゃうね。今までわたし、この肩甲骨だけで、何千人もの男を意のまま思いのままにしてきたんだから」

「ほほう。どれどれ」

一歩二歩三歩と、間をあけずに一気に琴原の位置まで近寄って、今度こそ僕は、両手で、琴原を抱きしめた。今度こそ、琴原も、逃げなかった。夜月を抱いている感覚が、フラッシュバックする。あの日、バス停で、琴原に抱きつかれたことも、思い出す。ふうん……でも、確かに、この肩甲骨は、夜月にはないものかもしれないな。

「櫃内」

「ん？」

「きみは信用できないから、もっぺん言いなさい」

「……えっと、胸がなくても我慢する？」

「それじゃないよ！」

琴原はうずめていた顔を起こして、怒鳴った。

「これから毎日、わたしのこと好きって言って！」

「……ちょろい御用で」

僕達は口づけをした。

夜月にしたのとは違う、深いキスだった。

「櫃内様刻、櫃内夜月、病院坂黒猫、迎槻箱彦、琴原りりす、数沢六人——この六名を今回の事件の容疑者であると限定しこの六人しか世界にはいないかのような視点から今回の事件を探偵してみれば、あっという間に壁にぶつかることになる。だって、当事者である僕ら——今回の件の一番中心にいた様刻くんの視点から物語を眺《なが》めたところで、情報が全然足りないのだから。推理しようにも探偵しようにも、まず身動きが取れない状況になってしまうのだ。無論、言うまでもなく、疑おうと思えば全員を疑うことができるだろう。数沢六人の自殺という線を含め、別に誰が犯人でもよさそうな、誰でもが犯人でありうるような、そんな感覚がある。都合よく、『分かりやすい』形での動機を持つ人も、いるようだしね。これはいうまでもなく様刻くんと、妹さんなのだが。正直この条件で犯人当てをすることは結構な難易度だとは思うが——それでも、やってみなくちゃわからない、わからないことから逃げてはならない。僕達は考えなくてはならない。立証できるかどうか、ポイントはそこだ。怪しい動きを、不自然な動きをしている者はいないか。客観的に言って一番疑わしいのが誰かという話をすれば、それは様刻くんだということになるだろう。なぜなら、様刻くんは事件の直前に、数沢くんと悶着《もんちゃく》を起こしている。だから、容疑者の筆頭であって、そこが僕にとっては心に引っかかる部分であり、この事件の探偵へと乗り出した契機の一つでもあるのだが、しかし、考えてみれば様刻くんには確固とした不在証明があるのだよね。数沢くんと別れてから、箱彦くんと、琴原さんと、きみは一緒に下校している。学園を出ているんだ。これはゲートの記録に残されている。はて、そういえばだが、数沢くんが死んだと思われる時刻はいつなのだろう？　検死やら司法解剖やらで死亡推定時刻くらいはある程度正確に導き出されているだろうが、僕らは誰もそんなことを知らないから、それはできる限りで限定するしかない。きみが数沢くんを最後に、剣道場で最後に、生きている数沢くんを最後に見たのは七時過ぎ。それ以降、彼は帰っていない。学園から出ていない。翌朝それが問題になって、体育倉庫で発見される一時間目まで、彼は消息を絶っている。ならば死んだのはその間と見るべきだろう。その晩なのだろうか、それとも翌朝なのだろうか？　これによってもまた話は違ってくるが、そこは情報なき僕らには絞り込みようがない。夜、きみ達と別れた直後に殺されたのかもしれないし、あの日きみが言っていたよう、一晩、『何らかの事情があって』学園に隠れた末、誰かに殺されたのかもしれない。『何らかの事情』とはいかにもしかし都合がいいから、普通に考えれば夜に殺されたと見るべきなのだろうが、朝である可能性、翌朝生徒が登校してきてからの可能性を否定するだけの根拠は、今のところない。だけどこちらにしても、様刻くんにはアリバイがある。ゲートをくぐった時間と、教室についた時間を示し合わせれば、そんなのは簡単だ、僕が証人になれる。僕、僕——そう、僕だ。朝早く人目のつかない内に学校に来るといえば、この僕、病院坂黒猫が筆頭であり、もしも数沢くんが殺されたのを朝と仮定すれば、僕が犯人である可能性が高くなるわけだが、しかし——これも、立証はできないだろうね。僕は僕が犯人でないことを知っているし、そんな主観を抜いて、様刻くんの視点から見たところで、そう結論されると思う。きみに僕が犯人だと立証できるかい？　あるいは、迎槻くんが、琴原さんが、犯人であると立証することができるかい？　そんなことは、誰にもできない。調べて調べて調べまくれば、あるいは新しい情報が出てくるのかもしれないが、問題において、そんな『後出し』の情報は、アンフェアの誹《そし》りをまぬがれないからね。世界において、たとえ己の世界、小さな手の届く範囲の世界であったところで、知りえないことは無限にある。それでも有限の中、僕らは解答を探らねばならないのだから。しかし、とはいえ、この『有限の中』、限られた情報だけでは、現実問題、どこにもつながらない感は否めない。じゃあ、犯人の特定はどうしたところで不可能なのだろうか？　結局のところ、この六人を、容疑者のリストに入れようとする行為は根本的に間違っていて、彼らを疑うのは筋違いなのだろうか？　立証不可能、故に彼らは犯人ではなかろうなのか？　いや、ところがこれが、そうでもないんだ。ほんの少し、認識をずらして、世界を逆さまからみれば、意外と、ものの正体というものは、問題の解決というものは、見えてくる。それが僕の方法論だ。どうしようもないほどにね、本当、どうしようもないほどにね。結局のところ、問題は、数沢くんがいつ殺されたのか、という、その一点に収斂してくるのだよ。そう、これは、あの日、保健室できみから琴原さんとの仲直りの手法、数沢くんとの一件のとりあえずの解決をおおざっぱに聞いたあの日から、なんとはなしに、気にかかっていた矛盾だったんだ。矛盾、不合理だったんだ。それで、僕の頭の中には仮説が浮かんだ。仮説はそれだけではただの仮説だ、思い浮かんだ以上、僕はその仮説を確認せねばならなかった。昨日剣道場を見学したのも、それに、様刻くんから同じ話をもう一度、今度は正確無比に、答えてもらったのも、そのためだったのさ。仮説を、補強するために、保証するために、確信するために、確認するために。実際、あのとき、僕は解答に肉薄していたような気分だったし、僕ではない他の誰かから見れば、それはその通りだったと思う。簡潔にいうと、理解が易いようにこれまた結論から言うと、そのとき僕が抱いていた仮説とは、『あの日あのとき様刻くんが見た数沢くんは数沢くんではなかったのではないか――』というものなのだ。無論、『あの日あのとき』とは、迎槻くんと数沢くんが打ち合っていた、様刻くんの表現を借りれば『箱彦が数沢くんをしばいていた』、そのときのことだ。様刻くんは実際に見たのだからとこの仮説を頭から否定するかもしれない。けれど考えても見たまえ。剣道で『打ち合っていた』ということは、そりゃもう、高校剣道部なのだ、間違いなく防具を身につけていたはずだろう？　当たり前すぎることだからきみは特に触れてなかったようだが、垂《たれ》も籠手《こて》も胴《どう》も面《めん》も——身につけていたはずだ、そうでなければ、『打ち合う』なんて真似ができるはずもない。防具もつけていないところに突きなんか入ったら普通は即死する。そう、そのとき、数沢くんも迎槻くんも面をつけていた。まして、そのとき二人は、剣道場の入り口から遠い方、神棚に近い方の試合場で打ち合っていた。剣道の試合場は大体十メートル四方だから、平均的には、きみと二人は、およそ十五メートルくらい離れていた計算になるね。加えていえば、様刻くんは、ちょっと手前の席の人間が読んでいる漫画が何なのか分からない、ちょっと離れたベッドにいた僕が放り投げた本が教科書なのかどうかも分からない、その程度の視力しか有していない。離れた場所で面をつけて打ち合う人間が誰かなど、少なくとも一瞬で判別することなどできるわけもない。ならば何故、試合場で打ち合っているのが迎槻くんと数沢くんだと、一瞬で判断したのだろうか？　迎槻くんは呼び出し主だからとしても、数沢くんは、一体？　理由は至って単純、至って簡単明瞭。迎槻くんも数沢くんも、剣道部の正選手だ。正選手なら、公式試合に出場するときのために——垂のところに、大きく名前を刺繍しなければならない。『桜桃院学園　迎槻』『桜桃院学園　数沢』なんて、学生服の名札や、体操服のゼッケン、小説家のペンネームよろしくね。近頃は刺繍ではなく、名を書いた袋を被せるという手法を選ぶところもあるらしいが、更衣室で確認したところ、この学園の剣道部は、刺繍を選んでいるらしい。まあ、これは確認するまでもない、別にどっちでもいいさ。どちらにしてもし垂に名前が書いてなければ、様刻くんには、離れた試合場で打ち合う彼らを、どちらがどちらだと、誰と誰とだと、判断することなんて、できなかったはずだからね。迎槻くんとは、その後、様刻くんは言葉を交わしているし、面を外した素顔も見ていることだから、『迎槻』の防具を着ていた彼が迎槻くんであるのは間違いないが、さて、これで数沢くんの方はかなり怪しくなってきたとは思わないかい？ この手法で言えば、『数沢くんの防具さえ着ていれば誰であっても様刻くんに対して己を数沢くんだと誤認させることができる』んだからね。究極のところ、垂さえ交換しておけば、誰の防具だろうと構わない、とまでいえてしまうくらいに。さて、では『数沢くん』の候補としては、一体誰がいるだろう？ 僕かな？ 僕なんてどうかな？ まず手始めに病院坂黒猫を考えてみることにしよう。様刻くんが体育館に向かったルートは最短ルートだが、何とか、走るなり飛ぶなりなんなりして先回りして、数沢くんの防具を着、迎槻くんと打ち合う。そんな感じになるのかな。——しかし、これは無理だ。僕では、数沢くんとは体格が違う。先ほど『誰であっても』なんていったが、身体の輪郭《りんかく》が違えばそんなもの、遠目でも分かってしまうものだよ。様刻くんは細かい字が見えないだけで、黒板の字は読めるし、読んでいるのが漫画だとか、本の大きさとか形とかは、ちゃんと分かるんだから。僕はチビだしおっぱいがある、男の代わりは勤まらない、たとえ数沢くんが女みたいな体格をしている線の細い男だとしてもね。彼に胸はないだろう？ おや？ なら、何か可能性が出てこないかい？ そう、様刻くん自身がそう評していた、数沢くんを指してそう評していた、『身長体格が夜月とそんなに変わらないその男』と。そう、様刻くんの妹、櫃内夜月ならば、数沢くんの代わりは利くのかもしれない、きみの目を欺《あざむ》けるかもしれない。ああ……でも、これも、いい加減な話だよねえ。身長と体格が合えば、それでいいなんて、非常に大雑把《おおざっぱ》な話だ。

だって、様刻くん、言っていたよね？　妹さんは『体育が苦手』で、『人並み外れて人並み以下』ではないと。それってつまり、えらくレトリックが利いてるけれど、簡単に言えば『人並み以下』ってことだよね、雪もないところでこけてしまうほど。前にも言ったが剣道というのは図抜けて激しいスポーツだ。防具をつけて動くだけで、普通の者は疲労を感じてしまうほどに。畢竟《ひっきょう》、上り坂を登った程度で肩で息をするような娘が、長くできるような競技ではない——と、ま、これは人のことは言えないんだがね。まして、この場合相手をしなくてはならないのは、剣道二段の、高校剣道界では名うての剣士、『迎え突きの箱彦』だ。それと『打ち合う』だって？　冗談にもならない。迎槻くんが合わせてくれたところで、そんなのは『試合』『打ち合い』として成立しない。最後の方はともかく、少なくとも途中までは、様刻くんが剣道に対する見方を変えてしまうくらいの、『崇高』とまで思ってしまうくらいの試合を繰り広げていたのだろう？　だったら、そんなの、『人並み以下』の櫃内夜月、妹さんには無理と見るしかないだろう。で、一応考慮しておくが、櫃内様刻、様刻くんは——あはは、きみ自身が証言者なのだから、これは『きみ』が『数沢くん』であったなんてのは、ありえない。体格も全然違うしね。じゃあ、やっぱりその『数沢くん』は『数沢くん』以外の何者でもなかったのだろうか？　いやいやそう結論を急ぐことはない、あと一人候補者が残っているではないか。そう、琴原りりす、琴原さんだ。琴原さんは剣道初段、迎槻くんとはずっと一緒にやってきて、今でも時々剣を振るっている。腕っぷしの方は問題ない。じゃあ、問題のある、体格の方は？　僕と違っておっぱいは慎《つつ》ましやかなようではあるが、それだけで交代できるかどうかといえば……いや、待てよ？　様刻くんの証言があったね。バス停で、琴原さんに抱きつかれたときの話だ。『この感覚、夜月に抱きつかれたときの感じに似ている』と……そして、それは、『ただの体格の問題』だと、ね。いいかえれば、琴原さんと妹さんの体格は、似たようなもので……それは、イコール、琴原さんと、数沢くんの体格も、似たようなものであるということだ。だから、入れ替わりは可能である、ということができる。目の前の人間が知っている人間と入れ替わっているというのに気付かないものかと様刻くんは思うかもしれないが、やっぱり面をつけているし、それに、その『数沢くん』は迎槻くんの叱咤《しった》に対してもぼそぼそ言うばかりで、きみに聞こえるようには、何一つ、発声していないだろう？『彼』が出て行くとき、距離が詰まったときにも、きみの方をちらりとも見もしなかったのだろう？ 派手なはずの髪の毛だって、面の下に巻く手ぬぐいで隠れるし――そうそう、バス停で、きみは琴原さんから『剣道場の匂い』を嗅ぎ取っているよね？ 香水やらで消臭したかもしれないが、いやはや、僕も更衣室で思い知らされた、あの匂いは、ちょっとやそっとで消え切るものじゃない。琴原さんが剣道場に入ったのはほんの入り口までだ、防具でもつけない限り、そこまで匂いはしないだろう――と、これはまあ、補強材料ぐらいで見ておくべき些《さ》細《さい》なことかも知れぬがね。筋書きはこうなる。きみを七時に呼び出しておいて、やってくるタイミングを見計らって、迎槻くんと、数沢くんの防具を身に着けた琴原さんとが、打ち合っている。それをきみに見せる。迎槻くんが勝つ。『数沢くん』が出て行く。倉庫かトイレかでも、着替えて、琴原さんは剣道場に戻ってきて、さも今数沢くんとすれ違ってきたかのようなことを言う――少なくとも、この話の流れには矛盾がない。合理的だ。そうは思わないかい？『数沢くん』と琴原さんの入れ替わりは可能。これに関して不在証明は琴原さんにはないのだ。『一人で校内をうろうろしていた』とは、裏返せば自分がどこかにいたと証言してくれる人はいない、ということになるのだからね。ああ、美しい。ただ、そうと結論づけるのは、まだ性急だ。だって、今の理論は『数沢くんと琴原さんの入れ替わりは可能』だと証明しただけで、『数沢くんと琴原さんが入れ替わっていた』と証明したわけでは、全然ないのだよ。ちっとも立証できてなんかいないのだ。立証できていない以上、推定無罪の原則を適用すべきではある。すなわち、『あれは数沢くんだった』とね。これを否定しうるだけの証拠も根拠も、まるで見当たらない——仮説は所詮仮説に過ぎず、入れ替わりなんて絵空事で、こんなの言いがかりに過ぎないのだろうか——などと、諦《あきら》めるのもまだ早い。諦めは人間の死だ、そうそう死ぬこともあるまいよ。『数沢くん』が数沢くんでないということを立証すれば、関係者内では唯一無二の『入れ替わり』が可能である琴原さんこそが『数沢くん』であったのだ、と立証することにもつながるのだから、それは是非に押してやるべきだ。何かないだろうか？　などと、本当は考えるまでもない。今まで僕が喋ってきた中に、もうヒントはある。『数沢くん』が数沢くんでないと断ずることのできる根拠は、もう既に僕が喋ってしまっているのだ。しかしまあ、ひょっとすると様刻くんには分からないかもしれないがね。だってきみは、剣道を畳の上でやると信じてたり、体育座りで礼儀を弁えているつもりでいたりという、信じられないルール知らずだったんだから。ルール知らず？　おや、この言葉から推測すれば、『数沢くん』は、何か剣道のルールを破ったのか？　そこが、『数沢くん』の綻《ほころ》びだったというのだろうか？　しかし妹さんならまだしも、入れ替わったのは琴原さん、剣道の有段者なのだろう？　そんなことがあるのだろうか？　これが、あるのだ。というより、琴原さんは、『数沢くん』になるため、剣道のルールを破らなくてはならなかったのだ。ついでにいうなら、箱彦くんもね。ただしこれは一般常識の範疇内でもあるのだから、『そんな情報を知りえる立場になかった』なんて、様刻くんも逃げたりはしないでくれと、あらかじめ予告してから言わせてもらうよ。剣道というのはね、打撃を行う際、それが面でも胴でも籠手であっても、まあ高校生だから突きは本当は反則なんだけど、とにかく、『気勢を込めた掛け声』と共に打ち込まなくてはならないんだ。そうでないと『一本』にはならないんだよ、様刻くん。無論、絶対に発さなくてはならないというわけではないが、反則を取られるわけではなく『一本』ではない、というだけではあるのだが、数分間打ち合っていて、それも一方的でもなく、『崇高さ』をかもし出せるように打ち合っていて、剣を交わし合っていて、二人ともが何の声も発しないなんてことは——まず、ありえない。互角稽古だったというならなおさらだ。『限られた空間内で黙々と竹刀を振るう二人』——なんてものは、剣道には絶無なのだよ。黙々としてたら駄目なんだ。試合中に発声したのは、結局迎槻くんの最後の方の一撃の際だけなのだろう？　ま、いくらきみが剣道の素人であることは迎槻くんに伝わっていたとしても、それくらいのフォローは入れておいた方が安全性が高い、と思ったのだろうな。『数沢くん』が『黙々』としている以上、迎槻くんだけが通常ルールでやるわけにもいかないし、そうでなければ不自然に思われる。不自然……そう、しかし、不自然というなら、これは様刻くん相手にしか使えないような詐術であって、通用したのは様刻くんがルールを知らなかったからであって——僕もいまいち自信がもてなかったので、ルールブックを確認はしたがね——それは、見る角度から見れば、明らかな不自然なのだ。不自然なら、それは何のための不自然なのだろうか？　はい、さっき僕が言ったね——『数沢くん』は、様刻くんに聞こえるように、何一つ、発声していない、とね。そりゃ、声出せばバレちゃうもんな、当然だよ。いくらなんでも声帯模写なんて真似を、普通の高校生が習得しているとは思えないしね。だから、その『数沢くん』は、他の誰であっても、数沢六人であることだけはありえない。喉を潰している数沢くんをどつき回すほど迎槻くんが下種《げす》野郎だったという可能性を除けばだが、そんなものは、迎槻くんを『ナイスガイ』と称した様刻くんの視点からは、僕如きがわざわざ関与して立証しなければならないような問題ではないだろう。ああ、傍証でよければ他にもあるよ、そういえば。ほら、『数沢くん』……きみの証言から考えると、防具をつけたままで剣道場を飛び出したことになるよね？　更衣室に入った様子も、荷物を持って出て行ったという様子もないよね？　まあ、荷物は外に置いていたとでも、防具は脱ぐことを忘れていたとでも、しよう。防具を入れてしまって持って帰るための巾着《きんちゃく》も、外においてあったとしよう。でも……迎槻くんは、その『数沢くん』の帰りを待たずに剣道場の鍵を締めちゃったよね。これは、もう、『数沢くん』が帰ってこないと、迎槻くんは知っていた——分かっていたからじゃ、ないのかな？　ま、さっきの仮定は実際その通りで、荷物やら、防具をしまって持って帰るための巾着なんかは、剣道場の外、倉庫にでもおいてあったんだろうがね。あるいは、箱彦くんが早朝の内に更衣室に戻しておいたのかな。どちらかだろう。そうでないと矛盾が更に生じることになるくらいは、誰にだって分かるだろうから。まあ、これは余計なこと……別に、どうでもいい些事《さじ》の部分だ。ここで一番重要なのは、その、数沢くんでだけはありえない『数沢くん』とすれ違ったと証言している——否、偽証しているのが、琴原さんだということだ。そのとき面をつけていたかどうかはともかく、『涙ぐんでる』のが分かるくらい近くではっきり確認したと——そんなこと、できるわけがないというのにだ！　ふふん、ここで、ひと段落。さて、これであの日、きみがあの日あのとき見た二人は『迎槻くんと数沢くん』ではなく『迎槻くんと琴原さん』であったことが立証されたことになるわけだが、しかし、考えてみよう。その行為には一体何の意味があるのだろう？　今まで誰を仮定してもあえて考えてこなかった『理由』だ、どうしてそんなことをする、そんな行為にどういう意味がある？　目的、目的だよ。意味もなくこんな『矛盾』『不合理』を、彼らが作り出すとは思えないし、そんなことはあってはならない。そんな『矛盾』を作り出した以上、そんな不自然なことをやってのけた以上、彼らには何らかの目的があったはずなのだ。その目的を探ってみよう。『迎槻くんが数沢くんをしばいて様刻くんと数沢くんの軋轢《あつれき》を解きついでに様刻くんと琴原さんを仲直りさせる』――と見れば、本当に分かりやすかったこの構図が、どのように変質するのか？　分からないね。分からなければ、考えよう。一番最初に思いつくのは二人の二人によるきみのための茶番劇、だよね。下級生のクラスにまで殴り込みをかけるほどに『頭に血の上った』様刻くんを収めるために『数沢くん』を痛めつけるサマを見せ、ついでに琴原さんと仲直り、と。

だが、少し思い直してみれば、その嘘には一体何の意味があるんだ？　様刻くんの行動原理が妹さんであることは、その時点では迎槻くんも琴原さんも知っている。そして、その妹さんと数沢くんは同じクラスじゃないか。正にその妹さんと、正にその数沢くんの間から、問題は生じている。そんなごまかしをしたところで、翌日にはバレてしまう。バレてしまえば、せっかくの仲直りもおじゃんになってしまうじゃないか。数沢くんのことはともかくとして、仲直りをおじゃんにするのは最悪の中の最悪だ。とりあえず一時的な処置として――という可能性もあるが、だったら、本当にそうしたいというのなら、別に琴原さんを代役に立てて、そんなまどろっこしいことをする必要はない。本物の数沢くんを、しばき倒せばいいだけだ。偽者を作り出す意味は何もない。迎槻くんはどうせ数沢くんを『指導』しなくちゃいけないと思っていたところだったんだから、そうすれば一石二鳥どころか一石三鳥ではないかね。

その日は数沢くんの予定が合わなくて、彼が部活をサボったので、仕方なく琴原さんを代役に立てたか？　そこまで切羽詰っていたかどうかはともかく、切羽詰っていたというのなら、首根っこ捕まえても、迎槻くんは数沢くんを連れてくるだろう。またはきみに直接『数沢のことは俺が何とかする』とでも言えばいい。きみは決して話の通じない男ではないのだから。直截的な最適手段を忌避する理由はありえない。なのに、どうしてそうしなかったのか……ひょっとして——ひょっとして、という考えが、ここで浮かんでくる。ひょっとして、そのとき、様刻くんが来ようというときには、もう全ては終わってしまっていたのではないのか——という考えが、湧き起こってきてしまうのは、もう避けようがない。そもそも、様刻くん、推理小説、それも『本格』だの『パズラー』だののミステリでは、この手の『入れ替わり』というのは、死亡推定時刻をずらすための代物だと、相場は決まっているのだよ。いわゆるアリバイ工作という奴さ。さっき論じてみて、不明だったよね、数沢くんの死亡推定時刻。夜なのか、夜中なのか、朝なのか。だがこれが分からないのは、情報なき僕ら素人探偵だからであって、警察当局では、発見も早い、かなり細かいところまでその時刻は絞れるはずだ。あははあ、『後期クイーン問題』とやらの出番はなかったな、僕のような素人探偵の出場は予想してもらえていなかったようだ、全然相手にされていない、いやはや寂しいね。ともあれ、つまり、きみが剣道場で迎槻くんと打ち合っている『数沢くん』を見たときには、もう数沢くんは死に至っていた——それを誤魔化すために、『生きている数沢くん』の姿をきみに見せた、と考えられなくはないかい？　ああ、これは大いに考えられる。ねえ、それを思えば、琴原さんの剣道場に入ってきていきなりの台詞、『涙ぐんでる数沢くんとすれ違った』って、いかにもわざとらしくないかい？　迎槻くんが『剣道場の鍵を締めた』ことだって、なんだか、もう少しばかし、違う意味を持ってくるとは、思わないかな……？　数沢くん本人を相手にしようにも、その『数沢くん』がもうこの世にいなかったとするなら、オルタナティブとしての代役を立てざるを得ないだろう、そうだろう、そうだとも。まあ、部活があって、数沢くんを居残らせて、『指導』したというのは、おそらく本当だろう。剣道部には他の部員もいるんだ、簡単に真偽が知れるこんなところで嘘をついても仕方がない。その場に、琴原さんがいたかどうかはともかく——迎槻くんは、『指導』の最中に数沢くんを殺してしまった、……と、仮定する。一番真実味の強い仮説だ。正直、これ以外の仮説はありえないと思う。これ以外の理由の説明をつけられるか、誰もが納得できるような理由を立証できるかと問われれば、僕は首を横に振って、己の無能さを表明するしかない。もしそうでないというのなら、納得のいく説明をお願いしたいところだね。どうとでも解釈できる可能性と、こうとしか解釈できない可能性、後者は既に立証されていると言っていい。このケース、立証できる理由は、これしかない。逆かな、理由として立証できるのは、これしかないんだ、様刻くん。七時にきみを呼んでいることからも、これは知れる。ものの弾みで事故みたいなものだったのか、それとも取っ組み合いにでもなったのか、その辺は立証のしようがないので、一旦置く。勝手な推測で話をさせてもらえば——つまりここは不定の部分を勝手に埋め合わせるだけなので『正解』『真実』ではない蛇足だが——さっき『その場に、琴原さんがいたかどうかはともかく』と言ったが、多分、いたのだと思う。元々は先に言ったよう『数沢くんへの指導』プラス『仲直り』が計画だったのだと思う。で、失敗して、事故で、『指導』の最中に殺してしまった。多分事故だろう……国府田先生が『奇妙な』なんて形容をしていたことから、その死体にそう見えないよう偽装していた、という可能性が高いが、それはともかく——『事故』、失敗であること、琴原さんがその場にいたと考える根拠はここにある。迎槻くんが、『親友』で『家族のような』存在である琴原さんを、わざわざ呼び出してまで犯罪の隠蔽工作に巻き込むとは思えないからね。無論これは実行犯を迎槻くんだと考えた場合だが——逆という線もある。けれど、普通に考えたら実行犯は迎槻くんだろうね。実力的にも、立場的にも。ま、何度も言うけれどここは推測であって……だから、そうだね、たとえば迎槻くんの単独犯で、琴原さんは知らずに利用された、適当な嘘で言いくるめられて利用されたという線と、その逆の線もある——が、まあそれにしたって、殺人にそういう形で関与してしまった以上彼も彼女も『操られた』ゆえの共犯であるといえるし、更に悪いことを考えれば、本当は二人で綿密に考えた末の殺人という可能性もある。……けど、そんなことはどうでもいいよね。最初から全てが計算ずくだった、とは、同級生として、思いたくはないしね。とにかく、殺してしまった——それを、なんとか、ごまかしたい、と思う。ここで自首する、警察に連絡するという選択肢もあったろうが、彼、彼らはそれを選ばなかった。数沢くんの死体を倉庫に隠して、予定通り、時間通り、『相変わらず時間に正確』に剣道場にやってきた様刻くんに、『数沢くん』が生きているところを見せ、ゲートを出る、学園内から出たことを証明する記録が残るところまで行動を共にし、迎槻くんと琴原さんはアリバイを成立させる——こういう風な角度から現象を見れば、問題は一切合切解決するのだ、様刻くん。きみという証人がいる以上、数沢くんは七時過ぎまでは生きていたということになって、学園内にいなかったという証明、不在証明を持つ迎槻くんと琴原さんは犯人ではありえないということになるのだ——それこそが彼らの企《たくら》みであり、そして、その企みから生まれた矛盾や綻びが、この僕が感じた『引っかかり』であり、『不安』、救えないほど安心できない

『分からないこと』であったのだ――――というのが、僕が最初に考えていた仮説だったんだけどね。正直、この時点まで、僕は余裕綽々《しゃくしゃく》だった。多分これは正解に間違いないだろうと踏んで、意気揚々ときみを誘って、友達としてきみの『不安を解消』してあげるつもりで、らんらんと剣道場に向かったものだったね。『分からない』ものを、確信するために、確認するために。そして剣道場の更衣室を覗いて、解答を完璧に確信し確認したところで――まあ、様刻くんの知っての通り、僕は、本当に、どうしようもなく分からなくなってしまった。本当に、真実、分からないことを見つけてしまったんだ。ここまで問題が解けないと辿りつけない『問題の中の問題』にね。最後の問題が、ここに至ってようやく姿を現したのだ。『フーダニット』『ハウダニット』の二つは、確実に分かったつもりでいたし、『ワイダニット』動機の方に関しても、『様刻くんのために数沢くんを痛めつけようとした結果』というような、少なくともその類似であろうと踏んで、それで全て真相を看破していたつもりでいたが――そうじゃなかったんだよ、様刻くん。全然そうじゃなかったんだ。ふふん、これは、まるで何かの試験問題だったな。『試す』『験す』というなら、こいつは確かに理想的な試験問題と言えるかもしれない。三段構えに、問い一、問い二、問い三、と用意されていた、こちらを試すためだけの試験問題だ。無論犯罪行為を隠蔽《いんぺい》しようとする彼らにそのような余裕があるわけもない、迎槻くんと琴原さんにそんな意図はなかっただろうがね、それでも僕としちゃ、自分の資質を計られた気分だった。身体の隅々まで嫌らしく計測された気分だったよ、しかもその結果は『不合格』でね。たとえば今回の事件が問題として提出されたとしたら、問い一の『犯人は誰か』という問いは、あてずっぽうでもよいなら、半分くらいの人が自信をもって言い当てるだろう。関係者の数が少ないので共犯を考えにくいのがやや引っ掛けだが、迎槻くんと琴原さんに焦点を当てるのは決して難しくない。その立証である問い二も、『数沢くん』が一切発声していないという事実の不合理に気付けば、難しくない犯人を予想した半分の中の、更に半分の人は辿りつく。ここまでで六十点だ。そう、ここまでじゃ、まだ六十点だったんだ、様刻くん。様刻くんでも、もし『本格』推理にもっと触れていれば、この六十点までは取れたんじゃないのかな。慣れてないとそこに発想がなかなか行き着かないものだが、『入れ替わり』は、推理小説じゃ、それこそ使い古しの古典的なテーマではあるからね。一風変わったバリエーションではあると思うが、赤子の手をひねるように頭をひねれば、なんとかなるものさ。小説と現実じゃ多少勝手は違うがね。しかし問い一、問い二、問い三――の、三段構え、そりゃよかったんだが、しかし恥ずかしながら、迂闊な僕は、問い二まで解いたところで満足して、その先にある問い三を、うっかり見逃してしまっていたのだ。同じく試験で例えるなら、問題用紙の裏にもまだ問題がありましたって感じかな。さあ、ここまで言えば気付いているよね？　僕がここまで喋ったことをもう一度繰り返せば、僕が言っていたこと自体の大きな矛盾、『不安』に気付くはずだよ、様刻くん。僕は今まで、とてもおかしなことを言っていたんだ。これで『調和のとれた世界』を望もうなんて、神様に怒られちゃうところだったよ。勿体ぶる必要はないだろうから、ここからの解説の方はあっさりとあっけなくいかせてもらうよ、演出不足を責めないでくれ、僕はそういうのには向いてないんだ、引きこもりだからシャイなのさ。アリバイ工作。不在証明、入れ替わり。うんうんなるほど大いに結構すばらしい！　トリッキーな真似ではあるが、その関門はクリアしている――と、見えて、ここで僕らが考えなければならない問い三は、『どうして犯人はそういうことをしたのか』ということなのだよ、様刻くん。誰が犯人で、どんな策を用いたのか、そして——どうして、何を企んでそんなことをしたのか、その理由だ。さっきも一応は考えたことではあったね。『矛盾』を生み出した以上、狙いがあるはず——というように。だが、もう一度、同じことを、今度はもっと深いところまで、考えてみて欲しい。理由は？　狙いは？　目的は？　この物言いは『動機』とは少し意味合いが違う。どうしてその選択肢を選んだのか、その選択肢を最良の選択肢だと断じたのかという、その理由——そうなのだ、ぎりぎりのところで、僕にはそれが分からなくなってしまったんだ。その結果が、あの有様だ。様刻くんには迷惑をかけたね、本当に。うん、アリバイ工作——既に死んでいるはずの数沢くんを生きていることにして、『死亡推定時刻をずらす』ということの意味を深く考えてみれば分かるんだ。いや、『アリバイ工作』という言葉の意味でもいいんだけれどね……そう、その通り。気付いたようだね。今僕が長々と語った仮説では——箱彦くんのアリバイは成立するが、琴原さんのアリバイは成立していないんだ。だって、そうだろう？　最初の時点で剣道場にいたのは迎槻くんと『数沢くん』だけだ。その後、『数沢くん』が剣道場を出て行って、すれ違うように——実際は『数沢くん』から着替えて——琴原さんがやってくる。ね？　間隙ができているだろう？　しかも、琴原さんはよりにもよってその前、数沢くんと出会ったと、そう証言してしまっている。被害者と最後に出会った人間になってしまっているのだよ、様刻くん。アリバイどころの話ではない、アリバイ工作どころの話ではない、それどころの話では全然ない、これは驚天動地だ！　だって、考えてもみたまえ、こんなまどろっこしいことをしながら、行為自体に何の企みもないということになってしまうのだぞ？　そうなのだ、二人はいうまでもなく最大の能力を発揮しただろうし、本人達は最良の選択肢を選んだはずなのに、どうしてどうして、これが最善の結果だとでもいうつもりかね！　何の意味もない。この型の犯罪では、二人は刀と鞘だ、片方だけにアリバイがあっても何の意味もない。僕にはこれがどうしても分からなかった。分からないことに気付いてすぐに仮説をひねり出そうとしたが、無駄だった。全部無駄だった。たとえば、アリバイが必要なのは迎槻くんだけだったとしたら、どうだろう？　実行犯にだけアリバイを作ってあげようとした――琴原さんはアリバイ作りのための協力をしただけで、犯人とはいえない……これはかなりの確率でありえそうにない。だって、それなら、琴原さん自身が迎槻くんのアリバイを証言すればいいだけじゃないか。クラスで『親友』扱いされている様刻くんが証言するのと、幼馴染の琴原さんとが証言するのと、意味がそんな変わるとは思えないし、敢えて危険を冒す必要があるとは、あえて猿芝居をする必要があるとは思えない。琴原さんが様刻くんの立場で、数沢くんが生きていたことを証言するかでもすれば、状況は一緒になる。様刻くんには携帯電話で、断りの電話でも入れればよかっただけだ。どうせ、『時間に正確』な様刻くんは、七時までは来ないんだからね。なのに、どうして余計なトリックを、策を弄《ろう》するんだ？　そんなトリックを弄したから、世界に矛盾や不合理が生じ、結果、僕みたいなのが引っかかってしまうというのに。トリックを使わないことが、トリックに気付かれない一番冴えたやり方だっていうのに、なんでそんな七面倒臭いことをするんだ？　ふむ。ここで、一旦思考停止。……そうだ、だったら、仮説をもう一つ、だ。第三者を混ぜよう。第三者を、話の中に交えるんだ。アリバイ工作のバリエーション、パート2だ。琴原さんの『入れ替わり』によって、『数沢くん』と迎槻くんが打ち合っているのをきみが見ているその最中に、正に、どこか別の場所、倉庫でもどこでも、どこか別の場所で、誰か他の第三者の手にかかって、本物の数沢くんが殺されていた——と、いう線。その人物は、七時以降に何らかのアリバイを作成する、というわけだな。これなら、ありといえばありか？　ありかなしかでいえば、ありかもしれない。犯人は一人でもなく二人でもなく三人だった、あるいは三人以上だった、とする線だ。うん……これなら間違いないか？　だが、これもまた、即座に否定、思いつく前に否定できるような、三下の仮説なのだ。だって、容疑者は、一体あと何人残っているというんだい？　この場合、数沢くんの自殺は考えなくていいだろう？　自殺なら、迎槻くんと琴原さんの手を煩《わずら》わす必要はない。だから、まず数沢くんは除外。そして、様刻くん、迎槻くん、琴原さんの三名は、剣道場にいて、身動きが取れない。となると考えられるのは様刻くんの妹さんと、この僕ということになるね。妹さんには委員会があったが、それはこの際、こっそり抜けてきたと、強引な仮定をしてもいい。あるいは早めに終わったのかもしれない。帰り道、妹さん以外に委員会に出ていた生徒らしき生徒も、あまり見かけなかったことを傍証にそう考える余地はある、とする。本当のところは調べてないから、分からないがね。そして、何度もいうよう、僕は寸前まできみと話してはいたが、その後のわずかな空隙に、数沢くんを殺すのが無理かどうかと言われれば、……体力的には無理だと思うけれど、可能、だとしよう。数沢くんを殺すことは数沢くんと入れ替わるのと同じくらい難しそうではあるが、セーラー服に着替える時間を考えればかなり速度が要されるが、しかしそれでは不可能とはいえない。不可能と立証する手段がないから、可能としてしまおう。そんなこと、どうせ、どちらにしても同じことなのだからね。何故かって？　そりゃ、もう、ほら——分からないもんかね？　僕ら桜桃院生が学園から出る際には、あのゲートを通るしか法がないことを、忘れてしまったのかい？　僕と妹さんがゲートを出たのは——様刻くんら三人がゲートを出たその後なのだぞ？　……死亡推定時刻を少々ずらしたところで、これではアリバイが作れてないではないか。様刻くん達より少し先行する程度でもまだ駄目なんだ。最後にゲートを出た僕の前に様刻くん達がいたり、バス停で琴原さんといるところを妹さんに目撃されるようだったら、絶対に駄目なんだ。様刻くん達は職員室に寄ったりしているからな。様刻くん達が三人ともまだ剣道場にいるとき――客観的には様刻くんが、迎槻くんと『数沢くん』が打ち合っているその際には、もうとっくに学園を出てしまっていなければならないのだ。で、ないと――『体育館を飛び出した数沢くん』を殺すことが可能になってしまうからね。僕も妹さんも一人で行動している以上、アリバイも蜂《はち》の頭もあったもんじゃないのさ。そう、この仮説にしても、ここからどう派生させていったところで、どうバリエーションを考えても結局行き詰まって――また意味がない――この仮説を通すには、どうしても学園を仕切るゲートの記録が邪魔なんだ。だから、結局、彼らの行為には、迎槻くんと琴原さんの行為には、まるで何も意味もなくなってしまうということになる。そうなればもう、僕に手持ちの仮説はない。完全にお手上げだ。分からない。分からない。分からない。分からない分か

らない分からない分からない分からない分からない分から分からない分からない分からない分からない分からない分からない分からない分からない分からない分からない分からない分からない分からない分からないと思ってもう僕は絶望していたんだが、そこに救いの手を差し伸べてくれたのは、文字通り救いの手を差し伸べて僕を絶望の沼から引き上げてくれたのが、そう、他ならぬ様刻くんだったのだよ。きみは僕の手を、痛いほどに握ってくれた。きみは僕の心に、痛いほどの言葉を浴びせてくれた。僕は今でもきっかり正確にその言葉を引用することができるよ。えーっと、なんだっけ――と、これはお茶目。『きみは、僕にきみを殺せと言うのか』『僕に人殺しになれっていうのか』――だったよね。ああ、思い出すだけで胸が高鳴るなあ。これ以上おっぱいが大きくなったら僕はどうすればいいのだろう。しかし様刻くんの言葉は僕の胸を打っただけでなく、頭の方にも、がつーんと一発、キツいの打ってくれたもんだよ。そう――簡単なことだったんだ、至極、簡単なことだったんだ。様刻くん好みの数学の問題みたいだ、一つに気付けば、それで簡単だったんだ。『結果』、『最善の結果』といったが、そう、起こった結果だけを見れば、それは明瞭なことだったんだよ、様刻くん。彼らは目的を完全に果たした、と考えるのだ。迎槻くんと琴原さんがその『策』、トリックを弄した結果、何が起こったか。トリックを弄した場合と、トリックを弄さなかった場合、それによってどんな差異が生じるか、それに気付けば、この問題は簡単なことだったんだ、様刻くん。そう――様刻くん、櫃内様刻くん、『ピースメーカー』、きみだ。彼らが策を弄した結果――きみにアリバイができているんだよ、様刻くん。精密にいえば、きみと、迎槻くんに、だが、迎槻くんに関しては既に先に述べた通りだ。そうなのだ、迎槻くんだけに関してならもっと適切な方法論があったけれど――きみの場合はそうじゃない。

ふふふ、もう冗語を重ねる必要はないね？　そう、彼らが弄したその策は、『数沢くんの死亡推定時刻をずらす』、かつ、『きみのアリバイを成立させる』ことにあったんだ、様刻くん。これは、奇しくも、僕と同じことを、迎槻くんと琴原さんは考えたといえるだろうな。ここでも、というべきか。数沢くんが行方不明になったと知ったとき、僕は様刻くんのクラスに乗り込んで、様刻くんを保健室に連れ込んで、聞いたよね？　きみは数沢六人を殺していないだろうね、みたいなことを。そう、これは最初に言ったことだ。『客観的に言って一番疑わしいのが誰かという話をすれば、それは様刻くんだということになるだろう』。『なぜなら、様刻くんは事件の直前に、数沢くんと悶着を起こしている』。『だから、容疑者の筆頭であって――』と、僕は言った。そう、誰の目にもそれは明らかだったんだ。だがこの言葉に僕は続けた――『しかし、考えてみれば様刻くんには確固とした不在証明があるのだよね』。だから、きみは――『人殺し』ではなくなる、誰にとっても。捜査の目がきみに向くことは、なくなる。今までの推論からして数沢くんの死亡推定時刻は大体六時過ぎから七時前までということに、おそらくは六時半ごろだろうというところになって、実際そのときには様刻くんは僕と一緒に保健室で将棋をやっていたんだが、そんなこと箱彦くん達は知るよしもないし、もしも箱彦くんが携帯電話で呼び出しの件の中止を告げたところで、きみはその後一人になっちゃうわけだしね……この辺は、迎槻くん達にもジレンマだったろうな。しかし、アリバイ工作に加えて、同じ意味の企みがもうひとつあったのだと僕は思う――そう、『様刻くんと数沢くんとの悶着を、彼の死の前に、解決させておく』という、ね。それだけのことで、もう『一応』とはいえ解決したというだけのことで、僕はあの日、保健室で、きみに抱いた疑いの立証を、諦めたものだしね。そう、これこそ、究極のアリバイ工作だと言えるだろうな。まあ、それでもやはり、僕に言わせればベストの選択は自首することで、事故だか故意だかどちらにしても自首することで、自首すればそんなもの様刻くんに容疑がかかるわけもないのだが、しかしそうしなかった。二人だったから、できなかったんだろうね。だが、きみに疑いがかかることを、それでも彼らはどうしても避けたかったんだ。迎槻くんと琴原さんは、それだけは避けたかったんだ、きみに『人殺し』になって欲しくはなかったんだ。それゆえに先に数沢くんを抑えようとし、それについては、やはり、失敗したってところが実際なのだろう。だが失敗にめげず、逆境に挫けず、迎槻くんと琴原さんは——やってみせた。見事、企み通り、きみのアリバイを成立させた。考えるまでもない、琴原さんは自分のアリバイを放棄してまでだ。迎槻くんと『二人だけの秘密』ということにしておけば、互いに互いが証人となり、二人とも完璧なアリバイを作れていたというのに、それを放棄してまで——彼ら二人は、迎槻くんと琴原さんは、きみのアリバイを作成した。本人が気付かないように。本人にだけは気付かれないように。自分達の手で、本人には気付かれないように。自分達の罪の所為《せい》で、友達に、疑いがかからないように。——これで、もう、本当に説明するまでもない。犯人は迎槻箱彦と琴原りりす。トリックは入れ替わりによる死亡推定時刻誤認からのアリバイ工作。その企みは——きみのため、さ。目的は友情、動機は友情……それが今回の事件の、それが、今回の問題に対する、今回の、ほんのささやかな、僕らの学園生活を、僕らの世界をほんの少しだけはんなりと脅かした、矮小で卑近な、殺人事件に対する、つまらない、ありふれた、しかし僕らにとってはかけがえのない、解答…………」

病院坂黒猫は、そこで、一つ、嘆息した。

で、にっかりと、おどけた風に笑う。

「…………とか言っちゃって！　あはは、まあ、

以上が、僕が昨日、病院の公衆電話からきみに話し

た『犯人当て』の内容なわけだが、果たしてそれを聞いたところで、はてさてはて、きみが一体どんな応対をするものか、そこはよく分からなかった。僕は、言うまでもなく、分からないことが嫌いだ。だからといって、自分で分からないことを人に訊くつもりはない。ま、うっかり訊いちゃうこともあるけれど、なるべくはない。そういうわけで、始終、全部、こっそりと盗み聞きさせてもらったよ。盗み聞きするつもりはなかったのだがね」

「…………」

給水タンクの陰から現れた、体操シャツにブルマーの病院坂黒猫の姿は、さっきから全身僕の視界に入っていたが、僕は、屋上端の、鉄柵、僕の肩が食い込んだせいでやや変形してしまっている部分に背をもたれさせたまま、動く気にも、饒舌《じょうぜつ》に口を挟む気にもなれず、反応しなかった。病院坂は「にやり」と笑って、こっちに一歩一歩、ゆっくりと、歩み寄ってくる。にやにや笑いは、そう、まあ小説などでは言い古された比喩で、僕が小説家なら絶対に使わない比喩ではあるが、童話に出てくる、薄笑いの猫のようだった。猫の首には鈴をつけなければならない、といったのは、箱彦だったかな……。病院坂は、あと三歩、というくらいの位置まで寄ってきたところで、足を止め、

「うんうん」

と、声に出して、頷いてみせる。

「そして、僕の敬愛する櫃内様刻くん、敬愛してやまない櫃内様刻くん、きみの判断は確かに正しいと思うよ。きみはやはり正しいことを正しい風にできる人間だ。迎槻くんのことは、まあ心配いらない。ああいう体育会系タイプは何があっても友達のことは売らない。琴原さんが『幼馴染』である以上、彼は沈黙を保ち続けるだろう。しかし、そう、問題はた琴原さんだ。さっきここできみと抱擁《ほうよう》を交わしていた琴原さんだ。『恐怖』だったかな？　殺されるのが、怖い。よく言ったものだと思うが、こういうの

は確かによくあることなのだよ、様刻くん。ありふれている、ありふれているんだ様刻くん。彼女は、『人を殺す』ということを知ってしまった。だから、自然、『殺される』という発想もわいてくるんだ。『殺す』『殺される』という概念が、彼女にとって絵空事でなくなってしまった。第三者には、もう想像できない。僕や様刻くんが数沢くんの死を認識するより、もっと深く彼女は数沢くんの死を認識し、『怖い』と思ったはずだ。『数沢くんが殺されたのだから自分も殺されるかもしれない』という感覚よりも更に一方上、『数沢くんを殺してしまったのだから、自分も殺されてしまうのかもしれない』という感覚。殺人者の精神は、とかく測りがたいがね、そのくらいに揺れてしまうことくらいは想像がつく。彼女の場合は、その『恐怖』に加えて『罪悪感』だな。『殺人者である自分が報われてはならない』『罰を受けなければならない』といったようにね。きみに対する告白を取り消したというさっき言ってたあれも、その筋から辿《たど》れるものだな。あのままでは、確かに彼女はヤバかった。戦士、戦場に出た戦士という比喩を使うなら、彼女は何の覚悟もなく、戦場に出てしまった、その上で敵に『勝って』しまった、そういう立場にいたのだ。完全に、錯乱状態だ。パニックというよりはヒステリーの部類かもしれぬがね。彼女は、もう、限界だった。ぎりぎりいっぱいで、よくぞ一週間ももったものだと言える。でも、もうそろそろお終い。お終い。お終い。お終い。だから——きみは、琴原さんに対し、『愛の告白』をしたのだろう？」

「…………」

「まあ、別れ際に、琴原さんに対し『僕が真相を知っていることは、箱彦には秘密だよ』なんて言っていたのは非常に様刻くんらしいね。箱彦くんに心配がいらないのはいうまでもないこと、なら、二人の間には、やや深めの溝を作っておくべきだ。二人の間には何らかの『秘密』をもたせておけば一番効果的だ。これで琴原さんは、ますます身動きがとれなくなって——しかも、幸せになった。報われたんだ。そう、行為に対してご褒美が与えられれば、それはただの『行為』ではなく、『仕事』になるんだよ。『幸せになってはいけない』と思い込んでる彼女をきみは無理矢理幸せにしてみせたのだ。大事なのは錯覚を与えること、恋愛においては少なくともそうだね。『努力』に対し『報酬』を与えること。行為した分だけの成果があれば、人はそれだけで救われるんだ。『行為した分だけの成果』——それが、世界とつながっている、空回りしていないということだからね。大事なのは『何か』をして『何か』が起きるというその連鎖だ。連鎖。数沢くんを殺したことが、琴原さんにとって何か意味がなければならない——とにかく何か意味がなければならない——きみは、そして考えうる限り、彼女の行為に最高の意味を与えてあげたというわけだ。きみは、琴原さんの空回りを、止めた。全てを捨てかけていた琴原さんに、全てを、元々の目的を思い出させてみせたんだ。そして、そうなれば、もしも琴原さんが再び不安に、不安定になったときは、きみがそばで支えてあげることができる。その意味じゃ、大変なのはこれからだがね。大変なのは、これからだ」

……その通り。琴原の『不安』はこれで解消され、破綻、綻びは、これで回避されたけれど、これで終わりにしてはならない。これを、琴原のエンドマークにしてはならないのだ。『行為』によって『目的』を達成した、それだけでは『達成した』だけで、そこで終わりになってしまう。終わり、簡潔な完結。この僕が、少しだけ、夜月に対して抱いてしまったような、ああいう——変な達成感を、世界に無視されているようなあの感覚を、琴原に抱かせてはならない。僕は、琴原のことを、もっともっと、幸せにしてあげなければならない。寝ても醒めても夜となく昼となく吐き気がするくらい幸せにしてあげなければならない。あいつの喜ぶことをして、あいつの喜ぶ顔を見て、これからずっと、そうしていかねばならない。問題を、次々と、間断なく解いていかねばならないのだ。だって、それは——何故なら。

「……何故なら、きみは琴原さんに対し責任を感じたんだろう？　琴原さんはあのままだと、箱彦くんのことなど忘れてしまい、自首してしまうか、それならまだ全然よいが、ともすれば精神が折れてしまうかもしれない。いやいや、畢竟、そうなっていたろうね。それを、きみは、かばいたかった。防ぎたかった。救いたかった、助けたかった。不均衡な状況に、調和をもたらしたかった。不安を安心に、不安定を安定に。問題に、解答を出したかった。友情に対し、きみは友情で報いたというわけだ。美しいね、本当、きみらしい、いい判断だったと思うよ。最大の能力を発揮して、最良の選択肢を選んだんだ。ま、僕らの力の到底及ぶところでない警察権力が、別の情報経路をもってして、迎槻くんと琴原さんの家のドアをノックするという可能性だけはどうしたって消しようがないが、しかしそこは彼らの運にかけ、あるいはいずれ来るかもしれないその日まで、きみは、彼らの学園生活に、潤《うるお》いを与え、『不安を解消』させてあげることに、成功したのだ。僕はきみを尊敬しよう、きみの行使した問題の解法にくらべれば、僕が今回繰り広げた謎解きなんて、前座の戯言《ざれごと》もいいところだ————しかし、様刻くん」

病院坂は、やや、皮肉げな物言いをした。

「きみは本当に琴原さんが好きなのかね？」

「…………………」

ん？　と、わざとらしく、首を傾げる仕草をする病院坂。不愉快な表情だ。なんて……嫌な奴なのだろう。ああ、どうしようもなく果てしなく、この上なくもみっともなく、滑稽だ。

「……なあ、くろね子さん」

僕は、疲れた口調で言った。心底、疲れていた。

何が何だか分からないほど、僕は疲れていた。空を見上げるのもばかばかしい。何をするのもばかばかしい。

「どーもきみはかなり聡《さと》い奴みたいだから、ここは一つ、僕に教えちゃくれねーか？　櫃内様刻は、自分で分からないことを、病院坂黒猫に対し、訊きたいんだ」

「答えよう。優しさで」

「僕は――僕はね、病院坂」

僕は一切の感情を込めずに言う。どんなときでも――どんな場合でも、常に理性的、感情的にならないというのが――僕の、誇りだ。僕のアイデンティティだ。そこだけは、どんな状況であっても、本当に、少なくとも、譲《ゆず》るつもりはない。

「きみの言う通り――きみから、ことの真相、ことの解答って奴を聞いてから、一晩、朝まで考えて……それで、琴原を、呼び出すことにしたんだ。その決断に、間違いがあったとは思わない。僕は、持てる最大の能力を発揮して、考えうる限り、僕の今の能力で、考えうる限り最良の、本当に、これ以上ないってくらいに最良の選択肢を、自分のために、そして箱彦のために、琴原のために、必死で考えて、最良で最良で最良の選択肢を選んで――そして、それを、何一つの予定違いもなく、実行してみせた。きみも、そこで見てただろう？　僕が、最大の能力で、最良の選択肢を、選んだのを、見ていたろう？」

「ああ、見ていたさ。両の眼でばっちりと」

「なのに」

僕は、吐き捨てた。

「どうして僕は……こんなに最悪なんだ」

僕は、これまで、間違えたことなんて、一度もないはずなのに。常に、全力を尽くしてきたはずなのに。いつだって真面目に、誠心誠意、あらゆる問題に取り組んできたはずなのに。どうして――こういう、こんな形の場所に、落ちて、陥ってしまったのだろうか。綻びから、滅びに至る道。どうしようもない、こんな形の場所に――こんな世界に、なってしまったのだろう。僕の意志や僕の意図とは全く関係ないところで全てが決定していて、僕はその後処理をするばかりで、取り繕っただけで、しかもどんな上手に後処理をしてもそれは『後処理をした』というだけで、やってもやらなくても同じことだったりして、世界は、全然僕のことなんて気にしてなくて、成果が上がることなんてなくて――まるで、これじゃあ。こんなんじゃあ、僕が――何かを、全てを、間違えてきたみたいじゃ――ないか。だとしたら――まるで、徒労だ。違う、違う違う違う、僕は、何も間違っちゃいないはずだ。常に全力で、やってきたはずだ。夜月のことだって、何も間違っていない。琴原のことだって決して間違っていない。間違っているとすれば――だったら、それは、世界の責任じゃないのか。僕の、世界が――間違っている。じゃあ、もう……何をどうしても、仕方がない。僕が何をやっても、そんなことに意味もなく――間違い続け、終わり続ける、だけじゃないか。前提が間違っている問題で正しい解答なんて導き出せる道理がない。僕は間違えず、正解ばかりを選んできたつもりだが、そんなのは、世界にとっては、水が高きから低きに流れるが如《ごと》しで、水の一流一流などどうでもよくて、だから、そこには正解も間違いも、そもそも問題自体がなくて――僕は今まで、自分を特に幸せだとも、不幸せだとも思ってこなかったが……選んでも選んでも選んでも選んでも、世界がこんななら、幸せになんかなれるわけがない。安心なんて、できるわけがない。

病院坂黒猫は――これまで僕が見たこともないような、優しい表情で、「それはね」という。

「きみの心の片隅のどこか見えないところで、悲しいと思っている哀れな誰かさんが、少なくとも一人、弱々しくありながらも、確かに存在しているからだよ」

「…………」

「いつだったか、きみを評して『世界にまるで取り合わず』といったが、訂正しよう。世界をないがしろにしているのは確かだったが——それどころではなかった。きみは、あらゆることに自分を勘定にいれなかった。きみ自身の幸福には興味がないといわんばかりに、世界を相手に取り組み過ぎた。この世界が試験問題だったとするなら——きみは、自分の名前を書き忘れたのだよ。きみは、妹さんのため、迎槻くんのため、琴原さんのために——と、色んな嘘をついた。自分の世界のほとんどに対し、きみの世界のほとんどに対し、嘘をついた。世界を騙した。それは、もう、世界を壊してしまわんばかりに。調和をもたらすために、欺瞞を持ち込んだのさ。きみのいうことは嘘ばっかりだ。だから——きみは、最悪なんだ。琴原さんがとらわれた『恐怖』と同じだよ。世界に対して嘘をついたきみは——今、世界から騙されている気がして、ならないんだ。嘘ばかりついてきたから、誰も信用できない。そう、『嘘つき』が抱える真の悩みはそこなのさ。誰にも信用してもらえないなんて、そんなのは問題じゃない——誰も、信用できなくなってしまう。誰もが、自分を出し抜こうとしているんじゃないのかと、解答のわからない疑いを抱えてしまうことになる。相手が騙されるんだから、自分も騙されているのかもしれない。最良の選択肢だと思っているのは、ただ単に騙されているだけで、間違えているかもしれない、間違えているかもしれない、間違いだったかもしれない。間違い続けてきたのかもしれない。本当は、最善のはずの結果も、最悪なのかもしれない——きみは、そう考えている」

「…………」

「きみは、嘘を、つき過ぎた」

病院坂の死刑宣告のような決別のような、しかしそれでもどこか現実味にかけた、空々しいその断言を聞いて、僕は——琴原の言葉を借りれば——正直、ほっとしたような、肩の荷が下りたような、そんな気分になった。僕は——精一杯の強がりで、苦笑した。

「病院坂」

「なんだい？」

「今から嘘をつくから、騙されてくれ」

「…………？」

僕は、力なく、うな垂れた。

「——つらい、よ」

懺悔のように吐き出された沈みゆくことへどろの如きその言葉に、病院坂はやはり優しい表情で、優しい笑みを浮かべ、僕の正面にかがみこんで、そっと、僕の頭を、右手で支えるようにした。左腕は脱臼したばかりなので、動かないのかもしれない。病院坂は片腕だけで、僕の頭を引き寄せて、そのふくよかな胸の中に、僕の顔をうずめるように、泣きたくなってしまうくらいにどうしようもない優しさで、抱きしめてくれた。

「駄目だよ」

そして、病院坂は言う。

「僕は、騙されない」

「…………」

「僕だけは何があっても騙されない。きみがたとえ世界中の全員を騙しても、世界そのものを騙しても……僕だけは、きみの嘘を見抜いてあげる。どんなことよりも優先して、きみの欺瞞を立証してあげる。だから、きみは大丈夫なんだよ、様刻くん。きみの世界は、まだまだ、全然大丈夫なんだよ、様刻くん。きみの世界は、壊れていない」

「……ちぇ」

僕は、病院坂の深い胸の中、心底、毒づいた。本当——きみは、嫌な奴だな。嫌な奴で、クソ生意気で、見下して見通して、自信家で、勝気で向こうっ気が強く、反骨で、意地っ張りで、小うるさくて小ずるくて小賢しくて、猪口才《ちょこざい》で、おしゃべりで饒舌で能弁で皮肉屋で——全然、可愛く、ない奴だ。

「……じゃあ、もう少し——頑張って、みるか」

「頑張れ」

「頑張ろう」

「うん」

「ああ」

このとき、ようやく、随分時間はかかったが。

櫃内様刻は病院坂黒猫のことが好きになった。

/えんでいんぐ

普段ならば、もうそれは既に習慣になっているので、僕が午前五時の更にその前に目を覚ますために目覚まし時計は必要ない。しかし、今日は週明けの月曜日、昨日が日曜日だったためにひょっとすると生活リズム、体内時計が狂っているかもしれないので、念のために携帯電話のアラームをセットしておいたのだが、やはり予想通り、僕はそのアラームが鳴るより先にさらりと目を覚ました。夢は見なかった。と、思う。そのアラームを解除してから自分の部屋を出、階段を下りて、洗面所へ行って顔を洗う。さあ、まずは朝の仕事だ。家族全員分の朝食を作る。僕と夜月の分は、携帯できるように、両親の分は、僕達が学校に向かってから、のんびりと食べてもらうように、別々のメニューで作製する。そして、更に、五人分の昼食、お弁当の作製。それが終わる頃には五時半になっていて、いつも通り、ぴったり時計で測ったように、僕は夜月を起こしに行く。一応はノックを三回してから、返事がないのを確認し、ドアを開ける。夜月は天使のような寝顔で、すやすやだった。そんな夜月を起こす作業にはいつも、どうしようもないような罪悪感がつきまとうが、これぱっかしは仕方がない。僕は夜月の肩を揺らして、「朝だよー」と、耳元で囁《ささや》いた。「んん……にゃいー」と、寝起きの悪い夜月は、寝ぼけまなこで、ぼーっと、焦点を合わさないままに僕を見る。まだ夢うつつ、夢の中にいるような気分なのかもしれない。

「朝だよーん」

「眠い……」

「眠いのと朝なのとは関係ないよ」

「眠い……かなー」

「…………」

「眠いよー……」

低血圧にしても、今日は特に酷いな。昨日、一緒に調子に乗って随分と夜更かししたからなあ。でも、なんとか手を打たないと、このままでは遅刻してしまうではないか。それは避けねばならない。僕は腕を束ねて考えた。一秒ほどで、妙案が閃《ひらめ》く。

「……おはようのキス」

隙だらけの夜月に不意打ちの形で、軽く唇を合わせた。「にゃ、にゃいっ⁉」と一気に目を覚ました夜月に「あはは」と笑いながら、僕は一目散に一撃離脱、夜月の部屋から逃げ出す。

「も、もうっ！　お兄ちゃんのえっち！」

「声でかいぞー」

「う……」

「あははー」

ドア越しにそんな会話を交わしつつ、僕は自分の部屋に入って、学生服に着替える。まあ、両親はともに眠りが深い方なので、心配ないだろう。うちの家族は低血圧ばっかりだな。僕は誰に似たのだろう。案外、僕は橋の下で拾われてきた子供で、夜月とは血の繋《つな》がってない兄妹だったりして。それこそ漫画だ。残念ながら、それはないのだった。そんなことは役所の戸籍謄本《こせきとうほん》を見て、とっくの昔に確認している。着替え終わって部屋を出たところで、夜月と鉢《はち》合わせ。夜月も、もう制服姿だった。髪も綺麗にとかされている。

「お兄ちゃん、時間は？　大丈夫かな」

「よゆー。カキ氷のように綽々《しゃくしゃく》。眠くないか？」

「あんなの、眠気ふっとんじゃったよー」

「よし。なら、明日からもあの手だな」

「む、むー」

「じゃ、今日も一日、頑張って行きますか」

「行きましょー」

階段を降りて、リビングに用意してあった弁当を互いの鞄に詰めたところで、出発準備完了。玄関まで行ったところで、今度はちゃんと、不意打ちでもなく、どちらともなく抱き合った末に、夜月とキスをした。行ってきますのキスと行ってらっしゃいのキス、それぞれ、一回ずつ。駅まで行って電車に乗り、電車の中で朝食。飲み物はパックの豆乳だった。電車の乗り継ぎ、学校の最寄り駅。バスに乗り、更に学園に最寄りのバス停へ。さあ、しかし勝負はこれからだ。『昇りだけのジェットコースター・天国への階段』。僕にしてみればもう結構付き合いの長い奴だが、未だに好きになれないぜ。夜月の手を引くように、僕達は坂を登りきって、遅刻することなく、桜桃院学園の正面ゲート前まで辿り着いた。

「勉強は好きかね」

「嫌いー」

「では、好きになるため努力しよう」

「きゃー」

「今は役に立たなくても、後で役に立つぞ!」

「はいっ!」

「では再会を誓って!」

「応っ!」

昇降口のところで、靴を履き替えてから夜月と別れ、僕は東校舎に向かう。さて、この階段も結構きついけれど、しかし、さっきの『天国への階段』に比べれば、こっちはなかなか可愛い奴だ。比べれば の話で、本当は小憎たらしくはあるけれど。昇っている途中で、見覚えのある後ろ姿を見かける。琴原りりすだった。後ろ姿からでも、体格で分かる。おっと、しかし体格だけで判断するのは危険かもしれない。僕は(少しふくらはぎ的にきつかったが)ちょっと小走りに、その女生徒の前に回る。うん、やはり、琴原だった。琴原はぎょっとしたように僕を見て、それから、はにかむように笑う。

「おはよう、様刻」

「おはよ、りりす」

「古典の宿題やってきた?」

「いくらでも見せてやるさ」

「さんきゅー」

「昨日色々見せてもらったお礼」

「な、何を！」

あからさまに動揺し、辺りを見回す琴原。どうせこんな喧騒《けんそう》の中じゃ誰も聞いていないというのに、結構気の小さな奴だ。付き合ってみると意外な一面が色々と分かってきて、それは、少し、面白い。女の子と付き合うのは久し振りだったので、この感覚は、新鮮だった。中学生の頃に戻ったような気分だ。

「もう僕はすっかり肩甲骨の魅力にめろめろ――」

「黙りやがれ！」

「あ、今日の分」

僕は琴原の耳元に口を寄せた。

「大好き」

「う……」

「きみの分もお弁当作ってきたから、昼、屋上で一緒に食おうぜー。じゃ、おっさきー」

僕は狭い階段の踊り場でひょいっと身体を翻して、階段を昇る生徒達の間をすり抜けるように、四階の、三年二組、愛すべき自分の教室に向かって走った。さすがに教室に入って机の上に荷物を置き、椅子に座る頃には息が切れていた。息を整えている内に、活動が再開された剣道部の早朝練習が済んだのだろう、教室の前の入り口から、箱彦が入ってきた。僕が割と早めに登校してきているのを見つけて、軽く手をあげる。

「よっ」

「ん」

箱彦は自分の席まで行き鞄を脇において、どっかりと座った。僕と同じくお疲れのようだが、箱彦の場合は、その度合いが違うのだった。活動を自粛していた間の分を取り戻すために、今は地獄の特訓中だとかで。その様子は、体育会系はやっぱりきついよな、と思わせる。僕は帰宅部でよかった、と胸をなでおろしはするが、しかしあの異常なまでの一体感はやはり、ちょっとだけ羨ましいと思わなくもない。とにかく、大会までもう日にちがない。取り戻しようのない、二度とない青春を謳歌するためにも、箱彦率いる剣道部には、是非とも頑張って欲しいと思う。親友として。しばらくして琴原も教室にやってきた。まだ、何か怒っているような顔をしている。からかうと面白いんだけど、まあ、やり過ぎはよくないよな。僕は、琴原が横を通り過ぎる際に、古典のノートをさしだしてあげた。琴原は「…………」と、無言でそれを乱暴にひったくるように受け取って、席に向かう。ふむ。あのノートの中に書いた謝罪と愛のメッセージは、どれくらい効果をあげるだろう。まあ、それは蓋《ふた》を開けてのお楽しみということで。僕は一時間目の数学の準備をしておくことにした。今日のところは直前に、最後の確認をしておきたかったのだ。と、そこで、思い至る。今、琴原に渡したノートに、僕は色々いらんことを書いたものだが、さて、ひょっとして……僕は、昨日予習のために持って帰ってしまっていた数学の教科書ではなく、置きっぱなしにしている地理の教科書の方を、取り出して、今日の範囲の部分を確認することにする。地理の授業は二時間目。狙い目としては、ありそうな線だ。僕は、中学生どころか、ただの子供のようにわくわくしながら、地理の教科書のページを繰《く》るのだった。

大事な妹。
可愛い彼女。
頼れる親友。
好きな人。
今日も世界はこんなに平和だ。
気分がいいので、保健室に行こう。

Crazy world is beautiful world.

後書

「なんかつまんないなー」「なんか面白いことないかなー」、それが本書の作者の口癖《くちぐせ》で、これまで口にした回数は一万回や十万回ではきかないでしょうが、その手の人間がおしなべて無気力になるかというと意外とそうでもなく、「だったら面白いものを探そう」と、ムキになって試行錯誤するものです。まーその結果、「あ！　これ面白い！　最高！」みたいなものに、何かしらぶつかります。世の中そんなに捨てたものでないという心温まるお話ですが、しかしその『これ面白い！』というものも段々徐々に彼の心に刺激を与えなくなってきます。ぶっちゃけ飽きます。そしてその『飽き』や『慣れ』なんていう現象に直面した人間は『やっと発見した、かけがえのない大事なもの』をなくしたかのような、耐え切れない喪失感を味わうことになります。その喪失感を埋めようと彼はまた『面白い！　最高！』を探しますが、そんなの幾ら探しても見つけても同じことで、喪失感ばかりを彼は味わいます。しかし、でも確かに得られたものがあったはずで、彼が体験したものは彼の中にしっかり根付いて、息づいているというのに、彼は『私は失ってばかりいる』と考え、自分以外の人が平気に面白がっているのを見て、酷《ひど》い嫉妬《しっと》と劣等感に苛《さいな》まれます。で、そうなった人間がどうするかといえば『分析』を始めます。自分が『面白い』と感じた『これ』はどうして面白かったのか。どういう材料が入っていればそれが『面白い』と認識できるのか。理論に頼ってなんとかその『面白い』を失わないように『喪失』しないようにと足場を固めようとするのです。まあ言うまでもありませんがどんな対象にしたって分析を始めてしまえばソレマデです。『これはどうして面白いのか』を考えれば『こうでなければ面白くない』『こうでないと駄目だ』とか『こうでさえあれば何でも面白い』とか言い出し、結局、彼に残るのは、喪失感でもない、ただの喪失。あーあ。なんかつまんないなー。

本書は高校生達の物語です。極々だるくてだらだらした、つまんないのに面白い、面白いはずなのにつまんない、友情したり恋したり、格好つけたりお道化《どけ》たり、賢ぶったり愚かぶったり、理屈っぽくて馬鹿っぽい、喪失の物語——でも、本当はその喪失だって、やっぱり獲得と何ら変わんないんですけどね。前向きだろうが後ろ向きだろうが人生も世界も一方通行、そんな感じであなたの世界はどんな世界、『きみとぼくの壊れた世界』でした。

編集担当の太田様には本書の企画立案から製作に至るまでみっしりとお世話になり、この度のイラストはＴＡＧＲＯ先生に担当していただきました。正直どうして僕の人生がこんな凄いことになっているのかよくわかりませんが、分析するとアレなので、このまま流れていこうと思います。とりあえず飽きるまでは見てやってください。それでは。

西尾維新

■きみとぼくの壊れた世界　「もんだい編」初出　小説現代臨時増刊号メフィスト　２００３年５月号
その他のパートはすべて書き下ろしです。

定価はカバーに表示してあります

きみとぼくの壊《こわ》れた世界《せかい》

二〇〇三年十一月五日　第一刷発行

KODANSHA NOVELS

著者―西尾維新《にしおいしん》

発行者―野間佐和子
発行所―株式会社講談社
東京都文京区音羽二・一二・二一
郵便番号一一二・八〇〇一
編集部〇三・五三九五・三五〇六
販売部〇三・五三九五・五八一七
業務部〇三・五三九五・三六一五

印刷所―大日本印刷株式会社　製本所―株式会社上島製本所

N.D.C.913　296p　18cm

ISBN4-06-182342-6

KODANSHA NOVELS 講談社ノベルス

妖気ただよう奇書!
刻丫卵　東海洋士

落語界に渦巻く大陰謀!
寄席殺人伝　永井泰宇

"極真"の松井章圭館長が大絶賛!
Kの流儀　フルコンタクト・ゲーム　中島　望

一撃必読! 格闘ロマンの傑作!
牙の領域　フルコンタクト・ゲーム　中島　望

21世紀に放たれた70年代ヒーロー!
十四歳、ルシフェル　中島　望

超絶歴史冒険ロマン
黄土の夢 〈第1部〉明国大入り　著 中嶌正英　原案 田中芳樹

超絶歴史冒険ロマン
黄土の夢 〈第2部〉南京攻防戦　著 中嶌正英　原案 田中芳樹

超絶歴史冒険ロマン
黄土の夢 〈第3部〉最終決戦　著 中嶌正英　原案 田中芳樹

書下ろし新本格推理
消失!　中西智明

書下ろし長編本格推理
目撃者　死角と錯覚の谷間　中町　信

逆転につぐ逆転! 本格推理
十四年目の復讐　中町　信

書下ろし長編本格推理
死者の贈物　中町　信

書下ろし長編本格推理
錯誤のブレーキ　中町　信

霊感探偵登場!
九頭龍神社殺人事件——天使の代理人　中村うさぎ

書下ろし長編官能サスペンス
赤坂哀愁夫人　南里征典

書下ろし長編官能サスペンス
鎌倉誘惑夫人　南里征典

長編官能サスペンス
東京濃蜜夫人　南里征典

長編官能サスペンス
東京背徳夫人　南里征典

官能&旅情サスペンス
金閣寺密会夫人　南里征典

官能追及サスペンス
新宿不倫夫人　南里征典

長編官能サスペンス
六本木官能夫人　南里征典

長編官能サスペンス
銀座飾窓夫人　南里征典

長編官能ロマン
欲望の仕掛人　南里征典

野望と性愛の挑戦サスペンス
華やかな牝獣たち　南里征典

妖気漂う新本格推理の傑作
地獄の奇術師　二階堂黎人《にかいどうれいと》

人智を超えた新探偵小説
聖アウスラ修道院の惨劇　二階堂黎人

著者初の中短篇傑作選
ユリ迷宮　二階堂黎人

会心の推理傑作集!
バラ迷宮　二階堂蘭子推理集　二階堂黎人

恐怖が氷結する書下ろし新本格推理
人狼城の恐怖　第一部ドイツ編　二階堂黎人

蘭子シリーズ最大長編
人狼城の恐怖　第二部フランス編　二階堂黎人

悪魔的史上最大のミステリ	人狼城の恐怖 第三部探偵編	二階堂黎人
世界最長の本格推理小説	人狼城の恐怖 第四部完結編	二階堂黎人
新本格作品集	名探偵の肖像	二階堂黎人
正調「怪人 対 名探偵」	悪魔のラビリンス	二階堂黎人
第23回メフィスト賞受賞作	クビキリサイクル	西尾維新
新青春エンタの傑作	クビシメロマンチスト	西尾維新
維新を読まずに何を読む!	クビツリハイスクール	西尾維新
〈戯言シリーズ〉最大傑作	サイコロジカル(上)	西尾維新
〈戯言シリーズ〉最大傑作	サイコロジカル(下)	西尾維新
白熱の新青春エンタ!	ヒトクイマジカル	西尾維新
JDCトリビュート第一弾	ダブルダウン勘繰郎《かんぐろう》	西尾維新
維新、全開!	きみとぼくの壊れた世界	西尾維新
めくるめく謎と論理が開花!	解体諸因	西澤保彦
驚天する奇想の連鎖反応	完全無欠の名探偵	西澤保彦
書下ろし新本格ミステリ	七回死んだ男	西澤保彦
書下ろし新本格ミステリ	殺意の集う夜	西澤保彦
書下ろし本格ミステリ	人格転移の殺人	西澤保彦
書下ろし新本格ミステリ	麦酒の家の冒険	西澤保彦
書下ろし新本格ミステリ	死者は黄泉が得る	西澤保彦
書下ろし新本格ミステリ	瞬間移動死体	西澤保彦
書下ろし新本格ミステリ	複製症候群	西澤保彦
神麻嗣子の超能力事件簿	幻惑密室	西澤保彦
神麻嗣子の超能力事件簿	実況中死	西澤保彦
神麻嗣子の超能力事件簿	念力密室!	西澤保彦
神麻嗣子の超能力事件簿	夢幻巡礼	西澤保彦
神麻嗣子の超能力事件簿	転・送・密・室	西澤保彦
神麻嗣子の超能力事件簿	人形幻戯	西澤保彦
書下ろし長編	ファンタズム	西澤保彦
長編鉄道推理	四国連絡特急殺人事件	西村京太郎
長編鉄道推理	寝台特急《あかつき》殺人事件	西村京太郎